Wie schreibt man auf Deutsch?

독일어 작문 연습 I

Wie schreibt man auf Deutsch?

독일어 작문 연습 I

지은이 신형욱, Anneliese Stern-Ko

한국어 독일어 작문 사전 포함

서문

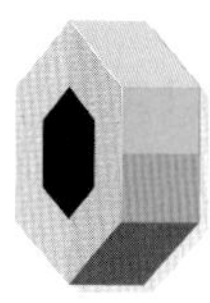

인터넷을 통한 전자 우편이 일상화된 오늘날 글쓰기는 매우 긴요한 능력이 되었다. 그런데 구어 중심의 회화 능력이 강조되면서 글쓰기 교육은 다소 소홀히 다뤄져왔다. 시중에 나와 있는 독일어 교재도 대부분 어휘와 문법 그리고 회화와 강독 교재이다. 독일어 작문 연습을 위한 교재가 필요한 실정이다.

작문은 생각을 글로 옮기는 것이다. 우리는 정리되지 않은 생각을 말로, 또는 글로 정리하기도 한다. 그러므로 작문은 생각의 표현이기도 하지만, 생각을 다듬고 형성하는 수단이 되기도 한다. 그런데 새로 배우는 외국어의 경우에는 생각에 비해 언어 구사 능력이 매우 미약한 경우가 많다. 더욱이 글을 쓰는 것은 단순히 낱말을 문법에 맞춰 나열하는 것에 그치는 것이 아니라, 주제와 상황에 맞게 텍스트를 구성해야 한다. 초급 독일어 학습자가 이러한 복합적인 텍스트 구성 능력을 습득하기 위해서는 체계적이고 단계적인 학습이 필요하다.

초급 학습자를 위한 이 <독일어 작문 연습>은 12단원으로 구성되어 있으며, A1-A2 수준의 기초적인 문법과 어휘 수준에서 직접 글을 쓰면서 독일어 글쓰기에 친숙해지도록 많은 연습 문제를 담고 있다. 단원마다 학습 목표로 Modelltext(모델텍스트)를 제시하고, 그 속에 나오는 어휘와 문법을 익힌 후, 단계별로 Text zum Ergänzen(텍스트 보충완성하기) - Text zum Übersetzen(텍스트 번역하기) - Text zum Korrigieren(텍스트 수정하기)을 통해 주제별 작문 능력을 기르게 한다. 이 단계별 연습을 따라 하다 보면 학습과 활용은 물론, 독일어의 구조와 사용방식을 의식적으로 배우게 될 것이다. 우리말의 독일어 대응 표현을 살펴볼 수 있도록 '한-독 작문사전'을 수록하였으며, 자신의 성취도를 스스로 평가할 수 있도록 해답을 제공하였다.

작문에는 여러 수준이 있으나, 이 책은 외국어로서의 독일어를 배우는 초급 학습자를 위한 것으로 문체나 수사적인 면보다는 언어구조 측면에서 올바른 독일어 작문 능력에 우선 초점을 맞췄다. 따라서 본격적인 글쓰기 교재라기보다는 글을 쓰면서 배우는 독일어 학습 교재라고 할 수 있다. 독일어를 체계적이고 명확하게 배우고자 하는 사람에게 좋은 길잡이가 될 것이다.

2020년 2월

신 형 욱

목차

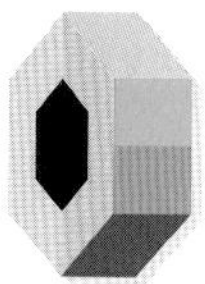

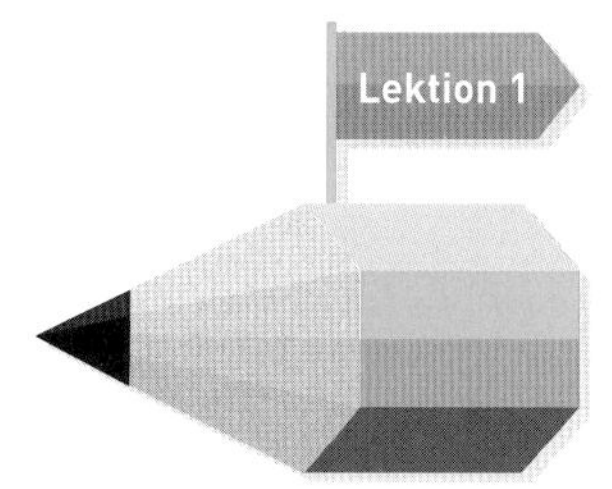

Wie schreibt man auf Deutsch?

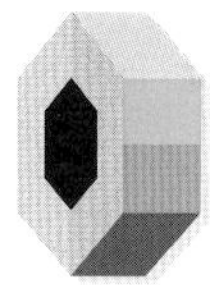

Das Alphabet

독일어는 영어에서 사용하는 알파벳과 더불어 Ä/ä, O/ö, Ü/ü, ß를 추가로 사용한다. 대문자와 소문자가 있다.

	Großbuchstaben (대문자)			Kleinbuchstaben (소문자)	
	Druckschrift (인쇄체)	Schreibschrift (필기체)		Druckschrift (인쇄체)	Schreibschrift (필기체)
A		A	a		a
Ä			ä		
O		O	o		o
Ö			ö		
U		U	u		u
Ü			ü		
SS/ß			ß		

ß는 소문자로만 사용하고 대문자로 표기해야 할 경우에는 SS를 사용해 왔다. 그러나 2017년 6월 29일자 규정에서 대문자 ß의 사용도 허용하였다. (https://web.archive.org/web/20170706162042/http://www.rechtschreibrat.com/DOX/rfdr_ Regeln_2017.pdf. §25, E3: Bei Schreibung mit Großbuchstaben schreibt man SS. Daneben ist auch die Verwendung des Großbuchstabens ß möglich. Beispiel: Straße – STRASSE – STRAßE.)

A1 독일어 문장만을 골라서 써보시오.

My name is Peter and I live in Berlin.
Mein Name ist Peter und ich lebe in Berlin.

I am 16 years old.
Ich bin 16 Jahre alt.

I have a brother and a sister.
Ich habe einen Bruder und eine Schwester.

My hobby is swimming.
Mein Hobby ist Schwimmen.

What is your name?
Wie ist dein Name?

1. ______________________________

2. ______________________________

3. ______________________________

4. ______________________________

5. ______________________________

영어와 독일어 사이의 공통점과 차이점은?

A2 독일어로 적어 보시오.

1. My name → Mein ______

2. I live in Berlin. → ______ lebe ______ Berlin.

3. 16 years old → 16 ______ alt.

4. a brother and a sister → einen ______ eine ______

5. My hobby is tennis. → ______ ist ______

대문자를 사용하는 경우

1) 문장의 첫 글자

Wer ist das? - Das ist mein Bruder. (Who is this? - This is my brother.)

2) 명사의 첫 글자

Ich habe einen Bruder und eine Schwester. (I have a brother and a sister.)

- 독일어 불특정관사 ein-은 뒤에 오는 명사의 성과 격에 따라 형태가 달라짐.

3) 격식을 차릴 때 사용하는 인칭대명사 격식칭 Sie와 Ihr의 첫 글자는 항상 대문자

Woher kommen Sie? (Where do you come from?)

- 독일어 의문문에서는 동사가 주어 앞에 옴

Wie geht es Ihnen? (How are you?)

4) 인칭대명사 ich는 문장 맨 앞에 올 때만 Ich로

Wo wohnst du? - Ich wohne in Bonn. (Where do you live? - I live in Bonn.)

Wohnst du auch in Bonn? - Ja, ich wohne auch in Bonn.
(Do you live in Bonn, too? - Yes, I live in Bonn, too.)

- auch 또한

A3 첫 글자를 항상 대문자로 표기하는 낱말만 골라서 적으시오.

gut tag heißen maria schmidt ich wohnen in berlin bin schüler
mein vater lehrer er sprechen mutter arbeiten bei bank haben ein bruder

_______ _______ _______ _______ _______

_______ _______ _______ _______ _______

A4 정서법에 맞게 고쳐 적으시오.

1. My name → Mein _______

1. ich heiße Daniel. → _______

2. wo wohne Ich? → _______

3. Ich wohne in köln. → _______

4. wie ist Deine adresse? → _______

5. 'Peter' ist ein Deutscher name. → _______

6. Wie geht es ihnen? - Danke, Mir geht es gut. →

_______ - _______

A5 주어진 낱말을 바탕으로 올바른 문장을 만드시오. 해당하는 문장 부호도 보충하시오. (동사는 서술문에서 문장의 두 번째 위치에 오고, 의문문에서는 주어 앞에 옴. 의문사는 문장 맨 앞에 옴)

1. wohne, Ich, Seoul, in

2. Deutschland, studiere, In, ich

3. Vater, wohnt, Mein, Korea, in

4. Wie, Ihnen, es, geht

5. es, geht, Mir, gut

A6 **다음 글을 정서법에 맞게 고쳐 쓰시오.**

mein name ist maria. ich bin studentin. ich bin 21 jahre alt und wohne in berlin. mein hobby ist tennis. ich habe drei geschwister, und zwar einen bruder und zwei schwestern. mein bruder daniel ist 18 jahre alt. meine schwester lina ist 15 und meine schwester anna ist 24 jahre alt.

- und zwar 좀 더 구체적으로 말하자면

➋ sein [zain] <동사, 영어: be> …이다, … 있다. (동사는 주어의 인칭과 수에 따라서 형태가 변한다.)

sein 동사의 현재 시제 어미변화

인칭	단수	복수
1	ich bin *I am*	wir sind *we are*
2	du bist *you are* Sie sind *you are*	ihr seid *you are* Sie sind *you are*
3	er ist *he is* sie ist *she is* es ist *it is*	sie sind *they are*

ß oder ss 사용법 (둘 다 발음은 [s])

1) ß는 장모음이나 이중모음 뒤에만 사용한다.

Wie heißt der große Mann?	저 키 큰 남자는 이름이 어떻게 됩니까?
[haist] ['gro:sə]	([ai] 이중모음, [o:] 장모음)

2) ss는 단모음 뒤에만 사용한다.

Was isst du morgens?	너는 아침에 무엇을 먹니?
[ɪst]	([ɪ] 단모음)
Ich esse ein Brot und	나는 빵을 한 개 먹고,
['ɛsə]	([ɛ] 단모음)
trinke eine Tasse Kakao.	코코아를 한 잔 마셔.
['tasə]	([a] 단모음)

A7 다음 글을 정서법에 맞게 고쳐 쓰시오.

Ich heisse Lukas. Ich bin 1,80m gross. Ich wohne in Eßen. Morgens eße ich ein Brötchen und trinke eine Taße Kaffee. Meine Grossmutter sagt, Waßer ist gesund. Das weiss ich auch. Aber ich trinke nicht gern Waßer.

동사의 시제(현재시제 인칭변화)

동사의 부정형(Infinitiv)은 어간에 –en을 붙여서 표시한다(gehen: geh (어간) + -en (어미)).

규칙동사의 현재시제 인칭변화 어미

인칭	수	
	단수	복수
1	ich -e	wir -en
2	du -st Sie -en	ihr -t Sie en
3	er sie -t es	sie -en

wohnen 동사의 현재시제 인칭변화

인칭	수	
	단수	복수
1	ich wohne	wir wohnen
2	du wohnst Sie wohnen	ihr wohnt Sie wohnen
3	er sie wohnt es	sie wohnen

독일 사람의 이름

1) 성(Familienname)보다 이름(Vorname)을 먼저 말함

Ich heiße Lukas Schmidt.

Vorname (이름) Nachname (성, Familienname 가족명)

Die Namen der deutschen Bundeskanzler und ihre Amtszeit
(독일연방공화국 역대 수상의 이름과 재임기간)

1. Konrad Adenauer (1949-1963)
2. Ludwig Erhard (1963-1966)
3. Karl Georg Kiesinger (1966-1969)
4. Willy Brandt (1969-1974)
5. Helmut Schmidt (1974-1982)
6. Helmut Kohl (1982-1998)
7. Gerhard Schröder (1998-2005)
8. Angela Merkel (2005-)

2) 결혼하면 배우자의 성을 취하거나 병행하여 사용함(Doppelname: 두 개가 합쳐진 이름)

Julia Weber ***heiratet*** Jonas Bauer. *...가 ...와 결혼한다.*

Sie heißt jetzt ***nicht mehr*** Julia Weber, ***sondern*** Julia Bauer.
(nicht mehr ..., sondern ... *더 이상 ...가 아니라 ...*)

Weber ist ihr ***Mädchenname***. ... *그녀의 소녀 적(결혼 전) 이름*이다.
• 결혼 전의 성은 Mädchenname 또는 Geburtsname라고 한다.

Marie Meyer heiratet Alexander Braun.
Sie heißt jetzt nicht mehr Marie Meyer, sondern Marie Meyer-Braun.

독일에서 인기 있는 이름(beliebte Vornamen)

Aus(출처): https://www.vorname.com (Stand(기준): 21. 12. 2018)

Jungennamen (남자 이름)	**Mädchennamen** (여자 이름)
1. Elias	1. Julia
2. Liam	2. Laura
3. Levi	3. Lea
4. Alexander	4. Sarah
5. Jonas	5. Lina
6. Linus	6. Mila
7. Samuel	7. Anna
8. Milan	8. Emilia
9. David	9. Lena
10. Julian	10. Marie
...	...

A8 자신과 가족 및 친구의 이름을 독일어로 적어 보시오.

1. Ich heiße ______
2. Mein Vater heißt ______
3. Meine Mutter heißt ______
4. Mein Bruder heißt ______
5. Meine Schwester heißt ______
6. Mein Freund heißt ______
7. Meine Freundin heißt ______
8. Und wie heißt du? ______

소유관사 mein(나의)은 단수 명사 앞에서는 불특정관사 ein-처럼, 복수 명사 앞에서는 특정관사 die처럼 어미변화 한다.

남성 명사	여성 명사	중성 명사	복수 명사
der Vater	die Mutter	das Kind	die Eltern
ein Vater mein Vater	eine Mutter meine Mutter	ein Kind mein Kind	– Eltern meine Eltern

A9 **글상자 속의 정보를 바탕으로 빈칸을 채우시오.**

1.

Name: Doris Müller
Adresse: Bahnhofstr. 6, 44787 Bochum
Telefonnummer: (0234) 963025
Geburtsdatum (생년월일): 10. 6. 1984
Geburtsort (출생지): Bonn

Das ist meine Freundin.

Sie heißt ______________________.

Sie wohnt in der ______________________.

Ihre Telefonnummer ist ______________________.

Sie ist am ______________________ geboren.

Sie ist in ______________________ geboren.

<출생> 태어나다

<table>
<tr><th></th><th></th><th><날짜>...에</th><th><장소>...에서</th><th>태어났다.</th></tr>
<tr><td>Ich</td><td>bin</td><td rowspan="4">am ...</td><td rowspan="4">in ...</td><td rowspan="4">geboren.</td></tr>
<tr><td>Du</td><td>bist</td></tr>
<tr><td>Er</td><td>ist</td></tr>
<tr><td>Sie</td><td>ist</td></tr>
</table>

2.

Name: Bernd Polske
Adresse: Frauenstr. 10, 48127 Münster
Telefonnummer: (0251) 4922701
Geburtsdatum: 5. 5. 1978
Geburtsort: Osnabrück

Das ist mein Lehrer.

Er ________ Bernd Polske.

Er ________ ____ der Frauenstr. 10.

Seine ______________ ____ (0251) 4922701.

Er ist ____ 5. 5. 1978 ________

Er ist ____ Osnabrück ________

3.

Name: Jonas Kohl
Adresse: Böckler-Allee 21, 52074 Aachen
Handynummer: 0170-86678
E-Mail: kohl@yahoo.de
Geburtsdatum: 6. 7. 1987
Geburtsort: Köln

Das ________ mein Freund.

Er ________ Jonas Kohl.

Er ________ ____ der Böckler-Allee 21.

Seine ______________ ____ 0170-86678.

Seine ________ -Adresse ____ kohl@yahoo.de.

Er ____ ____ 6. 7. 1987 ____ Köln ________

4.

Name: *Andrea Scholz*
Adresse: *Alexanderplatz 8, 10178 Berlin*
Handynummer: *0179-5367866*
E-Mail: *anscholz@hotmail.com*
Geburtsdatum: *26. 4. 1994*
Geburtsort: *Kiel*

Das ________ meine Freundin.

Sie ____.

Sie ________ am ________________.

Ihre ________________ 0179-5367866.

Ihre ____________________ ascholz@hotmail.com.

____________ 26. 4. 1994 ____ Kiel __________.

Eine Visitenkarte (명함)

Peter Kraus

Ingenieur
Heräus AG
Goethestr. 15
D-85051 Ingolstadt
Tel. 0841-126378
Fax 0841-126379

Privat:
Steinstr. 21
D-85051 Ingolstadt
Tel. 0841-213687

Das ist eine Visitenkarte. Es ist die Visitenkarte von Peter Kraus. Herr Kraus kommt aus Deutschland. Er ist Ingenieur. Er arbeitet bei Heräus in Ingolstadt. Sein Büro ist in der Goethestr. 15. Die Telefonnummer ist 0841-126378. Herr Kraus wohnt auch in Ingolstadt. Seine Privatnummer ist 0841-213687.

- Das ist ... Es ist ...: das는 사물을 지시하는 성격을 띠나, es는 글의 연결을 위해서 사용된 것으로 우리말로 옮길 때 명시적으로 표현하지 않는 것이 자연스러움

  Das ist eine Visitenkarte. Es ist die Visitenkarte von Peter Kraus.
  이것은 명함입니다. Peter Kraus의 명함입니다.

- 특정관사 d-와 불특정관사 ein-

eine Visitenkarte: (어떤 한 불특정한) 명함
die Visitenkarte von Peter Kraus: (특정한, ...의) 명함

- 전치사

die Visitenkarte von Peter Kraus ...의 명함
kommt aus Deutschland ...에서 오다(출신이다)
arbeitet bei Heräus ...(회사)에서 일하다
ist in der Goethestr. 15. ...에 있다

특정관사 d-의 어미변화

der로 대표되는 독일어 특정관사 d-는 성·수·격에 따라서 형태 변화를 한다. der의 어미변화 형태는 모든 격변화의 기본이 되므로 반드시 익혀야 한다.

특정관사 der의 형태 변화

	남성명사 앞	여성명사 앞	중성명사 앞	복수명사 앞
1격	der	die	das	die
2격	des	der	des	der
3격	dem	der	dem	den
4격	den	die	das	die

in der Goethestr. 15의 경우 전치사 in이 3격을 요구하며, die Goethestr.가 여성명사이므로 여성 3격의 경우인 der가 사용됨.

A10 명함을 보고 아래 글을 완성하시오.

Büro: Fischerstr. 2 D-97737 Gemünden Tel. 09351-2772 E-Mail: email@gkanwalt.de	**Silvia Schneider** Rechtsanwältin	Privat: Lessingstr. 12 D-97737 Gemünden Tel. 09351-2387

Das ist ____ Visitenkarte. Es ist ____ Visitenkarte ____ Silvia Schneider. ____ Schneider ________ ____ Deutschland. ____ ____ Rechtsanwältin. Sie ________ ____ Gemünden. Ihr Büro ist ____ ____ Fischerstr. 2. Die ________ ____ 09351-2772. ______ Schneider ______ auch _____ Gemünden. Ihre ______ nummer _____ 09351-2387.

Grundausdrücke (기본 표현)

1) 이 사람은/이것은 ____ 이다 <소개·설명>

Das ist ____ <단수명사>

Das sind ____ <복수명사>

Das ist mein Freund. (이 사람은) 내 친구이다.

Das sind meine Freunde. (이들은) 내 친구들이다.

Das ist ein Buch. (이것은) (한 권의) 책이다.

Das sind Bücher. (이것들은) 책들이다.

2) ____(사람)가 ____(국가/도시) 출신이다 <출신>

____ <3인칭 단수> kommt aus ____

____ <3인칭 복수> kommen aus ____

Frau Kim kommt aus Korea. (국가)

Peter kommt aus München. (도시)

Herr und Frau Meyer kommen aus Deutschland.

(Herr und Frau Meyer: Meyer 씨 부부)

kommen 동사의 현재시제 인칭변화

인칭	단수	복수
1	ich komme	wir kommen
2	du kommst Sie kommen	ihr kommt Sie kommen
3	er sie kommt es	sie kommen

3) ... (사람)가 (직업이) ...이다 <직업>

... <3인칭 주어> ist/sind ... <직업 명칭>

Er ist Professor. (Er ist ein Professor. 직업명칭 앞에 관사 사용 안함)

Sie ist Professorin. (der Professor + -in <여성 접미어>)

Sie sind Professoren. (der Professor, die Professoren <복수>)

4) ...(사람)가 ...(회사)에서 일하다 <근무지>

Ich arbeite
Du arbeitest
Er/Sie arbeitet bei ...<3격 목적어>
Wir arbeiten
Ihr arbeitet
Sie arbeiten

- 동사어간이 –d 또는 –t로 끝나면, 어미 –st, –t 앞에 '–e-'를 삽입함.

arbeiten 동사의 현재시제 인칭변화

인칭	단수	복수
1	ich arbeite	wir arbeiten
2	du arbeitest Sie arbeiten	ihr arbeitet Sie arbeiten
3	er sie arbeitet es	sie arbeiten

Herr Meyer arbeitet bei der Firma Siemens.
(3격 요구 전치사 bei의 목적어로 die Firma의 3격 der Firma가 옴)

Frau Müller arbeitet bei Samsung. (고유명사 앞 관사 없음)

Mein Vater arbeitet bei einer Bank.
(3격 요구 전치사 bei의 목적어로 die Bank/eine Bank의 3격 einer Bank가 옴)

Meine Mutter arbeitet bei der Deutschen Bank.
(die Deutsche Bank <고유명사> 도이치방크 은행, 3격 der Deutschen Bank)

5) ...(사무실/건물)이 ...(거리)에 있다

... ist in der ... straße/... Straße.

... ist in der ... Allee.

... ist am ... platz.
(am은 an dem의 축약형으로 an이 3격 요구 전치사이므로 남성명사 ...platz 앞에 dem이 옴)

Mein Büro ist in der Daunerstraße.

in der Frankfurter Straße.

Meine Schule ist in der Salzstraße 5.

in der Salzstr. 5.

Das Institut ist in der Adenauer Allee.

Das Hotel ist am Alexanderplatz.

A11 **다음 문장을 독일어로 옮기시오.**

1. 나는 한국에서 왔다. (= 출신이다 aus ____ kommen)

2. 나는 1998년 5월 25일에 부산에서 태어났다. (____ geboren)

3. 그녀는 독일에서 왔다.

4. 그녀는 1999년 2월 18일에 태어났다.

5. 이분들은 나의 부모님(die Eltern)이시다.

6. 나의 어머님은 교수이시다.

7. 우리(= 나의) 형은 VW에서 일한다. (bei ... arbeiten)

8. 나의 집(die Wohnung)은 요하네스 가 8번지(Johannesstr. 8)에 있다.

A12 독일어로 옮기시오.

Mein Freund
이 사람은 내 친구입니다. 그의 이름은 Daniel Wolff입니다. 그는 독일 출신입니다. 그는 쾰른(Köln)에 삽니다. 그는 대학생입니다. 그의 전화번호는 0221-304035입니다.

Meine Freundin
이 사람은 내 여자 친구입니다. 그녀의 이름은 Ute Fischer입니다. 그녀는 독일 출신입니다. 그녀는 베를린(Berlin)에 삽니다. 그녀는 21살이고 여대생입니다. 그녀의 전화번호는 030-390988입니다.

TEXT zum Korrigieren

밑줄 친 곳은 잘못된 곳입니다. 바르게 고쳐보시오.

(Text 1) *Freund*

das ist mein freund.

Sie heisst Michael Kant. er wohnt aus Münster.

Seine Telefonnummer sind 0251-743823.

Er ist in 24. 12. 1984 geboren.

Er ist am Heidelberg geboren.

(Text 2) *kommt*

Petra König kommen aus Deutschland.

Sie ist Ingenieur.

Er arbeitet bei Firma Bosch in Stuttgart.

Ihr büro ist am Robert-Bosch-Platz 1.

Die telefonnummer ist 0711-814453.

Frau König wont auch in Stuttgart.

Die Telefonnummer sind 0711-213687.

Ihr TEXT

1. 자기 소개

<Foto>

Name: __________

Vorname: __________

Geburtsdatum: __________

Geburtsort: __________

Adresse: __________

Telefonnummer: __________

E-Mail: __________

2. 자기 소개를 글로 적으시오

Ich heiße __________ Ich wohne in __________

Ich bin am __________ in __________ geboren.

Mein Telefonnummer ist __________ Meine E-Mail-Adresse ist __________

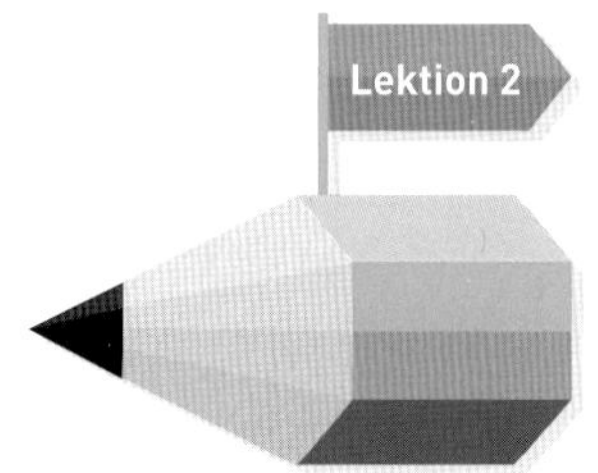

Lieber Mailfreund

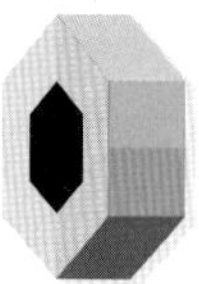

Modelltext

Seoul, den 16. 4. 2019

Hallo,

ich heiße Minho Kang. Ich bin Koreaner. Ich bin 21 Jahre alt und Student. Ich bin 1,74m groß und habe schwarze Haare und braune Augen. Ich habe eine Schwester. Meine Schwester ist 17 Jahre alt und heißt Yuri. Sie ist noch Schülerin. Sie ist nur 1,58m groß und ein bisschen verrückt. Sie hat auch braune Augen, aber rote Haare. Mein Vater ist Lehrer und meine Mutter ist Lehrerin. Sie sind nett. Wir wohnen in Seoul. Seoul ist sehr groß.
Und du? Wie heißt du? Hast du Geschwister? Und wo wohnst du?

Viele Grüße
Dein Minho

- schwarz 검은
- braun 갈색의
- noch 아직
- verrückt 미친, 엉뚱한
- sehr 매우, 대단히
- das Haar 머리카락
- das Auge 눈
- ein bisschen 조금, 약간
- rot 빨간색의

민호의 메일에서 아래 정보를 찾아 적어보시오.

Minho

Vorname: ______________ Nachname: ______________

Alter: ______________ Größe (신장): ______________

Haarfarbe (머리 색깔): ______________ Augenfarbe (눈 색깔): ______________

Familie (가족): ______________

Wohnort (거주지): ______________

Yuri

Vorname: ______________ Nachname: ______________

Alter: ______________ Größe: ______________

Augenfarbe: ______________ Haarfarbe: ______________

Charakter(성격): ______________

Minhos Eltern

Beruf (직업):

Vater: ______________

Mutter: ______________

Charakter: ______________

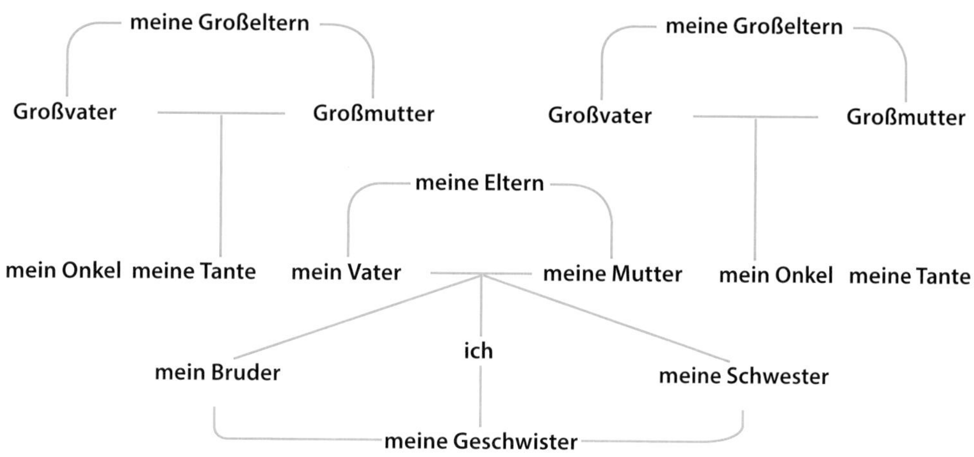

Meine Familie

친할아버지: mein Großvater väterlicherseits

(der Vater – lich – er – seits 아버지 쪽으로)

외할아버지: mein Großvater mütterlicherseits

(die Mutter – lich – er – seits 어머니 쪽으로)

고모: meine Tante väterlicherseits

이모: meine Tante mütterlicherseits

형, 오빠: mein älterer Bruder

(alt 나이 든 –älter 나이가 더 많은 - -**er** 형용사 어미 ← d**er** Bruder)

누나, 언니: meine ältere Schwester

(älter 나이가 더 많은 - -**e** 형용사 어미 ← di**e** Schwester)

남동생: mein jüngerer Bruder

(jung 젊은 – jünger 더 젊은/어린 - -**er** 형용사 어미 ← d**er** Bruder)

여동생: meine jüngere Schwester

(jünger 더 젊은/어린 - -**e** 형용사 어미 ← di**e** Schwester)

A2 해당되는 낱말을 골라서 적으시오.

die Großmutter, der Onkel, der Großvater, die Tante, die Großeltern

1. 할아버지 ________
2. 할머니 ________
3. 큰아버지 ________
4. 작은어머니 ________
5. 이모 ________
6. 고모부 ________
7. 조부모 ________
8. 삼촌 ________

인칭대명사와 소유관사

1인칭	ich	mein- 나의	wir	unser- 우리의
2인칭	du	dein- 너의	ihr	euer/eur- 너희의
	Sie	Ihr- 당신의	Sie	Ihr- 당신들의
3인칭	er	sein- 그(남자)의	sie	ihr- 그들의
	sie	ihr- 그녀의		
	es	sein- 그의		

A3 mein (+ 남성명사) oder meine (+ 여성명사)?

1. 나의 아버지 ________
2. 나의 삼촌 ________
3. 나의 할머니 ________
4. 나의 이모 ________

특정관사, 불특정관사, 소유관사의 어미변화

	+ 남성 명사	+ 여성 명사	+ 중성 명사	+ 복수 명사
1격	der ein mein/dein ...	die eine meine/deine ...	das ein mein/dein ...	die - meine/deine ...
4격	den einen meinen/deinen ...	die eine meine/deine ...	das ein mein/dein ...	die - meine/deine ...

남성명사 + -in → 여성명사

Mein Vater ist Lehrer. Meine Mutter ist *Lehrer**in***. 여교사

Mein Bruder ist Schüler. Meine Schwester ist *Schüler**in***. 여학생

A4 **빈칸에 알맞은 특정관사, 불특정관사 및 소유 관사를 적으시오.**

1. Ich habe ______ Bruder. ______ Bruder hat ______ Freundin.

2. Ich habe ______ Tante. ______ Tante hat ______ Sohn.

3. Ich habe ______ Onkel. ______ Onkel hat ______ Tochter.

4. Ich habe zwei Geschwister: ______ Bruder und ______ Schwester.

(앞 말(Geschwister)을 구체적으로 설명할(Bruder und Schwester) 때 :(Doppelpunkt)를 사용함.)

A5 **Übersetzen (번역하다) Sie ins Deutsche.**

1. 형제가 있니? ______

2. 내게는 남동생이 하나 있다. ______

3. 누나가 있니? ______

4. 오빠가 있니? ______

5. 나의 오빠는 대학생이다. ______

6. 내게는 할머니가 한 분 계신다. ______

7. 나의 외할아버지는 의사이시다. ______________________

8. 나의 이모는 교사이시다. ______________________

Farben

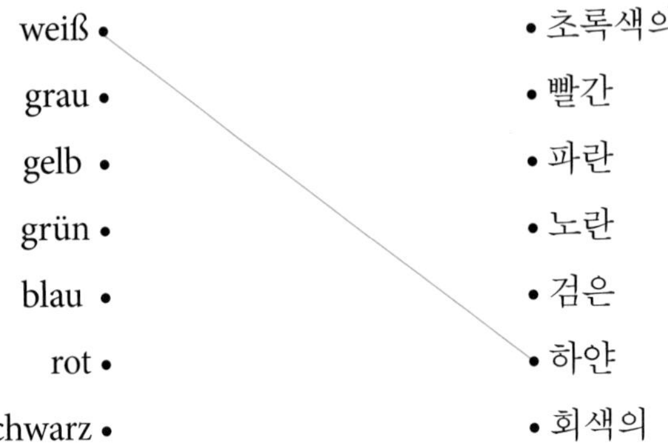

형용사의 어미변화: 명사 앞에 오는 형용사는 어미변화를 한다. 그 앞에 특정관사의 어미가 나타나는 관사(특정관사 d-, 불특정관사 ein-, 소유관사 mein-)가 오면 형용사 어미로 –e 또는 -en이 오고, 그렇지 않으면 특정관사를 사용했으면 나타났을 어미가 형용사 어미로 온다.

	남성명사	여성명사	중성명사	복수명사
1격	der kurze Brief cin kurzer Brief dein kurzer Brief kurzer Brief	die lange Mail eine lange Mail deine lange Mail lange Mail	das große Bild ein großes Bild dein großes Bild großes Bild	die schwarzen Haare ihre schwarzen Haare schwarze Haare
4격	den kurzen Brief einen kurzen Brief deinen kurzen Brief kurzen Brief	die lange Mail eine lange Mail deine lange Mail lange Mail	das große Bild ein großes Bild dein großes Bild großes Bild	die schwarzen Haare ihre schwarzen Haare schwarze Haare

내 머리카락은 검은색이다.

Meine Haare sind schwarz. ⇒ Ich habe schwarze Haare.

내 눈은 갈색이다.

Meine Augen sind braun. ⇒ Ich habe braune Augen.

A6 같은 의미가 되도록 문장을 완성하시오.

1. Deine Haare sind schwarz. ⇒ Du hast

2. Deine Augen sind braun. ⇒ Du

3. Seine Haare sind schwarz. ⇒ Er

4. Ihre Augen sind braun. ⇒ Sie

5. Mein Großvater hat weiße Haare. ⇒ Seine

6. Meine Großmutter hat braune Augen. ⇒ Ihre

A7 Übersetzen Sie ins Deutsche.

1. 내 머리는 검다.
   Meine Haare
   Ich

2. 나의 할머니의 머리는 하얗다.
   Meine Großmutter
   Ihre

3. 그 남자의 눈은 파랗다.
   Seine Augen
   Er hat

4. 너의 눈은 갈색이다.

Das Gesicht

das Haar
die Haare

das Auge
die Augen

das Ohr
die Ohren

die Nase

der Mund

Sie hat schwarze Haare. ≒ Ihre Haare sind schwarz.
Sie hat lange schwarze Haare. ≒ Ihre Haare sind lang und schwarz.

Sie hat große Augen. ≒ Ihre Augen sind groß.
Sie hat große blaue Augen. ≒ Ihre Augen sind groß und blau.

A8 **Vervollständigen Sie die Sätze. (문장을 완성하시오.)**

1. Sie hat schöne Ohren. Sie hat schöne große Ohren.
   Ihre Ohren *sind schön und groß*.

2. Sie hat eine lange Nase. Sie hat eine lange dünne Nase.
   Ihre Nase ______________________________

3. Sie hat einen kleinen Mund. Sie hat einen kleinen roten Mund.
   Ihr Mund ______________________________

4. Sie hat ein rundes Gesicht. Sie hat ein schönes rundes Gesicht.
   Ihr Gesicht ______________________________

A9 아래 남자의 얼굴을 묘사해 보시오.

groß 큰 ↔ klein 작은
schön 예쁜 ↔ hässlich 추한
lang 긴 ↔ kurz 짧은
rund 둥근 ↔ eckig 각이 진
dünn 얇은 ↔ dick 두꺼운
schmal 좁은 ↔ breit 넓은

1. Er hat schwarze Haare. Er hat ______ schwarze Haare.

   Seine ______________ und ______

2. Er hat braune Augen. Er hat ______ braune Augen.

   Seine ______________ und ______

3. Er hat ______ Ohren. Er hat kleine ______ Ohren.

   Seine ______________ und ______

4. Er hat eine ______ Nase. Er hat eine dicke ______ Nase.

   Seine ______________ und ______

5. Er hat einen ______ Mund. Er hat einen ______ roten Mund.

   Sein ______________ und ______

A10 관련이 있는 말끼리 연결하시오.

Augen •

• braun •
• groß •
• nett •
• alt •
• blond •
• weiß •

• Haare

A10 Personen beschreiben (사람 묘사하기)

Minho			**Yuri**
Koreaner •			• Koreanerin
Student •			• Schülerin
21 Jahre alt •	• sein •		• 17 Jahre alt
1,74m groß •			• 1,58 m groß
nett •			• ein bisschen verrückt

Über Minho:

1. Woher kommt er? *Er kommt aus Korea. Er ist Koreaner.*

2. Was macht er? ***Er studiert. Er*** ______________

3. Wie alt ist er? Er ______________

4. Wie groß ist er? Er ______________

5. Wie ist er? ______________

Über Yuri:

1. Woher kommt sie?

2. Was macht sie? Sie geht noch in die Schule.

3. Wie alt ist sie?

4. Wie groß ist sie?

5. Wie ist sie?

부사 **auch** (도, 또한), **noch** (아직), **schon** (벌써), **sehr** (매우)

Er ist Student. Ich bin auch Student.
Er kommt aus Korea. Ich komme auch aus Korea.
Mein Schwester ist schon Studentin. Ich bin noch Schülerin.
Ich bin klein. Mein Freund ist sehr groß.

접속사 **und** (그리고), **aber** (그러나)

Peter ist klug und fleißig.
Ich bin 21 Jahre und wohne in Seoul
Minho kommt aus Korea und Yuri kommt auch aus Korea.
Petra ist klug, aber faul. (aber 앞에는 ,(Komma)가 옴)
Peter kommt aus München, aber Petra kommt nicht aus München.
Der Lehrer ist schon da, aber die Schüler sind noch nicht da.

A12 **und 또는 aber를 사용하여 문장을 연결하시오.**

1. Frau Schmidt ist freundlich. Herr Schmidt ist sehr unfreundlich.

2. Ich bin 23 Jahre alt. Ich bin 1,70m groß.

3. Sein Mund ist groß. Seine Augen sind klein.

4. Mein Bruder ist schon Student. Ich bin noch Schülerin.

5. Ich bin groß. Meine Schwester ist sehr klein.

TEXT zum Ergänzen

Über mich

Vorname: Yuna	
Nachname: Ahn	Alter: 19 Jahre
Größe: 1,65m	Haarfarbe: schwarz
Augenfarbe: braun	Wohnort: Daejeon
Familie: zwei Schwestern	

Hallo,

_____ _____ Yuna Ahn. Ich _____ 19 Jahre _____ und Studentin.

Ich _____ 1,65m _____ und _____ schwarze _____.

Meine Augen _____ _____. Ich _____ in Daejeon.

Das _____ _____ große Stadt in Korea.

Über meine Schwestern

Vorname:	Mina	Jina
Alter:	14	17
Beruf:	Mittelschülerin	Oberschülerin
Charakter:	fleißig	faul
Haare:	kurz	lang

Ich _____ zwei _____. _____ _____ Mina _____ Jina.

Mina ist 14 _____ _____ und _____. Sie ist _____.

Jina ist 17 _____ _____ und _____. Sie ist _____.

Mina _____ _____ Haare, aber Jina (hat) _____ _____.

Über meine Eltern

Beruf:
　Vater: Professor
　Mutter: Ärztin
Charakter: streng, aber nett

_____ Vater ist _________ und _________ Mutter ____ _______.

Meine Eltern _______ streng, _______ nett.

Und ____ heißt du? ____ du _____ Geschwister? Und ____ wohnst du?

Viele _______

_______ Yuna

TEXT zum Übersetzen

펜팔 친구에게

나는 신동호라고 해. 나이는 20살이고, 대학생이야. 키는 173cm이고, 머리카락은 짧고 검은 색이야. 내 눈은 작고 갈색이야. 나는 광주에 살고 있어. 광주는 큰 도시야.

내게는 남동생 한 명과 누나 한 명이 있어. 내 동생은 준호라고 해. 열일곱 살이고 아직 고등학생이야. 그는 부지런해. 우리 누나는 동주라고 해. 스물 두 살이고 대학생이야. 머리는 길고 갈색이고, 눈은 커. 그녀는 예뻐.

나의 아버지는 교수이시고, 어머니는 교사이셔. 좋은 분들이셔.

그런데 너는 이름이 뭐니? 너도 형제가 있니? 그리고 어디에 사니?

안녕

2019년 4월 19일, 서울에서

동호가

Aufgepasst!

1. 격식을 차리지 않는 사적인 관계의 호칭: 'Liebe(r) ...', Lieber Peter, Liebe Monika. 격식을 차려야 하는 공식적인 관계의 호칭: Sehr geehrte(r)게 ..., Sehr geehrter Herr Meyer, Sehr geehrte Frau Schmidt, Sehr geehrte Damen und Herren

2. 한국어에서는 종종 주어를 생략하지만, 독일어에서는 원칙적으로 항상 주어를 사용한다.

3. '내 머리카락은 검은 색이다.'는 'Meine Haare sind schwarz.'라고도 말할 수 있지만, 'Ich habe schwarze Haare.'라는 표현이 더 자주 사용된다.

4. 한국어에서는 명사를 반복 사용하는 경우가 많지만, 독일어에서는 보통 대명사를 사용하여 앞에 나온 명사를 지칭한다.

   나는 광주에 살고 있어. 광주는 큰 도시야.
   Ich wohne in Gwangju. Das ist eine große Stadt.

5. 한국어의 '형용사 + 명사' 구조가 독일어에서는 '명사(주어) + sein + 형용사'의 구조로 표현될 수 있다.

   (그들은) 좋은 분이셔.
   Sie sind nett.

6. 한국어에서는 나이나 신분에 따라 존대법을 사용하지만, 독일어에서는 친소관계에 따라 du나 Sie를 사용한다. 따라서 Hast du Fragen?가 항상 '너 질문이 있니?'로 번역되는 것이 아니라, 상황(가족 내에서)에 따라서는 '질문이 있어요?'에 대응되기도 한다.

7. 한국어는 존대법에 따라서 술어의 형태가 변하지만, 독일어는 그렇지 않다. 따라서 Mein Vater ist Professor.는 '나의 아버지는 교수이시다.'뿐만 아니라 '나의 아버님은 교수이십니다.'에 대응되기도 한다.

8. 독일어에서는 편지 위쪽 오른편에 작성 장소와 날짜를 적는다.

   장소, den 일, 월, 년도: Seoul, den 19. 4. 2019

TEXT zum Korrigieren

다음 편지의 밑줄 친 곳은 잘못된 곳입니다. 고쳐서 적어보시오.

Lieber

Seoul, den 18. 9. 2018

liebe Mailfreund,

Mein name is Yuna Kim. Ich bin 21 Jahr alt und Student. Ich bin 1,61m alt und bin schwarz Haare. Mein Augen sind blond. Ich wohne Busan. Das ist ein grosse Stadt aus Korea.
Ich habe zwei Bruder. Sie heissen Sudong und Judong. Sudong is 16 Jahr alt und schon Schuler. Sie ist fleissig. Judong ist 18 Jahr alt und noch student. Er ist foul.
Meine Vater ist Rechtsanwalt und mein Mutter ist Arzt. Mein Eltern ist streng, aber nett.
Und was heisst du? Haben du auch ein Geschwister? Und wo wohnen du?

Viel Grüße
Dein *Yuna*

Ihr TEXT

자기를 소개하는 전자메일을 독일어로 써보시오.

Liebe(r) Mailfreund(in),

ich heiße ____________ Ich bin Koreaner(in). Ich bin ____________ Jahre alt und ____________ groß. ____________

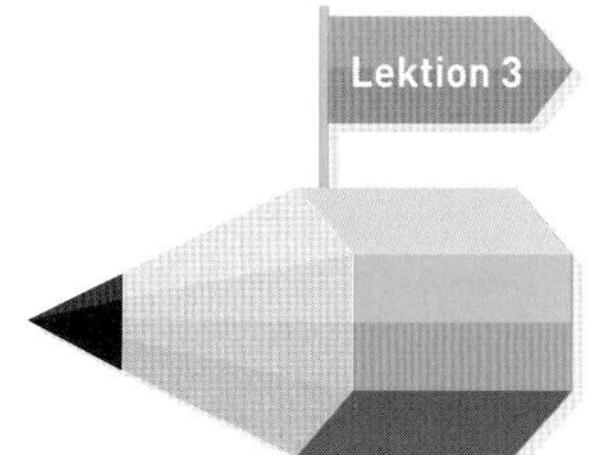

Vielen Dank für deine Mail!

Modelltext

Lieber Minho,
vielen Dank für deine Mail. Ich heiße Tobias Becker. Aber alle nennen mich Tobi. Ich bin auch 21 Jahre alt. Ich bin zwar Deutscher, aber meine Mutter kommt aus Russland. Ich bin 1,84m groß und habe kurze blonde Haare. Meine Augen sind blau.
Ich habe leider keinen Bruder und auch keine Schwester. Aber ich habe einen Hund. Er ist sehr klein und ein bisschen verrückt. Er heißt Bello.
Mein Vater ist Angestellter bei einer Bank und meine Mutter ist Hausfrau. Sie sind ganz okay. Wir wohnen in Aachen. Das ist eine kleine Stadt.
Ich studiere Deutsch und Geschichte für Lehramt an der Universität Münster. An der Uni Münster studieren auch viele Studenten aus Korea.
Meine Hobbys sind Fußball und Musik. Ich liebe K-Pop! Ich möchte gerne einmal nach Korea reisen.
Schreib doch mal über dein Studium und deine Hobbys.

Viele Grüße
Tobias

- Alle nennen mich Tobi. 모두 나를 토비라고 부른다.
  jemanden .... nennen: 누구를 ...라고 부르다
- Ich bin zwar Deutscher, aber meine Mutter kommt aus Russland.
  나는 독일사람이지만, 나의 어머니는 러시아 출신이다.
  ... zwar (a), aber ... (b): ...이 (a)이지만, ...은 (b)이다

Anrede in Brief oder Mail (편지나 메일에서의 호칭)

- du로 지칭하는 사람에게 보내는 글에서의 호칭

Liebe Maria, (여성 이름) Lieber Peter, (남성 이름)

Hallo Sophie, Hallo Alexander,

- Sie로 지칭하는 사람에게 보내는 글에서의 호칭

공식적인 관계:

Sehr geehrte Frau Becker, Sehr geehrter Herr Becker

개인적인 관계:

Liebe Frau Becker Lieber Herr Becker

형용사의 명사화: 성·수·격에 따라서 어미변화 함.

Alexander ist Deutscher. (deutsch + 남성 1격 der)

Sophie ist Deutsche. (deutsch + 여성 1격 die)
(주어의 직업·국적을 말할 때 관사를 사용하지 않음)

Kennst du einen Deutschen? (einen이 남성 4격을 표시; deutsch + -en)

Ja, ich kenne einen Deutschen.

Kennst du eine Deutsche? (eine가 여성 4격을 표시; deutsch + -e)

Nein, ich kenne keine Deutsche.

A1 **괄호 안의 형용사를 바탕으로 문장을 완성하시오.**

1. Manabu kommt aus Japan, aber seine Mutter ist ______ (deutsch).

2. Miriam ist Koreanerin, aber ihr Vater ist ______ (deutsch).

3. Frau Becker ist ______ (angestellt).
   Herr Becker ist ______ (angestellt).
   Sie sind beide ______ (angestellt). (beide: 둘 다)

4. Kurt ist ein komischer ______ (alt).

5. Da kommt ein ______ (fremd). Kennst du ihn vielleicht?

6. Die ______ (neu) ist sehr hübsch. Sie hat große Augen und blonde Haare.

Land und Leute

Land	Leute	
	남성	여성
Deutschland	→ Deutscher	→ Deutsche
Amerika	→ Amerikaner	→ Amerikanerin
England	→ Engländer	→ Engländerin
Japan	→ Japaner	→ Japanerin
Österreich	→ Österreicher	→ Österreicherin
Schweiz	→ Schweizer	→ Schweizerin
Russland	→ Russe	→ Russin
Türkei	→ Türke	→ Türkin
China	→ Chinese	→ Chinesin
Frankreich	→ Franzose	→ Französin

A2 어느 나라 사람인지 적어보시오.

Theresa May kommt aus England. Sie ist Engländerin.

1. Madonna kommt aus Amerika. ______________

2. Albert Einstein kommt aus Deutschland. ______________

3. Claudia Schiffer kommt aus Deutschland. ______________

4. Herr Jahnel kommt aus Österreich. ______________

5. Herr Murakami kommt aus Japan. ______________

6. Frau Zhang kommt aus China. ______________

7. Herr Sartre kommt aus Frankreich.

8. Frau Achmatova kommt aus Russland.

9. John Davis kommt aus Großbritannien.

10. Rinaldo kommt aus Italien.

Verneinung (부정)

1) 부정관사(Negativartikel) kein-: (불특정관사를 취하는) 명사를 부정할 때 사용하며, 단수명사 앞에서는 불특정관사와, 복수명사 앞에서는 특정관사와 동일한 형태로 어미변화를 한다.

	남성	여성	중성	복수
1격	ein kein	eine keine	ein kein	- keine
4격	einen keinen	eine keine	ein kein	- keine

	... 있다	... 없다
Ich habe	einen Bruder.	keinen Bruder.
	eine Schwester.	keine Schwester.
	ein Wörterbuch.	kein Wörterbuch.
	Geschwister.	keine Geschwister. <복수>
	Zeit.	keine Zeit. <셀 수 없는 명사>

2) 부정어 nicht: 명사가 아닌 문장성분을 부정할 때 사용, 동사를 제외하면 부정하는 말 앞에 옴

Ulli ist nett, aber Ulla ist nicht nett. <형용사 부정>

Ulli mag Mathe, aber Ulla mag Mathe nicht. <동사 부정>

Ulli wohnt hier, aber Ulla wohnt nicht hier. <부사 부정>

Ulli malt gern, aber Ulla malt nicht gern. <부사 부정>

Ulli schreibt gern Briefe, aber Ulla schreibt nicht gern Briefe. <부사 부정>

Ulli geht in die Kirche, aber Ulla geht nicht in die Kirche.
(in die Kirche gehen: 교회·성당에 다니다) <부사구 부정>

Ulli kommt aus Hamburg, aber Ulla kommt nicht aus Hamburg. <부사구 부정>

kein oder nicht

1. 의미가 달라지는 경우 (특정관사 der를 사용함)
   Ich habe kein Wörterbuch. 나는 사전이 없다. <명사 부정>
   Ich habe das Wörterbuch nicht. 나는 그 사전을 가지고 있지 않다. <동사 부정>

   Ich mag keine Schokolade. 나는 초콜릿을 좋아하지 않는다. <명사 부정>
   Ich mag dic Schokolade nicht. 나는 그 초콜릿을 좋아하지 않는다. <동사 부정>

2. 의미가 크게 달라지지 않는 경우 (특정관사 der를 사용하지 않음)
   Ich mag keine Katzen. 나는 고양이는 좋아하지 않는다. <명사 부정>
   Ich mag Katzen nicht. 나는 고양이를 좋아하지 않는다. <동사 부정>

A3 첫 번째 문장처럼 완성하시오.

1. *Mein Freund hat einen Bruder, aber ich habe keinen Bruder.*

Er hat eine Schwester, aber ______________________

Er hat eine Freundin, aber ______________________

Er hat viele Hobbys, aber ______________________

Also, mein Freund ist glücklich, aber ich bin nicht glücklich.

2. *Meine Schwester schreibt gern Briefe, aber ich schreibe nicht gern Briefe.*

Sie lernt gern Fremdsprachen, aber ______________________

Sie macht gern Hausaufgaben, aber ______________________

Sie geht gern in die Schule, aber ______________________

Also, meine Schwester ist fleißig, aber ich bin nicht fleißig.

3. *Meine Freundin mag Popmusik, aber ich mag keine Popmusik.*

<또는> *aber ich mag Popmusik nicht.*

Sie mag koreanisches Essen, aber ______________________

Sie mag Katzen, aber ______________________

Also, meine Freundin mag alles, aber ich mag nicht alles. <부분 부정: 모든 것을 좋아하는 것은 아니다>

A4 Übersetzen Sie ins Deutsche.

1. 나는 형제자매가 없다.
   Ich

2. 나는 사전이 없다.

3. 나는 시간이 없다.

4. 나의 부모님께서는 독일에 사시지 않는다.

5. 나는 외국어 배우기를 좋아한다. (gern lernen)

6. 나는 박물관에 가는 것을 좋아하지 않는다. (ins Museum gehen)

7. 나는 초콜릿을 좋아한다. (mögen/gern essen)

8. 나는 개를 좋아하지 않는다. (keine Hunde, nicht mögen)

정도를 나타내는 부사와 nicht

sehr (매우) - ziemlich (꽤) - ein bisschen (약간) - nicht (안)

Sie ist	sehr	hübsch.
	ziemlich	intelligent.
	ein bisschen	dick.
	nicht	freundlich.

강세에 따른 ganz의 의미

Er ist *ganz* nett (= sehr nett). (ganz를 강하게 발음하면, '아주, 대단히'를 의미함)

Er ist ganz *nett* (= ziemlich nett). (ganz를 강하게 발음하지 않으면, '아주 대단하지는 않지만 그런대로 꽤'를 의미함)

Hobbys

Mein Hobby ist	Fotografieren. (≒ Ich fotografiere gern.)
	Malen. (≒ Ich male gern.)
	Singen.
	Schwimmen.
	Tanzen.
	Musik hören.
	Bücher lesen.
	Computerspiele spielen.
	Fußball spielen.
	Tennis spielen.
	Sport treiben.
	im Internet surfen.
	Shopping (= Einkaufen).

A5 Was ist dein Hobby?

Mein Hobby ist Malen. Ich male sehr gern.

(나는 그림 그리는 것을 매우 좋아한다.)

Malst du auch gern? - Nein, ich male nicht gern.

1. Mein Hobby ist Schwimmen. Ich ______________________

______________________? - Nein, ich schwimme ______________________

2. Mein Hobby ist Fotografieren. Ich ______________________

______________________? - Nein, ______________________

3. Mein Hobby ist Fußball. Ich ______________________

______________________? - Nein, ______________________

A6 Übersetzen Sie ins Deutsche.

1. 나는 테니스(치기)를 매우 좋아한다.

2. 그는 약간 게으르다.

3. 나의 여동생은 꽤 부지런하다.

4. 서울은 매우 크다.

5. 나의 선생님은 상당히 엄격하시다. (streng)

6. 나의 조부모님께서는 매우 연로하시다.

Stundenplan

Zeit	Montag	Dienstag	Mittwoch	Donnerstag	Freitag
8.15-9.00	Englisch	Mathe	Englisch	Geographie	Biologie
9.05-9.50	Mathe	Politik	Politik	Kunst	Deutsch
10.05-10.50	Geographie	Französisch	Mathe	Geschichte	Geschichte
10.55-11.40	Deutsch	Physik	Physik	Biologie	Religion
11.55-12.40	Französisch	Deutsch	Musik	Mathe	Englisch
12.45-13.30	Chemie	Deutsch	Chemie	Englisch	Französisch
14.00-14.45		Sport	Französisch		
		Sport			

Mathe = Mathematik, Bio = Biologie, Geo = Geologie, Reli = Religion

➋ 교과목의 명칭 앞에는 보통 관사를 사용하지 않는다.

Ich male gern. Kunst ist mein Lieblingsfach.

Ich reise gern. Geographie ist mein Lieblingsfach.

Ich mag Englisch. Englisch ist mein Lieblingsfach.

Ich mag Tiere. Biologie ist mein Lieblingsfach.

Ich lerne gern Geschichte. Geschichte ist mein Lieblingsfach.

Ich treibe gern Sport. Sport ist mein Lieblingsfach.

Ich spreche gern Französisch. Französisch ist mein Lieblingsfach.

Ich mag ... (타동사 mögen: ...을 좋아하다, 영어: like)

Ich möchte ... werden (화법 조동사 mögen의 접속법 2식 형태: ...되고 싶다)

Ich mag Sport. Ich möchte Sportler werden.

Ich mag Kunst. Ich möchte Künstler werden.

Ich mag Tiere. Ich möchte Tierarzt werden.

Ich mag Deutsch. Ich möchte Deutschlehrer werden.

화법조동사(möchte)가 오면 본동사(werden)는 문장 맨 뒤로 감

A7 Was möchtest du werden?

1. Mein Lieblingsfach ist Englisch. Ich möchte Englischlehrer ________

2. Mein ________ ist Deutsch. Ich ________ Deutschlehrer ________

3. ________ Ich ________ Biologe ________

4. ________ Ich ________ Chemikerin ________

5. ________ Ich ________ Mathematiker ________

6. ________ Ich ________ Physikerin ________

7. ________ Ich ________ Historiker ________

8. Ich spiele sehr gern Tennis. Ich ________ Tennisspieler ________

9. Ich ________ sehr gern Fußball. Ich ________

10. Ich treibe sehr gern ________ Ich ________ Sportlehrer ________

Wortbildung (조어)

lehren 가르치다 → der Lehrer, die Lehrerin
schwimmen 수영하다 → der Schwimmer, die Schwimmerin
Biologie 생물(학) → der Biologe, die Biologin
Chemie 화학 → der Chemiker, die Chemikerin
Mathematik 수학 → der Mathematiker, die Mathematikerin
Physik 물리(학)→ der Physiker, die Physikerin
Geschichte 역사 → der Historiker, die Historikerin
Englisch lehren → der Englischlehrer, die Englischlehrerin
Fußball spielen → der Fußballspieler, die Fußballspielerin

A8 **Übersetzen Sie ins Deutsche.**

1. 나는 스포츠를 좋아한다. 운동선수가 되고 싶다.

2. 나는 여행을 좋아한다. 지리(Geographie)는 내가 가장 좋아하는 과목이다.

3. 내 여동생은 독일어 말하기를 좋아한다. 독일어 교사가 되고 싶어 한다.

4. 내 남동생은 컴퓨터 게임을 좋아한다. 소프트웨어 프로그래머가 되고 싶어 한다. (der Softwareprogrammierer)

5. 화학은 그녀가 가장 좋아하는 과목이다. 그녀는 화학자가 되고 싶어 한다.

6. 내 여동생은 동물을 좋아한다. 그녀는 수의사가 되고 싶어 한다. (der Tierarzt, die Tierärztin)

7. 내 (남자) 친구는 컴퓨터 게임을 좋아한다. 그는 게이머가 되고 싶어 한다. (게이머: der Gamer)

TEXT zum Ergänzen

Tipps를 참고하여 2과의 Modelltext 메일에 답하시오.

________ ________①,

vielen Dank für deine Mail. ____ ________② ist Annegret Klein. Aber alle ________ ______③ nur Anne. Ich bin auch 21 ______ _____④. Ich bin zwar ________, aber meine Mutter ________ _____⑤ Korea. Ich bin 1,74m _____ und habe ______ ________⑥ Haare. ______ Augen _____⑦ auch braun.

Ich ______ ______⑧ kleinen Bruder. ___ ist fünfzehn ______ _____⑨. Ich ______ ______ Hund, ______⑩ eine Katze. _____ _____ schwarz und ______⑪ Kitty. _____ ________ ____ Sportlehrer und _____ ________ ____⑫ Englischlehrerin.

Meine Eltern _____ _____ ________⑬ konservativ. _____ ________ ____⑭ Heidelberg. Heidelberg _____ _____ ________ ______⑮ Stadt.

Ich ________ Koreanistik ____⑯ der Universität Tübingen. Ich ________ Übersetzerin ________⑰.

Tübingen ist ________ ⑱ klein. In Tübingen studieren auch viele Koreaner. ________ ________ ______ Tanzen _____⑲ Bücher lesen. Ich ________ auch ______⑳.

Schreib doch mal über deinen Alltag und deine Hobbys.

______ ______㉑.

Anne

Tipps

① Mailfreund인 Minho에 대한 호칭
② 이름 말하기
③ 누구를 …라고 부르다: jn. … nennen; alle <불특정대명사> 모든 사람
④ 나이 말하기
⑤ 아버지는 독일 사람이지만, 어머니는 한국 출신이다.
⑥ 나는 키가 174㎝이고, 머리카락은 길고 갈색(braun)이다.
⑦ 내 눈도 갈색이다.
⑧ 내게는 어린 남동생이 한 명 있다.
⑨ 그는 15살이다.
⑩ 나는 개는 없지만, 고양이를 가지고 있다.
⑪ 그 고양이는 검은 색이고, 이름은 Kitty이다.
⑫ 나의 아버지는 체육 선생님이시고, 어머니는 영어 선생님이시다.
⑬ 나의 부모님은 약간 보수적이다.
⑭ 그들은 하이델베르크에 살고 있으며,
⑮ 하이델베르크는 아름다운 오래된 도시이다.
⑯ 나는 튀빙엔 대학에서 한국학을 전공하고 있다.
⑰ 나는 번역가가 되고 싶다.
⑱ 튀빙엔은 꽤 작다.
⑲ 내 취미는 춤과 독서이다.
⑳ 나는 수영하는 것도 좋아한다.
㉑ 안녕.

TEXT zum Übersetzen

민호에게

편지 대단히 고마워. 내 이름은 Gerhard Jahnel이야. 나는 오스트리아 사람이고, 18살이야. 나는 키가 꽤 크고(198㎝), 머리는 갈색이야. 나는 형제가 없지만, 친구는 많아.

나의 아버지는 경찰관이고, 어머니는 화가이셔. 나의 어머니는 그림을 아주 잘 그리신다. 나의 아버지는 매우 엄격하시지만, 어머니는 그렇게 엄격하지 않으셔. 우리는 Graz에 살고 있어. Graz는 아주 오래되고 아름다운 도시야.

우리 학교는 Maximilian-Gymnasium이라고 한다. 나의 독일어 여선생님은 아주 좋으신 분이다. (아주 예쁘시다!!!) 내가 좋아하는 과목은 무엇일까? 독일어지! 나는 수영도 좋아하지만, 우리 체육 선생님은 좋아하지 않아. 나는 경찰관이 되고 싶어.

너는 학교에 다니는 것이 좋니? 취미는 가지고 있니?

안녕 또 연락할게.

Gerhard

Aufgepasst!

1. 서신에서 호칭 Liebe(r) ... 다음에 보통 쉼표(,)를 찍으며, 명사가 아닌 낱말로 본문의 첫 문장이 시작하면 이 글자를 소문자로 표기한다. 그러나 Liebe(r) ... 다음에 느낌표(!)를 사용하면, 그 다음에 오는 문장의 첫 글자는 대문자로 표기한다.

Liebe Petra, vielen Dank für deinen Brief. ... Liebe Frau Schneider, vielen Dank für Ihren Brief. ...	Lieber Andreas! Vielen Dank für deinen Brief. ...

2. 답장은 보통 보내준 서신에 대한 감사로 시작한다.

Vielen Dank für deine/Ihre Mail.

Herzlichen Dank für deinen/Ihren Brief.

3. 반복되는 말은 생략할 수 있다.

Ich bin Koreaner und (ich bin) 18 Jahre alt.

Ich habe keinen Hund, aber (ich habe) eine Katze.

명사의 경우에는 대명사를 사용하여 반복을 피할 수 있다.

Mein Bruder heißt Mark. Mein Bruder ist 14 Jahre alt. Mein Bruder ist sehr frech.
→ Mein Bruder heißt Mark. Er ist 14 Jahre alt und sehr frech.

5. 의문사로 시작하는 의문문의 어순: 의문사 + 동사 .... (Wie heißt du?)

6. 메일이나 편지를 끝맺을 때 사용하는 말

친한 관계: Bis bald. (곧 또 연락할 때까지 잘 있어.)
Viele Grüße!/Herzliche Grüße/Liebe Grüße! (안녕!)
Mit herzlichen Grüßen

격식을 차리는 관계: Mit freundlichen Grüßen

TEXT zum Korrigieren

밑줄 친 부분은 잘못된 곳입니다. 문법적으로는 틀리지 않았으나, 문체상 어색한 곳도 있습니다. 모두 고쳐보세요.

Sie

Lieber Minho! Hallo!

Danke deinen Brief. Ich heisse Mark Pfeifer. Ich bin 17 Jahre alt. Ich bin deutsch. Ich habe blaue Augen. Ich habe blonde Haare. Ich bin ziemlich sehr groß.

Ich habe eine Schwester, aber nicht einen Bruder. Meine Schwester heißt Maria. Meine Schwester ist 15 Jahre alt. Meine Schwester ist ganz okay.

Unser Vater ist Mathematiklehrer und unsere Mutter ist Hausfrau. Unser Vater und unsere Mutter ist sehr nett.

Ich gehe auf das Gutenberg-Gymnasium. Meine Lieblingsfächer sind Physik und Mathe. Ich möchte auch Englisch und Französisch. Aber mein Französisch ist sehr gut.

Mein hobby ist Sport. Ich schwimme gerne. Ich spiele gerne Fußball.

den 17. 10. 2019, Mainz

Mark

Ihr TEXT

Modelltext로 제시된 민호의 메일에 답장을 써보시오.
(Schreiben Sie Minho eine Antwortmail.)

Seoul, den ____________

Lieber Minho,

vielen Dank für deinen Brief. Mein Name ist ____________

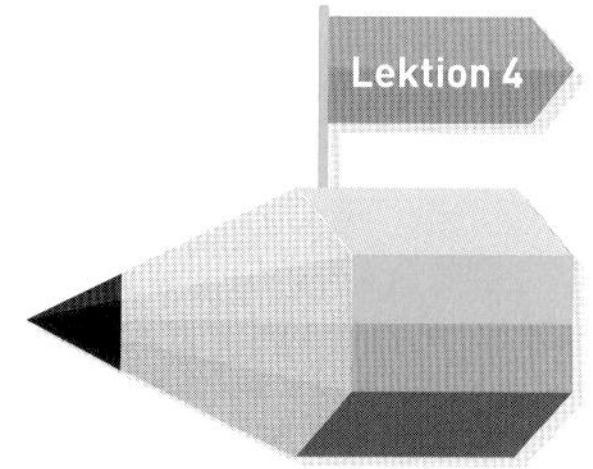

Mein Tagesablauf

Modelltext

Hallo Tobias!

Vielen Dank für deine nette Mail! Du hast ja ganz interessante Hobbys. Meine Hobbys sind Tennis und Computerspiele. Ich gehe manchmal ins PC-Bang. Das ist eine Art Computerspiel-Halle. Ich höre auch gern Musik. Meine Lieblingsgruppe ist BTS. Ist die Gruppe auch in Deutschland bekannt?

Ich studiere Informatik. Das Studium ist interessant, aber anstrengend. Hier ist mein Tagesablauf: Um sechs Uhr aufstehen, waschen, anziehen und frühstücken. Um sieben Uhr verlasse ich die Wohnung und nehme den Bus zur U-Bahnstation. Die Fahrt mit der U-Bahn zur Universität dauert über eine Stunde. Meine Veranstaltungen beginnen meistens schon um neun Uhr. Normalerweise esse ich um 12 Uhr in der Mensa zu Mittag. Dreimal in der Woche habe ich auch nachmittags Veranstaltungen. Danach fahre ich nach Hause. Zuerst esse ich zu Abend, dann höre ich eine halbe Stunde Musik, sehe fern oder chatte etwas mit meinen Freunden. Anschließend erledige ich die Aufgaben für den nächsten Tag und lerne immer bis Mitternacht. Um ein Uhr gehe ich ins Bett. Im Semester bin ich immer sehr müde. Samstagabend treffe ich manchmal meine Freunde. Wir gehen zusammen essen und manchmal trinken. So vergesse ich den Stress.

Wie ist dein Tagesablauf? Ist das Studentenleben in Deutschland auch so anstrengend? Ich freue mich auf deine Antwort.

Viele Grüße

Minho

Tagesablauf von Minho

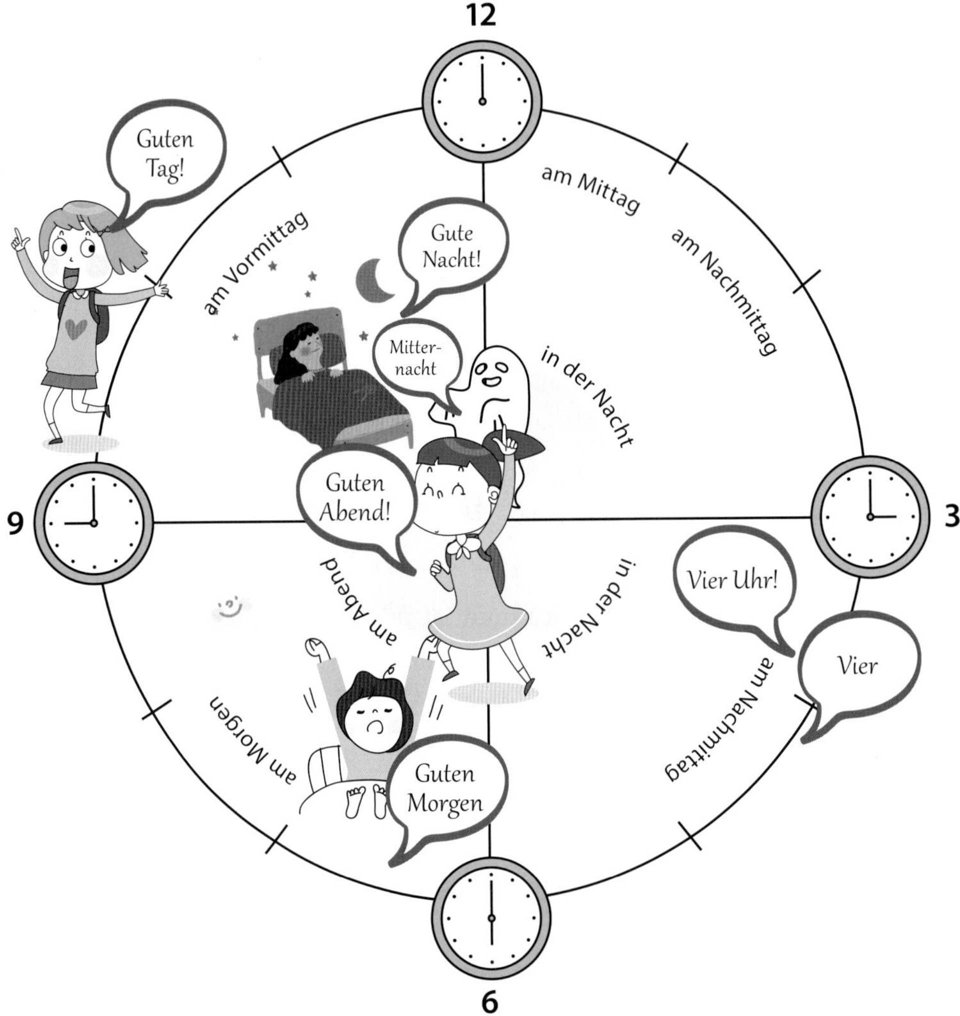

der Morgen (아침) → morgens (아침에)	Morgens ...
aufstehen (일어나다)	stehe ich auf.
duschen (샤워하다)	dusche ich.
sich die Zähne putzen (이를 닦다) (sich: 재귀대명사)	putze ich mir die Zähne.
frühstücken (아침식사하다)	frühstücke ich.

der Vormittag → vormittags (오전에)	Vormittags ...
zur Schule/Universität fahren (학교에 가다)	fahre ich zur Schule/Universität.
Unterricht haben (수업이 있다)	habe ich Unterricht.
Veranstaltungen besuchen (강의를 듣다)	besuche ich Veranstaltungen.
der Mittag → mittags (정오에, 낮에)	Mittags ...
zu Mittag essen (점심식사하다)	esse ich in der Mensa zu Mittag.
der Nachmittag → nachmittags (오후에)	Nachmittags ...
nach Hause fahren (집에 가다)	fahre ich nach Hause.
die Hausaufgaben machen (숙제하다)	mache ich die Hausaufgaben.
die Aufgaben erledigen (과제를 처리하다)	erledige ich die Aufgaben.
Fußball spielen (축구하다)	spiele ich Fußball.
der Abend → abends (저녁에)	Abends ...
zu Abend essen (저녁식사하다)	esse ich früh zu Abend.
Musik hören (음악을 듣다)	höre ich Musik.
fernsehen (텔레비전을 보다)	sehe ich fern.
mit meinen Freunden chatten (채팅하다)	chatte ich mit meinen Freunden.
die Nacht → nachts (밤에)	Nachts ...
ins Bett gehen (잠자리에 들다)	um 1 Uhr gehe ich ins Bett. (= um ein Uhr nachts)

분리동사: 접두어가 분리되어 문장 뒤로 가는 동사로, 항상 접두어에 강세가 옴.

aufstehen 일어나다

Wann stehst du auf? (언제)

Um wieviel Uhr stehst du auf? (몇 시에)

Ich stehe um 6 Uhr auf.

fernsehen 텔레비전을 보다

Siehst du oft fern?

Nein, ich sehe nicht oft fern.

Wie viel Uhr ist es?

Es ist ...

sieben Uhr

Viertel nach sieben

halb acht

Viertel vor acht

acht Uhr

... vor 6 Uhr

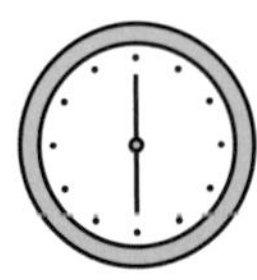

um 6 Uhr

.... nach 6 Uhr

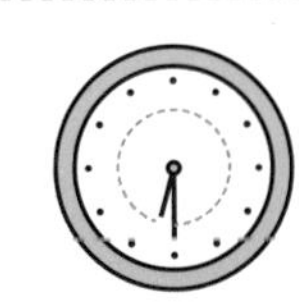

bis halb sieben

von 6 bis halb sieben

A1 시간을 앞에 제시하면서 두 문장을 한 문장으로 만드시오.
(서술문에서 동사는 두 번째 문장성분이 된다.)

Es ist sieben Uhr. Ich stehe auf. → Um sieben Uhr stehe ich auf.
1 2

1. Es ist Viertel nach sieben. Ich frühstücke.
   Um Viertel nach sieben ______________________

2. Es ist halb acht. Ich fahre zur Arbeit.
   ____

3. Es ist zwölf Uhr. Ich esse zu Mittag.
   ____

4. Es ist vier Uhr. Ich fahre mit dem Bus nach Hause.
   ____

5. Es ist zwölf Uhr. Ich gehe ins Bett.
   ____

vor ... (…전에) oder *nach* ... (… 후에)?
davor (그 전에) oder *danach* (그 후에)?

vor dem Abendessen davor	um 6 Uhr	nach dem Abendessen danach
Hausaufgaben machen	zu Abend essen	fernsehen

Ich esse um sechs Uhr zu Abend.
Vor dem Abendessen (= Davor) mache ich Hausaufgaben.
Nach dem Abendessen (= Danach) sehe ich fern.

zuerst (맨 먼저) - **dann** (그러고 나서) - **danach** (그다음) - **endlich** (마침내)

Zuerst mache ich Hausaufgaben.
Dann esse ich zu Abend.
Danach sehe ich fern.
Endlich gehe ich ins Bett!

명사에서 파생한 부사어

아침 → 아침에/마다
der Morgen → morgens
der Vormittag → vormittags
der Mittag → mittags
der Nachmittag → nachmittags
der Abend → abends
die Nacht → nachts

월요일 → 월요일에/마다
der Montag → montags
der Dienstag → dienstags
der Mittwoch → mittwochs
der Donnerstag → donnerstags
der Freitag → freitags
der Samstag → samstags
der Sonntag → sonntags

der Montagmorgen → montagmorgens
der Dienstagmorgen → dienstagmorgens
der Mittwochabend → mittwochabends
der Donnerstagabend → donnerstagabends

다음 시간표를 보고 문장을 완성하시오.

Semesterplan: Veranstaltungen

Zeit	Mo	Di	Mi	Do	Fr
09.00-10.50	Grammatik	Lektüre	Philosophie		Dolmetschen
11.00-12.50			Geschichte	Kultur	Gesellschaft
13.00-14.50	Phonetik	Aufsatz		Übersetzen	
15.00-16.50	Konversation	Englisch	Medien	Religion	Enkodierung

1. *Montags habe ich zuerst Grammatik. Dann habe ich Phonetik. Und danach habe ich Konversation.*

2. Dienstags

3. Mittwochs

4. Donnerstags

5. Freitags

A3 Übersetzen Sie ins Deutsche.

1. 너는 몇 시에 일어나니? - 나는 아침 6시에 일어난다.

2. 너는 몇 시에 아침을 먹니? - 보통 7시에 아침을 먹는다. (보통 normalerweise)

3. 목요일은 언제 수업이 있니? - 목요일은 8시부터 12시까지 수업이 있다. (...부터 ... 까지: von ... bis ...)

4. 점심은 어디에서 먹니? - 학생식당에서 (점심을) 먹어.

5. 저녁식사 전에는 무엇을 하니? - 저녁식사 전에는 음악을 들어.

6. 저녁식사 후에는 무엇을 하니? - 저녁식사 후에는 과제를 해.

7. 몇 시에 자니? - 12시에 잠자리에 들어.

8. 주말에는 무엇을 하니? (주말: das Wochenende; 주말에: am Wochenende)

주말에는 친구들을 만나. (친구를 만나다: seine Freunde treffen)

9. 토요일에도 학교에 가니? ((대)학교에 가다: zur Universität(약자: Uni) gehen)

아니, (나는) 토요일에는 수업이 없다. (수업: der Unterricht)

10. 일요일에는 무엇을 하니?

일요일에는 우선 교회에 가고, 그다음에 축구를 해. (und danach)

nie	-	selten	-	manchmal	-	oft	-	meistens	-	immer
결코/항상 ...아닌		좀처럼 ...아닌		이따금씩		종종		대개		항상

10 Oktober

Montag	Dienstag	Mittwoch	Donnerstag	Freitag	Samstag	Sonntag
2 X	3 X	4 X	5	6	7	8
9 X	10	11	12 X	13	14	15
16 X	17 X	18 X	19	20 X	21	22
23 X	24 X	25	26 X	27	28 (X)	29
30 X	31 X	1 X	2	3	4	5

X: Termine!!! (공식적 약속: der Termin; 개인적 약속: die Verabredung)

(X): vielleicht Termine??? (aber noch nicht sicher)

• 독일달력은 보통 월요일부터 시작함.

Am Montag/Montags hat Anja nie Zeit. 월요일에 안냐는 항상 시간이 없다.

Am Dienstag/Dienstags hat sie selten Zeit.

Am Mittwoch/Mittwochs hat sie manchmal Zeit.

Am Donnerstag/Donnerstags hat sie oft Zeit.

Am Freitag und am Samstag/Freitags und samstags hat sie meistens Zeit.

Am Sonntag/Sonntags hat sie immer Zeit.

Und du? Wie ist es bei dir? (네게는 상황이 어때? → 네 상황은 어때?)

*(= Wie **sieht** es bei dir **aus**? 네게는 상황이 어때? aussehen: ...게 보이다)*

oder (혹은, 또는)
auch (…도, 또한) - schon (벌써) - noch (아직) - nur (오직 …만)

Trinkst du Tee oder Kaffee? 차를 마시니 아니면 커피를 마시니?

Ich trinke meistens Tee.

Aber manchmal trinke ich auch Kaffee.

Fährst du um 5 oder um 6 nach Hause? 집에 5시에 가니? 아니면 6시에?

Ich fahre meistens um 6 nach Hause.

Aber heute fahre ich schon um 5 (nach Hause).

Bist du schon Student oder noch Schüler?

Ich bin jetzt noch Schüler.

Aber im nächsten Monat bin ich schon Student.
(nächst-: 다음의; im nächsten Monat 다음달에)

Fährst du mit dem Bus oder gehst du zu Fuß? (zu Fuß gehen: 걸어서 가다)

Ich fahre meistens mit dem Bus.

Ich gehe nur manchmal zu Fuß.

A4 **주어진 낱말을 사용하여 의미 있는 문장을 만드시오.**

hören, ich, immer, Nach, Musik, das Abendessen
→ ***Nach dem Abendessen höre ich immer Musik.***
(전치사 nach가 대문자로 쓰인 것은 이것으로 문장을 시작한다는 뜻)

1. Unterricht, Nachmittag, ich, auch, haben, Am

2. Uhr, sieben, um, gehen, zur, schon, Ich, Universität

3. halb fünf, zwei, Von, meistens, bis, Hausaufgaben, ich, machen

4. spielen, Fußball, oft, Tennis, oder, ich, Sonntags

A5 **Übersetzen Sie ins Deutsche.**

1. 나는 영화관에 거의 가지 않는다.

2. 일요일에 나는 절대로 출근하지 않는다. (zur Arbeit gehen)

3. 퇴근 후에 나는 종종 테니스를 치거나 축구를 한다. (nach der Schule/Arbeit)

4. 나는 항상 12시 이전에 잠자리에 든다.

5. 나의 할머니는 벌써 여든 살이시다.

Wie kommst du zur Universität? (너는 학교에 어떻게 가니?)

ich fahre mit + 차량 (3격)	ich nehme + 차량 (4격)

Ich fahre mit dem Bus. (← der Bus)	Ich nehme den Bus.
Ich fahre mit der U-Bahn. (← die U-Bahn)	Ich nehme die U-Bahn.
Ich fahre mit dem Zug. (← der Zug)	Ich nehme den Zug.
Ich fahre mit dem Taxi. (← das Taxi)	Ich nehme ein Taxi.
Ich fahre mit dem Fahrrad. (← das Fahrrad).	
Ich *gehe zu Fuß*.	

Wohin gehst du? (어디로)

Ich gehe nach Hause.

zu Peter/zum Arzt/zur Vorlesung. (die Vorlesung (대학의) 강의)

in die Bibliothek/ins Kino/in den Park.

Wo bist du? (어디에)

Ich bin zu Hause.

bei Peter/bei meiner Freundin/bei meinen Eltern/beim Arzt.

in der Bibliothek/im Kaufhaus/im Kino. (in dem → im)

❯ 3·4격 요구 전치사 in: 의미에 따라서 3격 또는 4격을 요구함

…(안으)로(방향): in + 4격 (in den + 남성명사, in die + 여성/복수 명사, ins(← in das) + 중성명사)

…(안)에(위치): in + 3격 (im + 남성/중성 명사, in der + 여성명사, in den + 복수명사)

Ich gehe in den Park. 공원(안)에 가다

ins Café.

ins Museum.

in die Bibliothek.

Ich bin im Park. 공원에 있다.

im Café.

im Museum.

in der Bibliothek.

für + 4격

Vielen Dank für deinen Brief! (너의 편지에)

Ich lerne für einen Test. (시험을 위해서)

Ich studiere Deutsch und Geschichte für Lehramt. (교직 과정을 위해서)

auf + 4격

Ich gehe auf die Universität/aufs Gymnasium. (auf das → aufs) (…에 다니다)

Ich freue mich auf deine Antwort! (너의 답장을 고대하다)

A6 Ergänzen Sie die Sätze.

Wie kommst du zur Schule? 너 어떻게 학교에 가니?
(목적지 도달 방법을 물을 때 gehen이 아니라 kommen을 사용함)
*Ich fahre **mit der U-Bahn.***
*Fährst du auch **mit der U-Bahn?***
*Nein, ich **nehme den Bus.***

1. Wie kommst du nach Hause?

   Ich fahre __________ Bus.

   Fährst du auch ________________

   Nein, ich __________ U-Bahn.

2. Wie kommst du zur Universität?

   Ich fahre __________ Fahrrad zur Universität.

   Fährst du auch ____________________ ?

   Nein, ich __________ Fuß.

3. Wie kommst du zum Hotel?

   Ich fahre _____ Taxi zum Hotel.

   Fährst du auch __________ ?

   Ja, ich nehme auch ____ Taxi.

A7 Übersetzen Sie ins Deutsche.

1. 사무실에는 어떻게 출근하십니까? (ins Büro kommen)

보통은 지하철을 이용합니다.

2. 퇴근 후에는 무엇을 합니까?

대개는 스포츠센터에 갑니다. (zum Sportzentrum gehen)

그러나 가끔씩은 바로 집에 가기도 합니다. (바로, 즉시: sofort, gleich)

3. 일요일에는 보통 집에 있습니까?

아니오, 종종 도서관에 가거나 인터넷 카페에 갑니다.
(in die Bibliothek/ins Internetcafé gehen)

4. 어느 대학에 다니십니까? (welche Universität 어느 대학)

저는 베를린에 있는 훔볼트 대학에 다닙니다.

TEXT zum Ergänzen

Modelltext로 제시된 편지에 답하시오.

Aachen, den 10. 5. 2019

Hallo Minho!

Danke ____ ____ ____ ①. Dein Tagesablauf ist ja wirklich schrecklich!!!

Hier ____ ____ ____ ②: Sieben Uhr! Der Wecker klingelt. Ich ____ ____ ____ ③. Fünf nach sieben! Der Wecker klingelt noch einmal! Ich ____ ____ ____ ④. Ich ____ , ____ und ____ ⑤ mir die Zähne. Aber ich bin immer noch sehr müde. ____ ____ ich ____ ____ ____ ⑥ zur Universität. ____ ____ ich auch ____ ⑦ Bus. Montags, ____ und ____ ____ ich drei ____ ⑧, zwei am Morgen und eine ____ ____ ⑨. ____ ____ ____ fahre ich ____ ⑩ Hause. ____ ____ ich die ____ ⑪ für die Seminare. ____ ____ habe ich ____ ____ ⑫ Seminar. ____ ⑬ gebe ich Nachhilfeunterricht in Deutsch. Am Freitag ____ ich ____ ____ ⑭. Da spiele ich oft mit meinen Kommilitonen Fußball.

____ ____ Abendessen ____ ich ____ ____ ⑮ surfe im Internet. Aber ich lerne auch oft für eine Klausur. ____ ____ ich ____ 11 ____ ____ ____ ⑯. Am Wochenende stehe ich spät auf.

Was machst du am Sonntag? Ich freue mich auf deine Mail.

Viele Grüße

Tobias

PS: Meine Lieblingsgruppe ist *Exo*.

Wörter und Ausdrücke

- wirklich 정말로
- schrecklich 끔찍한
- Der Wecker klingelt. 자명종 시계가 울린다.
- die Veranstaltung 강의. 대학 강의에는 das Seminar(토론식 수업 세미나), die Vorlesung(강연식 강의) 등이 있다.
- Nachhilfeunterricht in Deutsch geben 독일어 과외를 하다, Nachhilfeunterricht bekommen 과외를 받다
- der Kommilitone/die Kommilitonin 대학 동료 (= der Studienkollege/die Studienkollegin)
- im Internet surfen 인터넷 서핑을 하다
- die Klausur 시험

Tipps

① 메일 답장에 대한 감사, die Mail, deine Mail (1격) - deine Mail (4격); 편지일 경우에는 der Brief, dein Brief(1격) – deinen Brief (4격)
② 자신의 하루 일과 소개를 이끄는 말
③ 잠자리에서 일어나지 않는다. 잠자리에서 일어나다: aufstehen. Ich stehe um sieben Uhr auf.
④ 마침내(endlich) 자리에서 일어난다.
⑤ 샤워하고, 아침식사하고, 이를 닦는다(sich die Zähne putzen)
⑥ 대개는 자전거를 타고 학교에 간다. 서술문에서는 동사가 두 번째 문장성분이 되어야 함
⑦ 이따금씩(manchmal) 버스도 탄다. 버스를 타다: den Bus nehmen
⑧ 월요일과 수요일, 목요일에는 3개의 강의(die Veranstaltung)가 있다.
⑨ 오후에
⑩ 강의 후에는 집에 간다.
⑪ 우선 과제를 처리한다.
⑫ 화요일에는 세미나 하나만 있다.
⑬ 오후에는
⑭ 강의가 없다
⑮ 저녁식사 후에는 텔레비전을 보거나 ...
⑯ 대개는 11시에 잠자리에 든다.

TEXT zum Übersetzen

민호에게!
네가 보내준 메일 고맙게 잘 받았다. 너의 하루 일과는 정말 끔찍하구나!!!
여기 나의 하루 일과야: 나는 6시 반이면 벌써 일어난다. 아침 식사 전에 나는 운동을 해. 아침식사 후에 학교에 가. 항상 지하철을 탄다. 오전 9시에서 오후 1시까지 강의가 있어. 화요일은 내가 제일 좋아하는 날이야. 화요일에는 내가 가장 좋아하는 강의들이 있어: 수학, 물리 그리고 전산학. 전산학 세미나는 전혀 지루하지 않아. 강의 후에 나는 집에 가서 점심식사를 해. 그 다음은 대개 세미나 과제를 처리해. 화요일 오후마다 테니스를 치고, 목요일 저녁에는 수학 과외를 해. 토요일에는 이따금씩 수영하러 가거나 영화를 보러 가. 그리고 일요일에는 오래 잠을 자!!!
너는 일요일에 무엇을 하니?
네 답장을 고대한다!

안녕
너의 이메일 친구 Frank가

Aufgepasst!

1. 감사의 말(vielen Dank)은 4격 형태를 취한다. 원래 Haben Sie vielen Dank.라는 명령형 문장에서 haben Sie가 생략된 것이다. 감사의 말 뒤에는 상대방서신 내용에 관하여 언급하기도 한다.

2. 구체적인 내용을 설명할 때는 :(Doppelpunkt)를 사용한다.

3. 서술문의 맨 앞에 주어가 아닌 다른 말이 오면 주어는 동사 뒤로 밀려난다. 동사가 두 번째 문장성분이 되어야 하기 때문이다.

문장성분 1	문장성분 2	
Ich	gehe	nach der Schule nach Hause.
Nach der Schule	gehe	ich nach Hause.
Ich	gehe	meistens um elf Uhr ins Bett.
Meistens	gehe	ich um elf Uhr ins Bett.

4. 분리동사의 접두어는 동사에서 분리되어 문장 맨 뒤로 간다.

   aufstehen: Ich stehe morgens früh auf.
   fernsehen: Ich sehe abends manchmal fern.

5. '... 이 있다'가 독일어에서는 종종 'ich habe ...'로 표현된다.

   Ich habe einen Bruder. 내게는 형이 한 명 *있다*.
   Ich habe heute viel Zeit. 나는 오늘 시간이 많이 *있다*.
   Heute ***habe ich*** zwei Veranstaltungen. 오늘 나는 강의가 두 개 *있다*.

6. '화요일에/화요일마다': dienstags (der Dienstag + -s)

7. '화요일 오후'는 der Dienstag과 der Nachmittag을 합하여 der Dienstagnachmittag이라고 함. 부사어 '화요일 오후에는'은 dienstagnachmittags임.

8. 수영하러 가다: schwimmen gehen; 산책(하러) 가다: spazieren gehen; 쇼핑(하러) 가다: einkaufen gehen

9. 무엇을 고대하다(=무엇을 기쁜 마음으로 기다리다): sich auf etwas freuen
   Ich freue mich auf die Ferien. 나는 방학을 고대한다.

TEXT zum Korrigieren

Berlin, den 7.5.2019

Zu Gert,

anziehen

Viel Dank für deine Mail. Dein Tagesablauf sind sehr langweilig.

Hier ist mein Tagesablauf: Um halb sieben auf stehen, waschen, an ziehen. Ich stücke nie früh. Ich gehe immer mit dem Bus zur Arbeit. Von Montags bis Donnerstags arbeite ich bis 17.00 Uhr. Am Freitag arbeite ich nur um 13.00 Uhr. Am Freitag Nachmittag ich spiele Tennis. Das macht Spaß! Abends fernsehe ich. Am 22.30 Uhr gehe ich im Bett. Samstags gehe ich manchmal schwimmen oder ich malen. An Sonntag gehe ich in der Kirche.

Was machst du am Sonntags? Gehst du auch in der Kirche.

Viel Grüße

Dein Anne

Ihr TEXT

Schreiben Sie Minho eine Antwortmail.

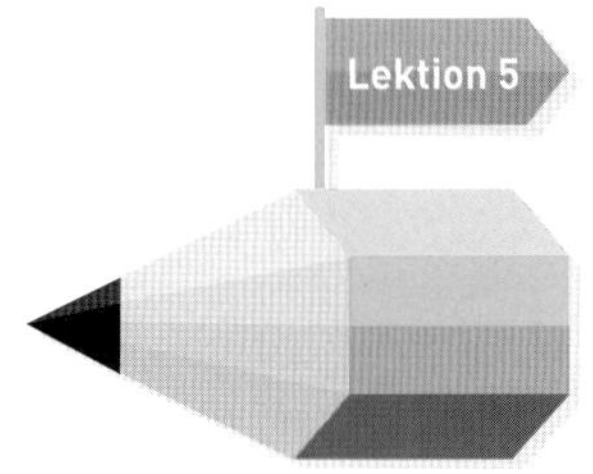

Mein Geburtstag

Modelltext

Liebe Freunde!

Endlich! Ich habe Geburtstag! Am 6. September werde ich 21. Das möchte ich richtig feiern. Ich möchte euch zu meiner Geburtstagsfeier ganz herzlich einladen.

Wann feiern wir?

Am Samstag, dem 8. September 2018.

Die Party beginnt

um 19.00 Uhr und endet um ??.?? Uhr.

Ihr könnt auch bei mir übernachten.

Wo feiern wir?

Bei mir zu Hause.

Was müsst ihr mitbringen? Bringt viel gute Laune mit!!! Ihr dürft auch einen Freund oder eine Freundin mitbringen.

Kommt bitte alle!!!!

Bis Samstag

Euer Tobi

- möchten (…하고 싶다), können (…할 수 있다), müssen (…해야 한다), dürfen (…해도 좋다) 등은 화법조동사로 본동사를 문장의 맨뒤로 보낸다.
- die Einladung 초대, jemanden einladen 초대하다
- der Geburtstag 생일, die Geburt 출생, der Tag 날
- feiern (무엇을) 기념하여 잔치하다

- der Beginn 시작, beginnen 시작되다/하다, Der Unterricht beginnt. 수업이 시작된다.
- enden 끝나다, das Ende 끝
- mitbringen <분리동사> jemanden mitbringen 누구를 데리고 오다, etwas mitbringen 무엇을 가지고 오다
- die Laune 기분

Tobias의 생일파티 초대장을 작성하시오.

EINLADUNG

Liebe Daniela!

Ich habe am ______ Geburtstag. Das möchte ich feiern.

Wann? ______, ______

Beginn: ______

Ende: ______

Wo? ______

Bitte mitbringen: ______

Bis Samstag

Tobi

A2 **예문을 참고하여 빈칸에 알맞은 말을 적으시오.**

Einladung zum Geburtstag
Ich feiere meinen Geburtstag.
Ich lade dich zu meinem Geburtstag herzlich ein. (herzlich 진심으로)

1. Einladung zur Hochzeit (die Hochzeit 결혼식)

Wir ________ unsere Hochzeit.

Wir ________ Sie zu ________ Hochzeit herzlich ________

(zu <3격 요구 전치사> …에)

2. Einladung zur Abschlussfeier (die Abschlussfeier 졸업식, der Abschluss 졸업, 종료, die Feier 기념 잔치; zur는 zu der의 축약형)

Ich ________ meinen Studienabschluss. (der Studienabschluss 대학졸업)

Ich ________ euch ________________________________

3. Einladung zur Silvesterparty (der/das Silvester 12월 31일)

Wir ________________

Wir ____

날짜 표현

Der Wievielte ist heute?

수	...일	...일에	수	...일	...일에
eins →	der erste →	am ersten	zwei →	der zweite →	am zweiten
drei	der dritte	am dritten	vier	der vierte	am vierten
fünf	der fünfte	am fünften	sechs	der sechste	am sechsten
sieben	der siebte	am siebten	acht	der achte	am achten
neun	der neunte	am neunten	zehn	der zehnte	am zehnten
elf	der elfte	am elften	zwölf	der zwölfte	am zwölften

dreizehn	der dreizehnte	am dreizehnten
...	...	...
zwanzig	der zwanzigste	am zwanzigsten
einundzwanzig	der einundzwanzigste	am einundzwanzigsten
...	...	...
dreißig	der dreißigste	am dreißigsten
einunddreißig	der einundreißigste	am einunddreißigsten

- der erste의 경우 der가 1격이므로 형용사로 취급된 erst-에 어미 –e가 붙었고, am ersten의 경우는 an이 3격 요구 전치사로 dem를 동반하며, dem에 이미 격 표시 어미 –em이 나타났으므로 형용사 erst-에는 약변화 어미 –en이 붙었음

A3 예문을 참고하여 빈칸에 알맞은 말을 적으시오.

Heute ist der erste Januar. <형용사 남성 단수 1격 약변화>
Heute habe ich Geburtstag.
→ Ich habe am ersten Januar Geburtstag. <형용사 남성 단수 3격 약변화>

1. Morgen ist der zweite Februar.
   Morgen heiraten wir.
   → Wir feiern ______ ______ ______ Hochzeit.

2. Morgen ist der fünfte Mai.
   Morgen haben wir keinen Unterricht.
   → Wir haben ______ ______ ______ keinen Unterricht.

3. Übermorgen ist der fünfundzwanzigste Dezember.
   Übermorgen ist Weihnachten.
   → Wir feiern ______ ______ ______ Weihnachten.

A4 **예문을 참고하여 문장을 완성하시오.**

5 Mai

Mo	Di	Mi	Do	Fr	Sa	So
	1	2	3	4	5 *in den Kinderpark gehen*	6
7	8	9	10	11 *ins Kino gehen*	12	13
14	15	16	17	18	19	20
21	22 *die Großeltern besuchen*	23	24	25	26	27
28	29	30	31			

5월 1일: *Was machen Sie **am ersten Mai?***
***Der erste Mai** ist ein Feiertag. Ich bleibe zu Hause.*

1. 5월 5일
   Was machen Sie ______________?
   ______________ ist Kindertag. Ich ______________.

2. 5월 11일
   Was machen Sie ______________?
   ______________ ist ein Freitag. Ich ______________.

3. 5월 22일
   Was machen Sie ______________?
   ______________ ist ein ______ Ich ______________
   ______________.

화법조동사(Modalverben) möchten, wollen, können, müssen, dürfen

	möchten	wollen	können	müssen	dürfen
ich	möchte	will	kann	muss	darf
du	möchtest	willst	kannst	musst	darfst
er/sie/es	möchte	will	kann	muss	darf
wir	möchten	wollen	können	müssen	dürfen
ihr	möchtet	wollt	könnt	müsst	dürft
sie/Sie	möchten	wollen	können	müssen	dürfen

➋ 화법조동사를 사용하면 본동사는 문장 맨 뒤로 간다.

Ich trinke Kaffee.

Ich möchte Kaffee trinken.

1. ...하고 싶다(희망)

Wen möchtest du einladen? (wen는 wer(누가)의 4격)

Ich möchte meine Freunde einladen.

2. ...하려고 하다(의지)

Was willst du morgen machen? (was는 1격과 4격의 형태가 같음)

Ich will meinen Geburtstag feiern.

3. ...할 수 있다/해도 되다(가능성)

Kann ich bei dir übernachten?

Ja, du kannst bei mir übernachten. Unsere Wohnung ist groß.

4. ...해야 하다(의무)

Wann musst du nach Hause gehen?

Ich muss um sieben Uhr zu Hause sein.

5. ...하여도 되다(허락):

Darf ich bei dir **übernachten**? (übernachten 숙박하다)

Ja, du **darfst** bei mir **übernachten**. Meine Eltern sind einverstanden.
(einverstanden sein 동의하다)

▷ **Kannst** du am 24. zu meiner Party kommen?
▶ Ich **möchte** gerne kommen, aber ich **kann** leider nicht.
Ich habe am 25. Mai eine Prüfung. Ich **muss** lernen.
▷ Schade, ich **will** eine große Party geben. **Darf** ich dich dann später einmal einladen?
▶ Warum nicht? Ich **möchte** dich auch gerne wiedersehen.

- die Prüfung 시험, der Test 쪽지 시험, die Klausur (대학에서의) 필기 시험, das Examen (과정을 졸업하기 위한) 시험
- später 나중에
- wiedersehen <분리 동사> 다시 보다, 다시 만나다

A5 빈칸에 알맞은 화법조동사를 적으시오.

*Ich **möchte** Medizin studieren. Deshalb **muss** ich fleißig lernen. (deshalb 그래서)*

1. Ich ______ ein Stipendium bekommen. Deshalb ______ ich viel lernen.
(das Stipendium 장학금, ein Stipendium bekommen 장학금을 받다)

2. Ich ______ gerne einen Hund haben. Aber ich ______ keinen Hund haben.
Meine Eltern mögen keine Hunde. (der Hund 개)

3. Ich ______ früh zu Hause sein. Deshalb ______ ich ein Taxi nehmen.

4. ______ du mir bitte deine Email-Adresse geben? Ich ______ dir schreiben.

5. Er spielt sehr gut Tennis. Er ______ dir Tennisunterricht geben.

A6 **Übersetzen Sie ins Deutsche.**

1. 나는 8월 12일 토요일에 내 생일 파티를 하려고 한다.

2. 내 생일파티에 너를 진심으로 초대하고 싶다. 내 생일 파티에 올 수 있니?

3. 너는 우리 집에서 자고 가도 돼. 우리 부모님께서 동의하셨어.

4. 나는 유감스럽게도 너의 생일 파티에 갈 수 없다. 시험공부를 해야 한다.

5. 시험 후 8월 19일에 너를 방문하고 싶다.

Imperativ (명령형)

	du에 대한 명령 (동사 어간)	ihr에 대한 명령 (동사 어간 + t)	Sie에 대한 명령 (동사 어간 + en)
kommen	Komm (bitte)!	Kommt (bitte)!	Kommen Sie (bitte)!
geben	Gib (bitte) ... !	Gebt (bitte) ...!	Geben Sie (bitte) ...!
mitbringen	Bring (bitte) ... mit!	Bringt (bitte) ... mit!	Bringen Sie (bitte) ... mit!

1. **kommen: komm - kommt - Kommen Sie**

Meine Mutter sagt zu mir: „Komm schnell nach Hause!“

Der Lehrer sagt zu uns: „Kommt schnell ins Klassenzimmer!“

Professor Kim sagt zu uns: „Kommen Sie bitte pünktlich zum Seminar!“

2. **geben: gib - gebt – geben Sie** <e모음이 i로 변하는 강변화 동사>

Mein Freund sagt zu mir: „Gib mir deine Tasche!“

Der Lehrer sagt zu uns: „Gebt mir eure Hausaufgaben!“

Der Beamte sagt zu mir: „Geben Sie mir bitte Ihre Telefonnummer!“

3. **fernsehen: sieh ... fern - seht ... fern - sehen Sie ... fern**
<e모음이 ie로 변하는 강변화 분리동사>

Mein Vater sagt zu mir: „Sieh nicht so viel fern!“

Der Lehrer sagt zu uns: „Seht nicht zu viel fern!“

Der Augenarzt sagt zu mir: „Sehen Sie nicht viel fern!“

A7 문장을 완성하시오.

Professor Kim sagt immer: „Lesen Sie viel auf Deutsch!“
Deshalb will ich viel auf Deutsch lesen.

1. „ ______ Sie viel ______ !“ Deshalb möchte ich viel auf Deutsch schreiben.

2. „ ______ Sie für die Klausur oft ______ !“ Deshalb muss ich oft deutsche Nachrichten hören.

(die Nachrichten <항상 복수> 뉴스, die Nachricht 소식)

3. „ ______ Sie den Text ______ !“ Ich will den Text aber nicht laut vorlesen.

(laut 큰 소리로, 소리가 큰)

4. „ ______ !“ Aber ich möchte die Grammatik nicht üben.

5. „ ______ “ Ich kann aber meine Hausaufgaben nicht immer rechtzeitig abgeben.

(die Hausaufgabe 숙제, rechtzeitig 제때에, abgeben 제출하다)

Meine Mutter sagt immer: „**Lern** fleißig in der Schule!“ Ich will aber nicht fleißig lernen.

6. „_____ früh _____!“ Ich will aber nicht früh aufstehen.

7. „_____ viel!“ Ich will aber nicht viel essen.

8. „_____ _____ _____ _____ zur Schule!“ Ich will aber nicht mit dem Fahrrad fahren.

9. „_____ _____ _____ Hause!“ Ich will aber nicht früh nach Hause kommen.

10. „_____ _____ _____ Hausaufgaben!“ Ich will aber nicht zuerst meine Hausaufgaben machen.

11. „_____ _____ so _____ _____!“ Ich will aber viel fernsehen.

A8 Übersetzen Sie ins Deutsche.

1. 내 생일 파티에 와라.

2. 너는 내일 아침 일찍 일어나야 한다. 일찍 자거라.

3. 너는 8시 전에 대학에 도착해야 한다. 택시를 타라.

4. 여기에 이름과 주소를 적으시오. (der Name 이름, n격변화 명사로 4격은 den Namen)

5. 독서를 많이 하십시오. 그리고 글도 많이 쓰시오.

축하 카드 Glückwunschkarten

Hallo Tobias!
Alles Liebe zum Geburtstag
wünscht dir
deine Freundin Silvia

- alles Liebe: 형용사 lieb-이 alles 다음에서 명사화됨, 사랑스러운 모든 것. alles Gute 좋은 모든 것 (행운)
- jm. etwas wünschen 누구에게 무엇을 기원하다

Lieber Tobi!
Herzlichen Glückwunsch und alles Gute zum 21. Geburtstag wünschen dir deine Freunde Tina und Markus

- der Glückwunsch 축하

Liebe Frau Professor Weber!
Wir wünschen Ihnen alles Gute zum Geburtstag.
Ihre Studenten ....

Lieber Tobias,
wir gratulieren dir ganz herzlich zu deinem 21. Geburtstag und wünschen dir alles Gute für die Zukunft.
Oma Helga und Opa Manfred

- die Zukunft 미래

Zum Abitur
herzliche Glückwünsche
und alles Gute für das
Studium
wünschen dir
Tante Eva und Onkel Otto

- 2번째 카드부터는 주어가 복수이어서 wünschen이 사용됨.
- jm. alles Gute für das Studium wünschen 누구의 학업에 좋은 모든 것(행운)을 기원하다
- jm. alles Gute für die Zukunft wünschen 누구의 미래에 좋은 모든 것(행운)을 기원하다

A9 **Schreiben Sie Karten!**

Minho!

Liebe Geburtstag dir Freundin Sabine

Minho!

Glückwunsch und Gute 21. Geburtstag dir

Freunde Tina und Markus

Mutti,

wir dir ganz deinem 47. Geburtstag und

alles für die Zukunft.

Susanne und Sebastian

Herr Becker,

Gute heutigen 40. Geburtstag die

Teilnehmer Ihres Kurses Aufsatz 1

3격(Dativ) 목적어

Lieber Tobias!
Danke für die Einladung **zu deiner Geburtstagsparty**. Leider kann ich nicht kommen. Korea ist zu weit entfernt. Aber ich schicke **dir** eine Geburtstagskarte und ein kleines Geburtstagsgeschenk. Es ist ein Schlüsselanhänger **mit dem weißen Tiger Soohorang**. Der Tiger bringt **dir** Glück und schützt dich! Gefällt er **dir**?
Feiere schön **mit deinen Freunden** und bleib gesund!!!

Minho

1) 3격을 요구하는 전치사의 목적어로

Danke für die Einladung ***zu deiner Geburtstagsparty.*** (네 생일파티에)
Herzlichen Glückwunsch ***zum Geburtstag***. (생일을)
Feiere schön ***mit deinen Freunden.*** (너의 친구들과 함께)
ein Schlüsselanhänger ***mit einem weißen Tiger.*** (백호가 달린)

2) 3격을 요구하는 동사의 목적어로

Ich ***schicke dir*** eine Geburtstagskarte. (너에게 ...을 보내다)
Der Tiger ***bringt dir*** Glück. (너에게 ... 가져다주다)
Gefällt dir das Geschenk? (...이 너의 마음에 드니?)
Wir ***wünschen Ihnen*** alles Gute zum Geburtstag. (당신에게 ...기원하다)

A10 **빈칸에 들어갈 3격 인칭대명사를 적으시오.**

1. Gefällt dir das Geschenk? - Ja, es gefällt ______ sehr.

   (et. gefällt jm.: 무엇이 누구의 마음에 들다)

2. Gehört Ihnen diese Tasche? - Ja, ______ gehört ______

   (et. gehört jm.: 무엇이 누구에게 속하다)

3. Ich möchte Sie gern zum Essen einladen. - ______ danke ______ für die Einladung.

4. Meine Freundin hat Geburtstag. ______ gratuliere ______ zum Geburtstag.

5. Meine Freunde machen eine Reise. ______ wünsche ______ eine gute Reise.

6. Kannst du mir kurz helfen? - Ja, natürlich helfe ______ gern.

7. Bringst du mir bitte einen Tee? - Ja, ______ bringe ______ gerne einen Tee.

8. Zeigst du mir die Fotos von deinem Urlaub? Ja, ich zeige ______ gern.

   (인칭대명사의 어순: 4격 – 3격)

A11 예문을 참고하여 문장을 적으시오.

Gib mir bitte einen Tipp! - Ich gebe dir gern einen Tipp.

1. ______ bitte ______ ______!
   - Ich erzähle dir gern eine Geschichte.
   (jm. et. erzählen 누구에게 무엇을 이야기하다)

2. ______________________________!
   - Ich zeige dir gern die Fotos von deiner Koreareise.
   (jm. et. zeigen 누구에게 무엇을 보여주다)

3. ______________________________!
   - Ich schreibe dir gern jeden Tag eine Mail. (jm. et. schreiben 누구에게 무엇을 쓰다)

4. ______________! - Ich helfe dir gern. (jm. helfen 누구를 도와주다)

5. ______________________!
   - Ich erkläre sie dir gern. (jm. et. erklären 누구에게 무엇을 설명하다)

6. ______________________________!
   - Ich lese dir den Text gern laut vor.
   (jm. et. vorlesen 누구에게 무엇을 (소리 내어) 읽어주다)

7. ______________________!
   - Ich bringe dir gern eine Tasse Kaffee.
   (jm. et. bringen 누구에게 무엇을 가져다주다)

A12 **Übersetzen Sie ins Deutsche.**

1. 당신의 생일파티에 초대해 주셔서 대단히 감사합니다.

Vielen ______

Ich ______

2. 당신의 50번째 생일을 축하합니다.

Herzlichen ______

Ich ______

3. 나는 당신에게 생일선물을 보내고 싶습니다. 주소를 (알려)주세요.

______

4. 복 많이 받으시고 건강하십시오.

Ich ______

TEXT zum Ergänzen

Lieber Tobi!

______ Gute _____ 21. Geburtstag _________ ____①Oma Elli. ________ gesund

und ________________②fleißig!

Ich besuche dich und _______③Eltern ___ _______________, ____ ____④

September. Am Samstag backe ich einen Geburtstagskuchen für dich. Du ______

doch so ______⑤Schokoladenkuchen! Ich habe auch eine Überraschung für dich.

Was es ist? Das _____ ___ ___ ___.⑥Hi Hi! Rate mal!

______ ____________⑦

_______⑧Oma Elli

Wörter und Ausdrücke

- jn. besuchen 누구를 방문하다
- einen Geburtstagskuchen (für jn.) backen (누구를 위해서) 생일케이크를 만들다
- der Kuchen; die Schokolade + der Kuchen → der Schokoladenkuchen
- eine Überraschung für jn. haben 누구를 놀라게 할 물건/일을 가지다
- Rate mal! 알아맞혀봐! et. raten 무엇을 (추측하여) 알아맞히다

Tipps

① 생일에 모든 일이 잘 되기를 기원하다 → jm. alles Gute zum Geburtstag wünschen
② 건강을 유지하고 공부 열심히 해라.
③ 소유관사(Possessivartikel) mein-, dein-, sein- ... 등의 어미변화

	남성명사 앞	여성명사 앞	중성명사 앞	복수명사 앞
1격	-	-e	-	-e
2격	-es	-er	-es	-er
3격	-em	-er	-em	-en
4격	-en	-e	-	-e

④ 목요일, 9월 6일에: 요일 앞에는 am이 오고, 날짜는 서수를 사용함
⑤ (무엇을) 즐겨 먹다 → (et.) gern essen
⑥ 누구에게 무엇을 말하다 → jm. et. sagen
⑦ <작별할 때> 목요일까지 (안녕) → Bis Donnerstag!
⑧ 너의 할머니

TEXT zum Übersetzen 1

친구들에게,

11월 24일은 내 생일이야. 나는 생일파티를 하고 싶어. 모두 와라!

언제? 11월 26일 토요일

시작: 18시

끝: 24시 또는 더 늦게

어디에서: 우리 집에서

모두 좋은 기분으로 와! 기쁜 마음으로 너희들을 기다리마!

Markus

Aufgepasst!

1. 특정한 날짜를 설명할 때는 'Der 24. November ist mein Geburtstag.'이라고 말할 수 있다. 그러나 '나의 생일'이 주제일 때는 'Ich habe am ...... Geburtstag'이라고 말한다.

2. 생일파티를 하다: eine Geburtstagsparty machen/geben

3. '모두 좋은 기분으로 와!'는 직역이 불가능하고, 'gute Laune mitbringen (좋은 기분을 지참하고 오다)'을 사용하여 번역할 수 있다. 또한 명령문의 주어가 복수일 때 이에 적합한 동사 어미 형태를 사용해야 한다. 우리말 명령문의 주어 '모두'는 특별히 강조하는 경우가 아니면, 독일어 명령문에서는 별도로 표시하지 않는다.

TEXT zum Übersetzen 2

Markus에게,

초대해주어서 대단히 고마워. 유감스럽게도 나는 갈 수가 없어. 토요일에 나의 조부모님을 방문해야 해. 우리 할머니도 생신이셔. 일흔 살이 되셔. 할머니가 온 가족과 함께 생일잔치를 하고 싶어 하셔.
네 생일 진심으로 축하하며, 네게 행운을 빈다.

Martina
추신: 너에게 줄 작은 선물이 있어. 나중에 줄게.

Aufgepasst!

1. 초대해주어서 → für die Einladung

2. 화자나 청자의 방향으로 가거나 오는 것을 말할 때는 'kommen'을 사용한다: Ich kann nicht zu deiner Party kommen. 화자나 청자 모두로부터 멀어지는 방향으로 가는 것은 'gehen'이라고 한다: Heute Abend gehe ich auf eine Party.

3. '우리 할머니도 ...'에서 '나의'를 의미하는 '우리'는 mein-으로 표현한다. '...도'에 해당하는 'auch'는 '우리 할머니' 앞에 올 수도 있으나, 술어가 되는 동사구(Geburtstag haben)앞에 올 수도 있다.

4. '온 가족과 함께'는 한 가족의 모든 구성원을 말하므로 'die ganze Familie'라고 한다. 'alle Familien'이라고 하면 여러 가족 모두를 의미하는 '모든 가족들'이라는 뜻이 된다.

5 '행운을 빈다'의 독일어 표현을 직역하면 '온갖 좋은 일을 기원한다'이다.

6. '너에게 줄'은 '너를 위한'으로 번역할 수 있다.

7. '나중에 줄게'처럼 미래 시점을 나타내는 부사어가 나올 때, 미래시제 대신 종종 현재시제가 사용된다: Ich komme morgen zu dir. 내일 네게 갈게.

TEXT zum Korrigieren

Ich habe am ...

Hallo Daniel!

Der 15. Januar ist mein Geburtstag. Ich mag am 17. Januar eine Geburtstagsparty tun. Kannst du kommen.

Die Party beginnt am 18.00 Uhr und endet am 23.00 Uhr. Wir feiern bei mich zu Hause.

Daniela

PS: Ich freue mir über dich!!!

Liebe Daniela! *kann*

Vielen Dank für Einladung zur deiner Geburtstagsparty.

Ich kan leider nicht zu deiner Party gehen. Ich muss meinen Opa in Frankfurt besuche. Er hat auch den 15. Januar Geburtstag. opa ist schon ziemlich alt: er werden 81.

Ich habe ein kleine Geschenk zu dir. Ich gebe dir es am Montag in der Mensa.

Bis montags

Daniel

Ihr TEXT

Laden Sie Ihre Freunde zu Ihrem Geburtstag ein.

Lehnen Sie eine Einladung zum Geburtstag ab.
(생일 초대 거절: 왜 갈 수 없는지를 말하고, 생일을 축하하시오.)

Tagebuch

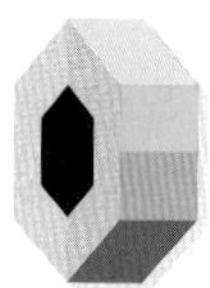

Modelltext

Samstag, 8. 6. 2019

Es ist schon Samstag, zwei Uhr in der Nacht. Ich bin sehr aufgeregt und kann nicht einschlafen, denn heute feiere ich meinen Geburtstag. Ich möchte eine tolle Geburtstagsparty machen: die beste, schönste und tollste Party aller Zeiten! Meine Party muss einfach besser, schöner und toller sein als die Geburtstagspartys von Klaus oder Olaf. Denn Mona kommt!!! Ich glaube, ich bin sehr in sie verliebt. Deshalb muss die Party super werden!
Ich muss noch viel vorbereiten. Was brauche ich für die Party? Ich schreibe besser alles auf, denn nichts darf schief gehen:

★ 10 Dosen Cola
★ 10 Packungen Saft
★ 2 Kasten Bier
★ 2 Kasten Mineralwasser
★ 3 Flaschen Weißwein / 3 Flaschen Rotwein
★ 3 Flaschen Sekt
★ 7 Tafeln Schokolade
★ 10 Tüten Kartoffelchips
★ Musik nicht vergessen! (Mag Mona K-Pop oder lieber Jazz?)

Ich muss auch noch Pizza, Hähnchen und Salate besorgen! Martina will einen Kuchen backen! Und Tom bringt Eis mit. Das ist sehr nett von den beiden!
Aber jetzt muss ich wirklich ins Bett! Es ist schon zu spät.

- aufgeregt 흥분한
- einschlafen 잠들다
- toll <구어> 멋진, 끝내주는
- aller Zeiten <2격 형태로 앞 말을 수식> 모든 시대의, 역사상
- in jn. verliebt sein 누구를 사랑하게 되다, 누구에게 반하다
- et. vorbereiten 무엇을 준비하다
- et. brauchen 무엇이 필요하다
- et. aufschreiben <분리 동사> 무엇을 (글로) 적다
- schiefgehen <분리 동사 : et. geht schief> 잘못되다, 실패하다
- et. besorgen 무엇을 구하다/마련하다
- et. backen 무엇을 굽다
- wirklich <말을 강조하는 뜻으로> 정말로

Was braucht man für eine Party?

Getränke

Essen

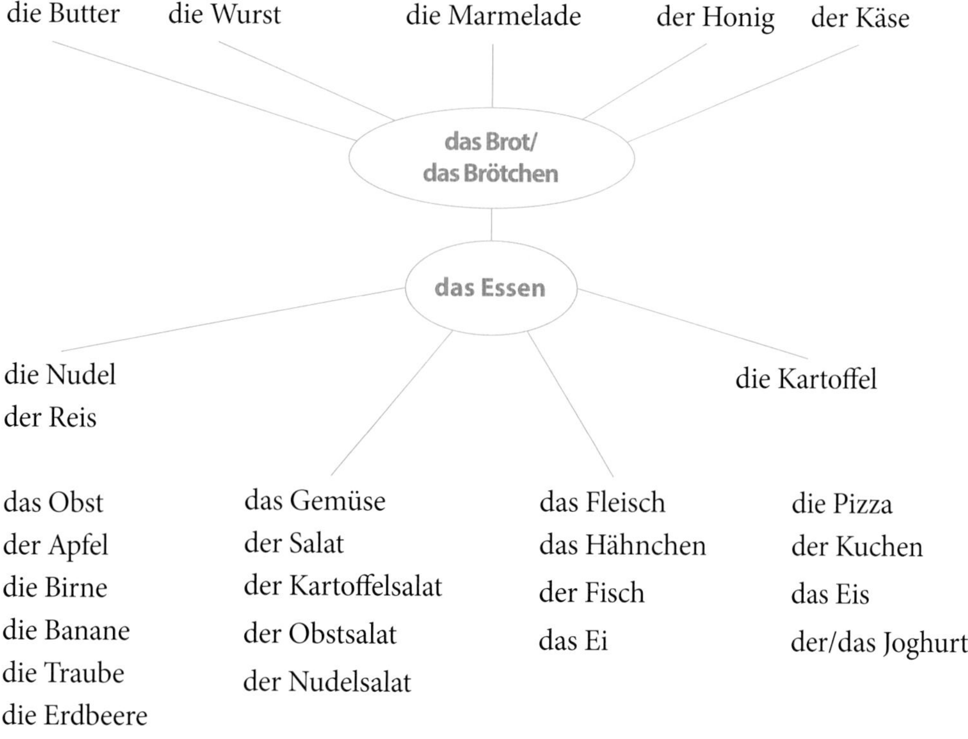

Wie zählt man?

eine Flasche, zwei Flaschen	Wasser, Cola, Limonade, Milch, Bier, Wein ...
eine Dose, zwei Dosen	Cola, Bier, Obstsalat ...
eine Packung, zwei Packungen	Milch, Saft ...
eine Scheibe, zwei Scheiben	Brot, Wurst, Käse ...
eine Tasse, zwei Tassen	Tee, Kaffee, Kakao ...
ein Glas, zwei Gläser	Milch, Saft, Bier, Wein ...
eine Portion, zwei Portionen	Eis ...
eine Tafel, zwei Tafeln	Schokolade ...
eine Tüte, zwei Tüten	Kartoffelchips ...
ein Stück, zwei Stück	Kuchen, Pizza ...
... Gramm	Käse, Wurst, Butter, Fleisch ...
... Pfund	Kartoffeln, Fleisch, Reis ...
... Kilo(gramm)	Bananen, Äpfel, Kartoffeln, Reis ...
... Liter	Milch, Wein, Bier ...
ein ganzes, ein halbes	Hähnchen ...

A1 Was kostet das?

1. Eine Packung Milch kostet 0,60 Euro (sechzig Cent).
   Zwei ______________________ 1,20 Euro (ein Euro zwanzig).

2. Eine Tafel Schokolade kostet 0,80 Euro (achtzig Cent).
   Drei ______________________.

3. Eine Dose Bier kostet 0,70 Euro (siebzig Cent).
   Vier ______________________.

4. 100 Gramm Käse kosten ein Euro.
   200 ______________________.

A2 Was mag ich?

Ich mag Wurst, aber keinen Käse.
Deshalb kaufe ich 300g Wurst, aber nur 50g Käse.

1. Ich mag Kartoffeln, aber keinen Reis.

   ______________________.

   <2kg 감자와 200g 쌀>

2. Ich esse gern Bananen, aber keine Äpfel.

   ______________________.

   <바나나 3kg과 사과 500g>

3. Ich trinke gern Saft, aber keine Milch.

____.

< 주스 3곽, 우유1곽>

4. Meine Schwester isst gern Pizza, aber sie isst nicht gern Kuchen.

____.

<큰 피자 하나, 케이크 한 조각>

5. Mein Bruder trinkt gern Bier, aber er trinkt nicht gern Wein.

____.

<맥주 6깡통 와인 1병>

형용사의 비교급과 최상급

	-er	am -sten	-ste, -sten
klein	kleiner	am kleinsten	der/die/das kleinste die kleinsten
schnell	schneller	am schnellsten	der/die/das schnellste die schnellsten
süß	süßer	am süßesten	der/die/das süßeste die süßesten
toll	toller	am tollsten	der/die/das tollste die tollsten
alt	älter	am ältesten	der/die/das älteste die ältesten
groß	größer	am größten	der/die/das größte die ältesten
schön	schöner	am schönsten	der/die/das schönste, die schönsten
klug	klüger	am klügsten	der/die/das klügste die ältesten
gern	lieber	am liebsten	der/die/das liebste die liebsten
gut	besser	am besten	der/die/das beste die besten
viel	mehr	am meisten	der/die/das meiste die meisten

형용사가 명사를 수식하는 경우: Er ist der beste Schüler./Sie ist die beste Schülerin.
형용사가 명사화된 경우: Er ist der Beste./Sie ist die Beste.
형용사가 주어를 서술하는 경우: Er/Sie ist am besten.
형용사가 동사를 수식하는 부사어로 사용되는 경우: Er/Sie singt am besten.

Vergleichen (비교하기)

Mein Gesicht ist größer als eine Pizza.
Meine Augen sind brauner als Schokolade,
meine Haare sind länger als Nudeln,
meine Nase ist dicker als eine Kartoffel,
mein Mund ist breiter als eine Banane.
Bin ich nicht hübsch?

A3 Ergänzen Sie die Sätze.

1. Daegu ist eine große Stadt. Busan ist auch eine ________ Stadt.

   Aber Seoul ist noch ________ ________ Busan.

   Seoul ist am ________ . Seoul ist die ________ Stadt in Korea.

2. Das Fahrrad ist schnell. Das Auto ist ________ ________ das Fahrrad.

   Aber das Flugzeug ist noch ________ ________ das Auto.

   Das Flugzeug ist am ________ Das Flugzeug ist das ________ Verkehrsmittel.

   (das Verkehrsmittel 교통수단, der Verkehr 교통 + das Mittel 수단)

3. Mein Vater ist 45 Jahre alt. Meine Mutter ist 43 Jahre alt.

   Mein Vater ist ________ ________ meine Mutter.

   Mein Onkel ________ noch ________ ________ mein Vater. Er ist 47.

   Also, mein Onkel ________ ________ ________ .

4. Ich bin 1,70m groß. Mein Bruder ist 1,75m groß.

Ich bin ______________ mein Bruder.

Meine Schwester ________________________ ich. Sie ist 1,65m groß.

Also, meine Schwester ______________________.

5. Der Jirisan-Berg ist 1.915m hoch. Der Hallasan-Berg ist 1.950m hoch.

Der Hallasan-Berg ist ___________ der Jirisan-Berg.

Der Baekdusan-Berg _________________ der Hallasan-Berg. Er ist 2.744m

hoch. Der Baekdusan-Berg _____________ Er ____________ Berg auf

der koreanischen Halbinsel.

대등접속사 denn (왜냐하면) - 접속부사 deshalb (그렇기 때문에)

Ich kann nicht einschlafen. Denn ich bin aufgeregt.

Ich bin aufgeregt. Deshalb kann ich nicht einschlafen.

Ich lerne Deutsch. Denn ich möchte in Deutschland studieren.

Ich möchte in Deutschland studieren. Deshalb lerne ich Deutsch.

Ich schreibe alles auf, denn ich möchte nichts vergessen.

Ich möchte nichts vergessen. Deshalb schreibe ich alles auf.

A4 **Verbinden Sie die Sätze mit *denn* oder *deshalb*.**

Ich muss nach Hause. Es ist schon spät.
Ich muss nach Hause. ***Denn*** es ist schon spät.
Es ist schon spät. ***Deshalb*** *muss ich nach Hause.*

1. Ich muss lernen. Morgen habe ich einen Test.

Ich muss ______________________

Morgen habe ______________________

2. Ich nehme ein Taxi. Ich muss um sieben Uhr zu Hause sein.

Ich nehme ______________________

Ich ______________________

3. Ich möchte ein Geschenk kaufen. Mein Freund hat morgen Geburtstag.

Ich ______________________________

____

Mein ______________________________

____

4. Morgen kann ich länger schlafen. Samstags habe ich kein Seminar.

Morgen ______________________________

Samstags ______________________________

A5 Übersetzen Sie ins Deutsche.

1. 나는 차를 즐겨 마신다. 그러나 차보다 커피를 더 즐겨 마신다.

____

그래서 나는 차보다 커피를 더 자주 산다. (oft - öfter)

____

2. 나는 오늘 커피를 사야 한다. 내 여자 친구가 생일을 맞았기 때문이다.

____

내 여자 친구는 나보다도 훨씬 더 커피를 좋아한다.

____

3. 나는 필터커피(der Filterkaffee)를 산다. 필터 커피가 인스턴트커피(der Instantkaffee) 보다 맛이 더 좋기 때문이다.

____

형용사를 수식하는 부사어: sehr (매우, 대단히)/zu (너무, 지나치게) + 형용사

Der Kuchen ist sehr süß, aber nicht zu süß.

Deshalb esse ich zwei Stück davon. (davon 그것의 ← von dem)

Ich möchte das Buch lesen, denn es ist sehr interessant.

Aber ich kaufe das Buch nicht, denn es ist zu teuer.

Ich mag Mona, denn sie ist sehr nett.

Aber ich mag Sabine nicht, denn sie ist zu unfreundlich.

한국어와 독일어의 문장성분 대응?

'...을/를'과 '3격 목적어'

나는 어머니를 돕는다. Ich helfe meiner Mutter.

'...에게'와 '4격 목적어'

나는 경찰관에게 길을 묻는다. Ich frage einen Polizisten nach dem Weg.

'...이/가'와 '4격 목적어'

나는 새 티셔츠가 필요하다. Ich brauche ein neues T-Shirt.

아직 음료수가 많이 필요하다. Ich brauche noch viele Getränke.

'...이'가 동사의 의미 속에 포함

치즈가 맛이 좋다. Der Käse schmeckt gut.

차가 맛이 나쁘다. Der Tee schmeckt schlecht.

초콜릿이 내게 맛이 없다. Die Schokolade schmeckt mir nicht.

A6 주어진 형용사를 사용하여 문맥에 맞게 문장을 완성하시오.

langweilig schwierig müde stark

Warum trinken Sie den Kaffee nicht?
Der Kaffee ist (mir) zu stark.

1. Warum lesen Sie das Buch nicht?
   Das Buch ______________________

2. Warum lernen Sie denn nicht Deutsch?
   Deutsch ______________________

3. Warum nimmst du ein Taxi? Geh doch zu Fuß!
   Ich ______________________

A7 sehr **oder** zu**?**

Ich mag Peter sehr, denn er ist sehr freundlich.

1. Ich gehe jetzt ins Bett, denn ich bin ________ müde.
   Ich kann jetzt nicht mehr arbeiten. Ich bin einfach ________ müde.

2. Ich muss diesen Film noch bis zu Ende sehen, denn er ist ________ spannend.
   Ich möchte diesen Film nicht bis zu Ende sehen, denn er ist ________ langweilig.

3. Die Schüler sind noch ________ jung für Zigaretten und Alkohol.

4. Meine Oma ist schon ________ alt für eine Flugreise.

5. Ich möchte etwas essen, denn ich bin ________ hungrig.

명사의 2격: 명사의 2격: '……의'라는 소유 관계를 나타냄

	남성	여성	중성	복수
1격	der Vater ein Vater mein Vater	die Mutter eine Mutter meine Mutter	das Kind ein Kind mein Kind	die Freunde - meine Freunde
2격	des Vaters eines Vaters meines Vaters deines Vaters	der Mutter einer Mutter meiner Mutter deiner Mutter	des Kindes eines Kindes meines Kindes deines Kindes	der Freunde - meiner Freunde deiner Freunde

2격에서는 특정관사, 불특정관사, 소유관사의 어미가 동일함.
명사의 격변화 어미 (-(e)s, -n)가 남성·중성명사 2격에는 나타나지만, 여성명사와 복수명사 2격에는 나타나지 않음.

das Tagebuch meines Vaters (mein Vater) 나의 아버지의 일기

das Hobby meiner Mutter (meine Mutter) 나의 어머니의 취미

das Spielzeug meines Kindes (mein Kind) 내 아이의 장난감

die Adresse meiner Freunde (meine Freunde) 내 친구들의 주소

die schönste Party aller Zeiten 모든 시기의(= 역사상) 가장 아름다운 파티

A8 **Übersetzen Sie ins Deutsche.**

1. 토요일에 나의 할머니가 80세가 되신다. 여전히 매우 건강하시다. 그래서 우리는 할머니의 생신에 큰 잔치를 하려고 한다. (생일을 크게 잔치하다: den Geburtstag groß feiern)

2. 나는 할머니에게 케이크를 선물하지 않는다. 케이크는 그녀에게 너무 달기 때문이다.

3. 나의 할머니 케이크보다는 과일을 더 좋아하신다. 그래서 나는 과일을 산다.

4. 할머니는 딸기를 가장 즐겨 드신다. 딸기가 달고 부드럽기 때문이다. (die Erdbeere 딸기; weich 부드러운)

TEXT zum Ergänzen

Sonntag, den 9. 6. 2019

Liebes Tagebuch

____ ____ schon zwei Uhr ____ ____ ______ ①. Also, ____ ____ ______ ________ ②. Ich kann nicht einschlafen. ____ ____ _____ __________ ③, denn heute ____ _____ __________ ④! Heute mache ich eine große Party! Alle Freund _______ _______ Kurs _______ ⑤. Ich ______ _____ schon sehr _____ ______ Party ⑥, denn Florian kommt auch. Ich mag ihn. Er ist sehr nett. Er ____ viel _______ _____ ⑦ die anderen Jungen. Er ____ ____ klug und ____ ______ in ____ ⑧ Abteilung. Er schreibt nur Einsen. Aber er ist auch lustig. ________ ______ _______ ⑨ alle Mädchen. Wen mag er am __________ ⑩? Natürlich _________ ⑪, oder?

Für die Party _____ ich viel ____________ ⑫. Was _____ ich noch _______ ⑬ ?

- Ich muss mein Zimmer aufräumen.
- Ich muss einkaufen:
  - · zwei __________________ ⑭ Eis (_____ Florian _____ ⑮ Schokoladeneis?)
  - · fünf __________ _____ ⑯ (______ Florian _____ Apfelsaft _____ ⑰ Orangensaft)?
  - · Obst (1 ____ Äpfel und 2 ____ ⑱ Bananen)
  - · drei Tüten Kartoffelchips
- Ich muss Pizza backen. (Die Pizza _____ _________ ⑲!)
- Ich will auch _____ ______ _______ ⑳. (Florian isst gern Kuchen.)

Petra sorgt für die Musik. Meine CDs sind alle ___ __________ ㉑.
Jetzt gehe ich ins Bett. Wirklich!

Gute Nacht.

Wörter und Ausdrücke

- einschlafen 잠들다: Ich schlafe immer schnell ein. 나는 항상 빨리 잠에 든다.
- alle Freunde aus meinem Kurs 같은 강의를 듣는 친구들 모두
  Alle Schüler aus meiner Klasse kommen zu mir. 우리 반의 모든 학생이 우리 집에 온다.
  Alle Studenten in meiner Abteilung mögen den Unterricht von Herrn Professor Kim. 우리 과의 모든 학생이 김 교수님의 수업을 좋아한다.
- der/die Beste in der Klasse sein 반에서 공부를 제일 잘 하다.
- eine Eins (복수: Einsen) schreiben 필기시험에서 1점(최고점수)을 받다
  Ich schreibe immer Einsen in Mathe.
- lustig (성격이) 재미있는
- 4격 ich - mich, er - ihn, wer - wen
- (et.) einkaufen (무엇을) 사다, 쇼핑하다
- das Zimmer aufräumen 방을 정리·정돈하다
- für et. sorgen 무엇을 (신경 써) 준비/마련/조성하다

Tipps

① 벌써 밤 2시이다.
② 벌써 일요일이다.
③ 나는 너무 흥분해있다.
④ 오늘이 내 생일이기 때문이다.
⑤ 같은 강의를 듣는 친구들이 모두 온다.
⑥ 나는 벌써 매우 기쁜 마음으로 파티를 기다린다.
⑦ 그는 다른 남자애들보다 더 (성품이) 좋다.
⑧ 그는 매우 영리하고, 반에서 공부를 제일 잘 한다.
⑨ 그래서 여자 애들이 모두 그를 좋아한다.
⑩ 그가 누구를 가장 좋아할까?
⑪ 물론 나지, 그렇지?
⑫ 파티를 위해서 나는 준비를 많이 해야 한다.
⑬ 내가 아직 무엇을 해야지?
⑭ 아이스크림 두 곽(상자)
⑮ 플로리안이 초콜릿 아이스크림을 즐겨 먹을까?

⑯ 주스 5병
⑰ 플로리안이 사과주스를 더 좋아할까, 아니면 오렌지 주스를 더 좋아할까?
⑱ 사과 1킬로그램과 바나나 2킬로그램
⑲ 피자는 맛이 좋아야 해!
⑳ 케이크도 하나 만들 거야.
㉑ 내 CD는 너무 지루하다.

TEXT zum Übersetzen

2019 년 6월 8일, 토요일

벌써 토요일, 밤 1시이다. 나는 지금 매우 피곤하다. 그러나 잠을 잘 수가 없다. 왜냐하면 내일이 내 생일이기 때문이다. 나는 우리 과 친구 몇 명을 집으로 초대했다. 나는 즐거운 마음으로 파티를 기다리고 있다. 왜냐하면 민수가 오기 때문이다. 나는 아직 민수를 잘 모른다. 그러나 그는 우리 과의 다른 모든 남학생보다 더 귀엽고 더 착하다. 그는 과에서 독일어를 제일 잘 한다. 나는 그를 더 잘 알고 싶다.
생일파티를 나는 무엇을 해야 하는가?

- 방 정리
- 콜라 20캔 구입
- 레모네이드 5병 구입
- 감자 칩 6 봉지 구입
- 초콜릿 5개 구입

음식은 엄마가 준비하신다. 할머니께서는 케이크를 구우신다. 할머니의 케이크는 항상 맛이 있다.

Aufgepasst!

1. 시간의 단위로 사용되는 Uhr 앞에 오는 수사는 어미변화를 하지 않는다.
   Es ist ein Uhr. 지금 한 시이다. Das ist eine Uhr. 이것은 시계이다.
2. '잠자다'와 '잠들다'는 독일어에서 구별된다.
   Ich möchte schlafen, aber ich kann nicht einschlafen.
   나는 잠자고 싶다. 그러나 잠들 수가 없다.
   Ich schlafe immer sieben Stunden. 나는 항상 7시간 잠을 잔다.
   Ich schlafe immer schnell ein. 나는 항상 빨리 잠에 든다.
3. '내일이 내 생일이다.'에 대응하는 독일어 표현은 두 가지가 있다.
   Morgen ist mein Geburtstag. Morgen habe ich Geburtstag.
4. 누구를 (우리) 집으로 초대하다: jn. zu mir/uns nach Hause einladen
5. 누구를 아직 ... 잘 모르다: jn. noch nicht gut kennen. kennen 동사는 사람뿐만 아니라, 도시, 지역 등과 같은 경험의 대상에 대해서도 사용할 수 있다.
   Ich kenne die Stadt noch nicht gut. 나는 아직 그 도시를 잘 모른다.
6. 귀엽다: süß. süß는 물론 맛을 나타내는 경우에는 '달다'라는 뜻으로 사용된다.
7. '다른 모든 남학생'은 'alle anderen Jungen/Jungs'라고 한다. all- 다음에 오는 형용사는 약변화 한다.
8. '누구를 잘 알(고 있)다'는 'jn. gut kennen'이고, '누구를 (처음으로) 알게 되다/사귀다'는 'jn. kennenlernen'이다. 또 '누구보다 누구를 더 잘 알고 있다.'라고 할 때는 'jn. besser kennen als jd.'라고 하고, '누구를 더 잘/가까이 알게 되다'는 'jn. besser/näher kennenlernen'이라고 한다. Ich kenne Peter nicht gut. Du kennst ihn besser als ich. Ich möchte ihn auch näher kennenlernen. 나는 페터를 잘 알지 못한다. 너는 그를 나보다 더 잘 알고 있다. 나도 그를 더 잘 알고 싶다.
9. 수량 단위로 사용된 셀 수 있는 명사는 2이상의 수 다음에서 복수형을 취한다.
   eine Flasche - zwei Flaschen　　eine Dose - zwei Dosen
   eine Tüte - zwei Tüten　　eine Tafel - zwei Tafeln
10. '무엇을 준비/마련/조성하다'라는 뜻으로 'für et. sorgen/et. vorbereiten'을 사용할 수 있다.
11. 할머니의 케이크: Omas Kuchen. 2격을 사용하여 der Kuchen meiner Oma(우리 할머니의 케이크)라고 할 수 있으나, 할머니를 마치 고유명사처럼 사용하여 –s를 Omas라고 말할 수 있다.

TEXT zum Korrigieren

Samstag

Es ist samstag, zwei Uhren in der Nacht. Ich bin sehr aufgeregt und kann nicht schlafen ein. Denn heute meine Geburtstagsparty ist. Ich möchte eine beste, schönste und tollste Party machen! Die Party muß toll sein, denn Jan kommt. Jan ist ein neuer Junge zu unserer Klasse. Ich mag sie sehr. Er ist klug als die anderen Jungs und schreibt nur Einer.
Was muss ich machen noch?

- mein Zimmer aufräumen
- 10 Gläser Saft kaufen
- drei Packung Kartoffelchips kaufen
- 10 Stücke Schokolade kaufen

Mama sorgt auf Kuchen und Pizza. Sie machen auch einen Kartoffelsalat.
Mama ist Beste!!
Jetzt ich muss aber wirklich ins Bett.

Ihr TEXT

Sie wollen morgen Ihren Geburtstag feiern. Wen möchten Sie einladen? Und was brauchen Sie noch alles für die Party? Was müssen Sie noch tun?

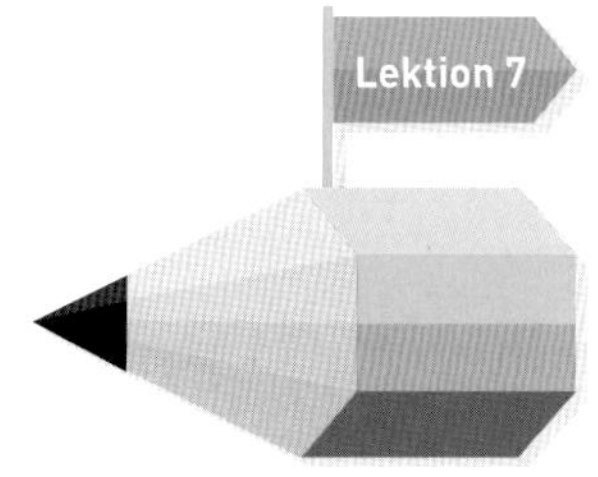

Ich finde ihn nett

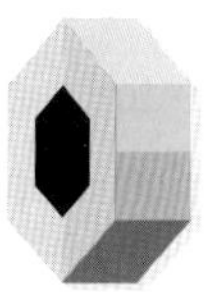

Modelltext

Es ist schon halb drei in der Nacht. Warum ich nicht schlafe? Morgen feiert Tobias seinen Geburtstag! Ich gehe auch zu seiner Party. Gott sei Dank, denn nicht alle aus unserer Abteilung haben eine Einladung. Ich freue mich schon so auf die Party. Aber nicht wegen Tobias. Tobias finde ich ganz nett. Aber ich finde seinen besten Freund Olaf noch viel netter! Olaf ist intelligent und immer hilfsbereit. Er ist auch lustig. Aber er ist immer so schüchtern. Auf der Party möchte ich ihn näher kennenlernen.

Was soll ich nur anziehen? Ob ich den schwarzen Minirock und die weiße Bluse anziehen soll? Ach nein, die sind zu alt und passen auch nicht mehr! Ich ziehe lieber die enge Jeans mit dem roten Pullover an. Aber der Pullover ist zu dick! Ich kaufe morgen ein dünnes, rosa T-Shirt. Rosa steht mir gut. Ich will doch die Schönste sein.

Und was soll ich Tobias schenken? Was wünscht er sich zum Geburtstag? Ich habe keine Ahnung. Ich rufe morgen früh einfach mal Olaf an. Vielleicht hat er eine gute Idee.

- all <불특정대명사> 모두
- wegen <2격 요구 전치사> …때문에
- intelligent 명석한 (klug)
- hilfsbereit (다른 사람을) 잘 도와주는
- lustig 흥겨운, 명랑한 (fröhlich, heiter, ausgelassen)
- sollen <화법조동사: 의문문으로 의견을 구할 때> …해야 할까?
- schüchtern 수줍은
- eng 몸에 꽉 끼는 (↔ weit)
- dünn 얇은 (↔ dick)

Wie ist er/sie?	Wie findest du ihn/sie?
interessant/lustig	langweilig
nett/freundlich	unfreundlich
höflich	unhöflich
sympathisch (호감을 주는)	unsympathisch
hilfsbereit	egoistisch
klug/intelligent	dumm/blöd
fleißig	faul
ordentlich (잘 정돈된)	unordentlich
pünktlich (시간을 잘 지키는)	unpünktlich
musikalisch	unmusikalisch
sportlich	unsportlich

Ich finde ihn/sie ...

Wie findest du ...? Ich finde ....

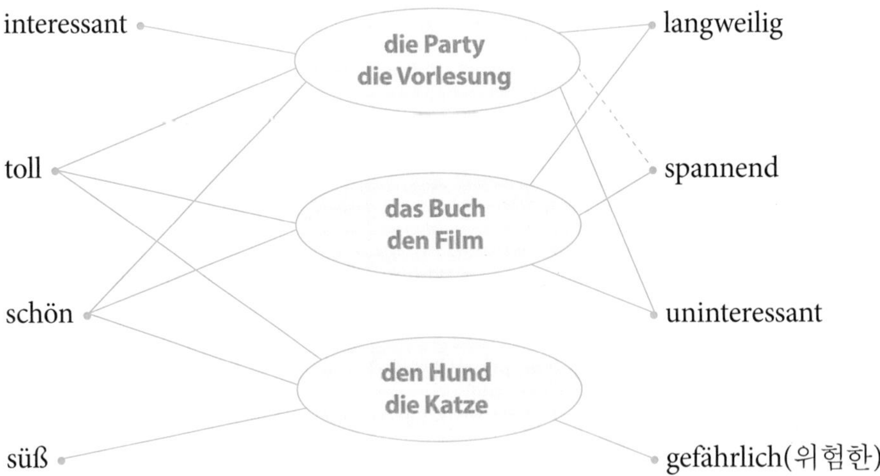

Ich mag ... (nicht) 나는 …을 좋 아하다(좋 아하지 않다)

Wie ist Jens?
Er ist sehr nett. Ich mag ihn.

Wie ist Jutta?
Sie ist sehr unfreundlich. Ich mag sie nicht.

... gefällt mir (nicht). …가 마음에 들다(들지 않다)

Wie findest du meinen Freund Jochen?
Ich finde ihn interessant. Er gefällt mir.

Wie finden Sie Frau Meier?
Ich finde sie unsympathisch. Sie gefällt mir nicht.

Wie ist das Buch?
Es ist ziemlich langweilig. Das Buch gefällt mir nicht.

... ist ... ein- .... …가 …이다

Wie findest du Herrn Meier?
Ich finde ihn sympathisch. Er ist ein sympathischer Mann.

Wie findest du die Party?
Ich finde sie toll. Das ist eine tolle Party.

..., aber Toni gefällt mir nicht.
..., aber Englisch mag ich nicht.

Herrn Meier finde ich nett, aber Frau Meier gefällt mir nicht.

Katzen finde ich toll, aber Hunde mag ich nicht.

Briefe bekommen finde ich schön, aber Briefe schreiben mag ich nicht.

A1 Ergänzen Sie die Sätze.

Herr Braun ist mein Lieblingslehrer.
*Ich **finde ihn** sehr sympathisch. **Wie findest** du **ihn**?*
*Ich **finde ihn** zu streng.*
*Er **gefällt mir** nicht. Ich mag keine **strengen** Lehrer.*

1. BTS ist meine Lieblingsgruppe.

Ich ________ ________ toll. ________ ________ du ________?

Ich ________ ________ nicht so gut. Ihre Musik ist zu schnell.

Sie ________ ________ nicht. Ich mag keine ________ Musik.

2. Die Bücher von Charlotte Link sind meine Lieblingsbücher.

Ich ________ ________ sehr spannend. ________ ________ du ________?

Ich ________ ________ zu brutal. (brutal 잔인한)

Sie ________ ________ nicht. Ich mag keine ________ Geschichten.

Ergänzen Sie den Text.

인칭대명사 격변화

1격	ich	du	er	sie	es	wir	ihr	sie	Sie
3격	mir	dir	ihm	ihr	ihm	uns	euch	ihnen	Ihnen
4격	mich	dich	ihn	sie	es	uns	euch	sie	Sie

Liebe Hanna,

ich finde Jens ganz toll! ________ gefällt mir sehr! Wie findest du ________ denn? Findest du ________ auch gut? Oder findest du Mario besser als ________ ? Mario ist zwar intelligent und lustig, aber er ist nicht zuverlässig. Ich kann ________ nicht glauben. Deshalb möchte ich Jens näher kennenlernen. Kannst du ________ verstehen? Ich warte auf deine Antwort.

Viele Grüße
Nicki

Was soll ich anziehen?
Zieh doch ..... an.

남성복	남녀 공용	여성복
einen/den Anzug		ein/das Kostüm
ein/das Hemd		eine/die Bluse
	ein/das T-Shirt	
	einen/den Pullover	
	einen/den Mantel	
	einen/die Hose	
	eine/die Jacke	
		einen/den Rock
		ein/das Kleid

Was trägt er/sie?
Er/Sie trägt ...

eine/die Krawatte
einen/der Schal
einen/der Hut
Schuhe (der Schuh)
Stiefel (der Stiefel)

... gefällt jm. besser als ... …이 누구에게 …보다 더 마음에 들다

Jacken gefallen ihm besser als Mäntel.

Kurze Röcke gefallen ihr besser als lange Röcke.

Jeans gefallen ihm besser
als Anzüge,
Pullover trägt er lieber
als Hemden,
Schwarz findet er schicker
als Blau, und
Krawatten mag er überhaupt nicht.
Was soll er heute nur anziehen?

Hosen gefallen ihr besser
als Röcke,
T-Shirts trägt sie lieber
als Blusen,
Schwarz findet sie schicker
als Rot, und
Pullover mag sie überhaupt nicht.
Was soll sie heute nur anziehen?

A3 **Ergänzen Sie die Sätze.**

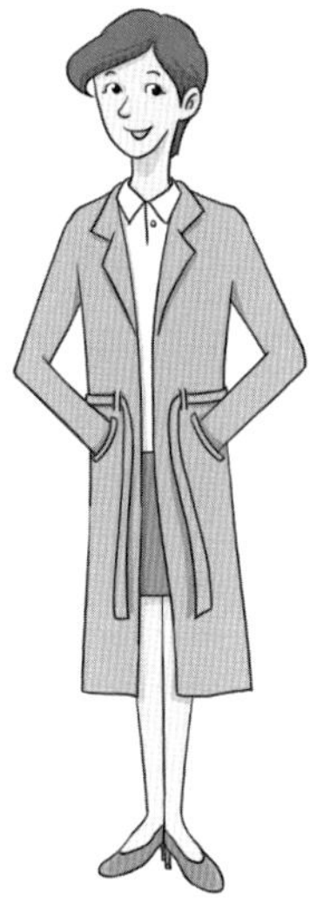

Die Frau trägt einen kurzen Rock.

Der kurze Rock steht ihr gut.

Die Frau trägt eine weiße Bluse.

Die ______ Bluse steht ihr gut.

Die Frau trägt ______ langen Mantel.

______ Mantel steht ihr gut.

Der Mann ______

Die schwarze Hose ______

Der Mann ______

Das weiße Hemd ______

Der Mann ______

Die schöne Krawatte ______

A4 **Übersetzen Sie die Sätze.**

1. 나는 치마보다 바지를 더 즐겨 입는다.
(특정한 것을 지칭하지 않을 때는 관사 없이 복수형 사용: Röcke, Hosen)

2. 내게는 티셔츠보다 와이셔츠가 더 잘 어울린다. (et. steht jm. irgendwie)

3. 나는 이 빨간색 스웨터가 노란색 스웨터보다 더 멋있다고 생각한다.
(et. schick finden)

4. 나는 긴 외투를 전혀 좋아하지 않는다. (부정 강조: überhaupt nicht)

passen (크기가 맞다) - **stehen** (어울리다)

A: Wie findest du diese schwarze Hose?

B: Ich finde sie schön. Sie steht mir gut, aber sie passt mir nicht.
Sie ist mir zu eng.

zu eng - zu weit
zu klein - zu groß
zu lang - zu kurz
zu hell (밝은) - zu dunkel (어두운, 짙은)

A: Wie findest du diese Brille?

B: Ich finde sie modisch. Sie gefällt mir auch.

modisch 유행에 어울리는– altmodisch, langweilig
sportlich 스포티한
elegant 세련된
schick 멋진

... passt zu et. ...이 무엇과 어울리다

Die weiße Bluse passt gut zu dem schwarzen Rock.
Die bunte Krawatte passt gut zu dem braunen Anzug. (bunt 다채로운 색의)

A5 **Ergänzen Sie die Sätze.**

▷ *Wie* ***findest*** *du diese schwarze Jeans?*
▶ *Ich* ***finde sie*** *schön, aber* ***sie passt mir nicht. Sie ist mir zu*** *eng.*
▷ *Dann* ***probier*** *mal die blaue Jeans hier* ***an****.*

1. ▷ Wie ________ du dieses rote Hemd?

▶ Ich ________ ____ schick, aber ____ ________ ____ nicht.
____ ____ ____ ____ groß.

▷ Dann ______________ mal das blaue Hemd hier ____

2. ▷ Wie ________ Sie diesen Mantel?

▶ Ich ________ ____ elegant, aber ____ ________ ____ ________
____ ____ ____ ____ lang.

▷ Dann ____________ ________ mal diesen kurzen Mantel hier ____

▷ *Wie gefällt dir dieses Kleid?*
▶ *Es gefällt mir nicht. Es ist zu hell.*
Ich möchte lieber ein dunkles Kleid.
Dunkle Kleider stehen mir besser.
▷ *Dann probier mal das schwarze Kleid hier an.*

3. ▷ ______ dieser Anzug?

▶ ______ . ______ sportlich.

______ einen eleganten Anzug.

______

▷ ______ den schwarzen Anzug hier ______

4. ▷ ______ diese Schuhe?

▶ ______ . ______ eng.

______ weite Schuhe.

______

▷ ______ die weiten Schuhe hier ______

sich et.(4격) wünschen 무엇을 (선물로 받기를) 원하다

Ich wünsche mir ...

Was wünscht er sich zum Geburtstag?

Er wünscht sich ein Notebook zum Geburtstag.

Was wünscht sie sich zur Hochzeit?

Sie wünscht sich 100 rote Rosen.

jm. et.(4격) schenken 누구에게 무엇을 선물하다

Ich schenke ihm ein Notebook zum Geburtstag.

Er schenkt mir 100 rote Rosen zur Hochzeit.

Was soll ich ...? (무엇을 ··· 해야 할까?) Ob ...? (종속접속사: ···인지?)

sollen 동사의 인칭변화

ich	soll	**wir**	sollen
du	sollst	**ihr**	sollt
Sie	sollen	**Sie**	sollen
er	soll	**sie**	sollen
sie			
es			

Was *soll* ich Peter zum Geburtstag schenken? 페터에게 생일에 무엇을 선물해야 할까?

Schenk ihm doch ein interessantes Buch. Er liest gern.

Ob er schon „Demian" von Hesse hat? 그가 벌써 "데미안"을 읽었을까?

Soll ich ihn mal fragen? 내가 그에게 물어볼까? <상대방의 의견을 물음>

Was *soll* ich zur Party anziehen?

Zieh doch ein Kleid an. Kleider stehen dir gut.

Ob ich das lange schwarze Kleid anziehen *soll*?

Nein, das steht dir nicht so gut. Zieh doch lieber das weiße an.

ob과 같은 종속접속사가 이끄는 문장에서는 동사가 맨 뒤로 간다. 종속절은 Ich weiß nicht, ob ... (... 인지 모르겠다) 또는 Weißt du, ... (...인지 아니?)처럼 주절에 연결되는 것이 보통이나, 주절의 말을 생략하여 함축적으로 말하기도 한다. 의문사가 있는 문장의 경우에는 의문사가 ob처럼 문장을 이끈다.

Warum ich nicht schlafe? 왜 안 자느냐고?

Warum ich keinen Kaffee trinke? 내가 왜 커피를 안 마시는지?

A6 Ergänzen Sie die Sätze.

▷ *Was soll ich Jochen zu Weihnachten schenken?*
▶ *Er hört gern Musik.*
▷ *Soll ich ihm eine CD schenken? Ob ihm eine CD gefällt?*
(인칭대명사가 일반명사보다 먼저 나옴: ihm – eine CD)
▶ *Das ist eine gute Idee. Eine CD gefällt ihm sicher.*

1. ▷ ______ Susanne ___ Geburtstag ______?
▶ ___ kocht sehr gern. (kochen 요리하다)
▷ ______ ein koreanisches Kochbuch schenken? (das Kochbuch 요리책)
Ob ______________________?
▶ ______________. ______________________

2. ▷ ______ Claudia ___ Abschied ______? (der Abschied 작별)
▶ ___ trinkt gern Tee.
▷ ______ einen koreanischen Tee schenken?
Ob ______________________?
▶ ______________. ______________________

3. ▷ ______ ich Minho ___ Studienabschluss ______?
(der Studienabschluss 대학 졸업)
▶ ___ fotografiert gern.
▷ ______ eine Kamera schenken?
Ob ______________?
▶ Nein, er hat schon zwei gute Kameras.
Schenk ihm doch das Buch „Bessere Bilder".

A7 **Übersetzen Sie ins Deutsche.**

1. (내가) 오늘 저녁에 무엇을 입을까?

새 투피스를 입지 그래. (투피스: das Kostüm). 네게 잘 어울려.

2. 아버지의 60세 생신에 무엇을 선물해야 할까?

골프를 아주 좋아하시잖아. 골프여행을 선물하자!

골프여행이 분명히 마음에 들 거야.

3. Jan이 독일로 돌아가. 그에게 작별에 무엇을 선물해야 할까?

"한국의 절(Koreanische Tempel)"이라는 책을 선물해 . 절에 가는 거 좋아하잖아.
(Tempel besuchen)

그 책 벌써 가지고 있지 않을까?

아냐. 그 책은 아주 새 거야. 분명히 그의 마음에 들 거야.

TEXT zum Ergänzen

Hallo Tagebuch!

Es ___ _____ halb drei in ____ _____①. Warum ich nicht einschlafen kann? Stell dir vor: Ich habe _____ Einladung _____ Geburtstag _____② Tobias! Er wird 22. Tobias ist mein Kommilitone. Er ist sehr groß, blond und nett. Er ________ ____ sehr ____ ③. Die _________ Studenten ____ ____ Abteilung sind _________④ blöd. ____ ______ Tobias ____ ________________⑤. Ob er mich hübsch findet? ____ ____ ______⑥ mag? ____ ich ____ auch ________⑦? Das weiß ich noch nicht.

____ _____ ich Tobias nur _________⑧? _____ ich ____ _____ CD _________⑨? Ob er klassische Musik mag? Oder ____ ____ _______⑩ Rock oder Rap? Ich weiß es nicht. _____ ich ihm ____ Computerspiel ___________⑪? Aber das ist zu teuer. Ich _____ _____ ______ _____⑫! Ich schenke ihm ein T-Shirt. Aber das ____ vielleicht ___⑬ persönlich. Also kaufe ich ihm doch lieber eine CD!

Aber was _____ ich _______ nur _________⑭? Ich will doch gut aussehen! Soll ich mein rotes Kleid anziehen? Oder _____ ich _______ meinen blauen Rock und die weiße Bluse __________⑮? Nein, die sind zu altmodisch! Tobias ____ _______ keine _____________⑯ Sachen! Ich ziehe lieber meine neue Jeans und das enge schwarze T-Shirt an. Die _______ ____⑰ gut. Und die _______ ____⑱ auch gut. Jetzt _____ ich ruhig ___________⑲. Bis morgen!

Wörter und Ausdrücke

- Warum ich nicht einschlafen kann? 내가 왜 잠들지 못 하는지?
  의문사가 종속접속사로 사용된 표현으로 주절이 생략되었다. 예를 들면, Weißt du, warum ich nicht einschlafen kann?과 같은 말에서 주절인 Weißt du가 생략된 것이다. 물론 문맥에 따라서는 Ich weiß nicht, warum ich nicht einschlafen kann.에서 Ich weiß가 생략된 것일 수도 있다. 여기에서는 Tagebuch을 상대로 한 일기이므로 Fragst du, warum ... 또는 Möchtest du wissen, warum ... 등의 문맥적 의미를 생각해 볼 수 있다.
- Stell dir vor 생각해봐. sich et. vorstellen 무엇을 상상/생각하다. 쌍점 (Doppelpunkt(:))다음에 오는 문장이 vorstellen의 4격 목적어의 기능을 한다. Doppelpunkt 다음에 문장이 오면 첫 글자를 대문자로 적는다.
- der Kommilitone/die Kommilitonin 대학 동료/친구
- blöd (구어체) 밥맛없는, 어리석은
- persönlich 친밀한, 개인적인
- jd. sieht gut/schlecht/schön ... aus 누가 좋아/안 좋아/아름다워 ... 보이다
- altmodische Sachen 유행이 지난 것들; die Sache 것, 물건
- ruhig 걱정 없이, 마음 놓고, 잘

Tipps

① 벌써 밤 2시 반이다.
② 토비아스의 생일에 초대를 받았다.
③ 그는 매우 내 마음에 든다.
④ 과의 다른 남학생들은 꽤 밥맛없다.
⑤ 나는 토비아스에게 가장 호감이 간다.
⑥ 그가 나를 좋아할까?
⑦ 나도 그의 마음에 들까?
⑧ 내가 토비아스에게 무엇을 선물하면 좋단 말인가?
⑨ 내가 그에게 CD를 한 장 선물하면 어떨까?
⑩ 아니면 그가 록이나 랩을 더 좋아할까?
⑪ 내가 그에게 컴퓨터게임을 선물하면 어떨까?
⑫ 좋은 생각이 하나 있다.
⑬ 그것은 무척 친밀하다.
⑭ 내가 내일 무엇을 입으면 좋을까?
⑮ 내가 차라리 (파란 치마와 하얀 블라우스를) 입는 것이 더 좋을까?
⑯ (토비아스는) 분명히 유행이 지난 (것들을) 좋아하지 않을 거야!
⑰ (그것들은) 내게 잘 맞는다.
⑱ (그것들은) 내게 (또) 잘 어울린다.
⑲ 이제 나는 편히 잠들 수 있다.

TEXT zum Übersetzen

내일 나는 22살이 된다! 내일 나는 큰 파티를 연다! 내일 Natalie가 온다! 나는 즐거운 마음으로 내일을 기다린다. 즐거운 마음으로 Natalie를 기다린다!
그녀는 긴 금발머리와 크고 파란 눈을 가지고 있다. 나는 그녀가 매우 예쁘다고 생각한다. 그녀는 정말 멋있어 보인다. 우리 과의 모든 남자아이들이 그녀를 좋아한다.
그러나 누가 Natalie 마음에 들까? 그녀는 누가 멋지다고 생각할까? 그녀는 나를 멋지다고 생각할까? 아니면 나보다 Jens를 더 좋아할까? 모르겠다. 왜냐하면 Natalie는 수줍음을 타는 여자애이기 때문이다.
나는 파티에서 Natalie를 좀 더 가까이 사귀고 싶다. 나는 그녀에게 빨간 장미 한 송이를 선물하고 싶다. 그녀가 장미를 좋아할까?
그런데 (나는) 내일 무엇을 입으면 좋을까? 파란 바지와 하얀 셔츠를 입으면 어떨까? 아냐, 그것들은 너무 따분해. 파란 바지는 이제 더 이상 내게 맞지 않아. 차라리 오래된 청바지와 검은색 새 티셔츠를 입을 거야. 그것들이 내게 잘 어울려.

Aufgepasst!

1. 나이를 말할 때, 반드시 '... Jahre alt'라고 하지 않아도 된다.
2. '내일'이라는 말이 3번 연속 반복되고 있다. 그 시점이 매우 중요한 의미를 갖기 때문이다. 이 경우 'morgen'을 문장 맨 앞에 오게 하는데, 그러면 주어는 동사 뒤로 간다: Ich feiere morgen eine große Party. → Morgen feiere ich eine große Party.
   파티를 하다: eine Party feiern/geben/(구어) machen
3. '무엇/누구를 기쁜 마음으로 기다리다'는 통상 'sich auf et./jn. freuen'으로 표현한다.
4. 사람 모습을 기술할 때 '누가 ....를 가지고 있다'라고 말하면 어색하다. 그러나 독일어에서는 이 경우에도 'jd. hat ...'로 표현하고, 목적어를 형용사로 수식하여 그 모습을 묘사할 수 있다: Er hat eine lange Nase. 그는 코가 크다.
5. '누가 ...이/가 ...라고 생각하다/느끼다'는 'jd. findet et./jn. ...'라고 한다.
6. 'schick'는 외형적으로 '멋있는' 모양을 의미하며, 'toll'은 구어체로 이런 제약 없이 '멋있다, 끝내준다'라는 뜻으로 사용된다.
7. 남자 (아이, 청소년): der Junge, 복수: die Jungen, (구어) die Jungs
8. '누구'에 해당하는 말은 의문대명사 'wer'이고, 이 의문대명사는 격변화를 한다.
   wer(1격), wessen(2격), wem(3격), wen(4격)
9. 수줍은: schüchtern
10. '꽃/장미 한 송이'의 경우에는 수량 단위인 '송이'를 말할 필요가 없다.
    Ich kaufe meiner Freundin eine Rose/100 Rosen.
11. 결정을 내리지 못해서 상대방 또는 자신에게 묻는 말로 '...하면 좋을까/어떨까'는 'sollen' 동사를 사용하여 표현할 수 있다.
    Was soll ich essen? 무엇을 먹으면 *좋을까(먹어야 할까)*?
    Soll ich ihm schreiben? 내가 그에게 편지를 쓰면 *어떨까(써야 할까?)*?
    'sollen'은 물론 주어가 아닌 다른 사람의 의견을 묻거나 대변하기 위해서 사용된다. Soll ich dir helfen? 도와줄까? Du sollst zum Abteilungsleiter kommen. 너 과장님께 오래.
12. '그것들이'는 인칭대명사 'sie'와 더불어 지시대명사 'die'로도 표현한다. 그러나 사람을 가리키는 '그들이'라는 뜻으로 사용할 때는 그다지 공손한 표현이 아니다. 지시대상이 단수일 경우에는, 성에 따라서 der, die, das를 사용하며, 문장에서의 기능에 따라서 격변화도 한다.
    Wie gefallen dir die Rosen? - Die finde ich schön.
    예문에서 보는 것처럼 지시대명사가 문장의 맨 앞에 오는 경우도 있다.

TEXT zum Korrigieren

Hallo Tagebuch! *Jahre*

Ich bin so aufgeregt, wegen Achim!!! Er wird 22 Jahr alt. Er gebt eine große Geburtstagsparty. Ich freue mir auf die Party. Aber am mehrsten freue ich mich auf Achim! Ich finde toll Achim! Er ist ein höflich und hilfsbereit junger Mann. Leider er ist unsportlich. Und ich möchte Sport.

Ob gefalle ich Achim? Wie findet er mir? Ich weiß nicht, denn Achim etwas schüchtern ist. Aber ich bin nicht schüchtern. Ich mag ihn morgen näher kennen.

Was soll ich Achim schenken? Soll ich eine CD ihm schenken? Ob er eine Lieblinggruppe hat? Ich habe kein gute Idee. Ich male eine Geburtstagkarte für er. Ob ihn das gefällt?

Was soll ich nur an ziehen? Mein gelbe Kleid ist zu eng und passt mich nicht mehr gut. Der blaue Jeansrock finde ich zu altmodisch. Ich ziehe eine Hose lieber an. Hosen stehen mir besser als Kleid. Meine neuen Jeans gefällt Achim sicher.

Ihr TEXT

Ihr Freund oder Ihre Freundin hat morgen Geburtstag und macht eine Party. Was wollen Sie ihm oder ihr schenken? Warum? Was möchten Sie anziehen? Warum?

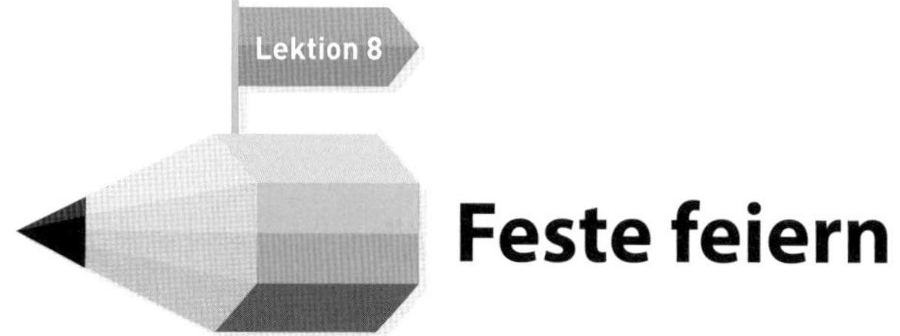

Feste feiern

Modelltext

In allen Ländern feiern die Menschen viele Feste. Sie feiern Geburtstage, Hochzeiten und Jubiläen. Im Frühling feiert man Ostern. Im Herbst gibt es das Erntedankfest. Aber in Deutschland ist kein Fest so wichtig wie Weihnachten.
Die Zeit vor Weihnachten ist fast so wichtig wie Weihnachten. Schon Mitte November schmücken die Menschen Straßen und Wohnungen mit Lichtern und Tannenzweigen. Man backt auch Plätzchen. Die Adventszeit beginnt vier Sonntage vor Weihnachten. Viele Familien haben einen Adventskranz mit vier Kerzen. Jeden Sonntag zündet man eine Kerze an. Die Kinder haben einen Adventskalender mit 24 Türchen. Sie öffnen jeden Tag eine Tür. Sie wissen, dass am 24. der Weihnachtsmann kommt. Dann ist Heiligabend!
Am Heiligabend feiert man normalerweise zu Hause, denn Weihnachten ist ein Familienfest. Eltern, Kinder und Großeltern sitzen zusammen, essen, singen und spielen. Sie gehen auch oft zusammen in die Weihnachtsmesse. Die Kinder sind an diesem Tag besonders aufgeregt. Denn sie wissen, dass es Geschenke gibt. Die Geschenke liegen meistens unter dem Weihnachtsbaum. Am 25. und 26. Dezember sind die Weihnachtsfeiertage. An diesen Tagen gibt es traditionelles Essen, z.B. eine Weihnachtsgans.
Weihnachten! Der Geruch von Plätzchen und das Lied 'Oh Tannenbaum' erinnern mich an Weihnachten.

- das Fest <-(e)s, -e> 축제, das Oktoberfest 옥토버페스트
- das Jubiläum <-s, Jubiläen> (…주년) 기념일
- (das) Ostern 부활절

- das Erntedankfest 추수감사절
- (das) Weihnachten 크리스마스
  die Weihnachtsmesse 성탄절 미사, das Weihnachten + die Messe,
  der Weihnachtsmann 산타클로스, der Weihnachtsbaum 크리스마스 트리,
  das Weihnachtsessen 크리스마스 음식, der Weihnachtsfeiertag 크리스마스 축제일,
  die Weihnachtsgans 크리스마스 거위
- die Mitte 중간, 중순
- et. mit et. schmücken 무엇을 무엇으로 장식하다
- das Licht <-(e)s, -er> 불빛
- der Tannenzweig 전나무 가지, die Tanne 전나무 + der Zweig 가지
- das Plätzchen <-s, -> 과자
- die Adventszeit (크리스마스 전 4주간) 강림절 기간, der Advent 강림절 + die Zeit 시간
- der Adventskranz <-es, -kränze> 강림절 화환, der Advent + der Kranz
- die Kerze <-, -n> 초
- et. anzünden <분리 동사> 무엇에 불을 붙이다
- der Adventskalender 크리스마스 달력, der Advent + der Kalender
- die Tür 문, das Türchen 작은 문, -chen 축소 접미사
- der Heiligabend 크리스마스이브, heilig + der Abend
- traditionell 전통적인
- der Geruch <-(e)s, Gerüche> 냄새
- das Lied <-(e)s, -er> 노래
- et. erinnert jn. an et. 무엇이 누구에게 무엇을 상기시키다

Der Adventskranz

Weihnachten

das Weihnacht	fest	
die Weihnacht	zeit	die Adventszeit
das Weihnacht	geschenk	
die Weihnacht	karte	
das Weihnacht	lied	das Adventslied
das Weihnacht	essen	
die Weihnacht	messe	
die Weihnacht	gans	
der Weihnacht	mann	der Adventskalender
der Weihnacht	baum	der Adventskranz

man

불특정한 사람을 지칭하며, '사람들(은/이)'로 옮길 수 있으나 한국어에서는 보통 생략하는 것이 자연스럽다.

Im Frühling feiert man Ostern. 봄에는 부활절을 축제한다.

In der Adventszeit backt man Plätzchen. 강림절에는 쿠키를 굽는다.

Jeden Sonntag zündet man eine Kerze an. 일요일마다 초를 켠다.

es gibt ...

'(...이) 있다'라는 뜻이며, '...이/가'에 해당되는 말이 4격 목적어로 나타난다.

Es gibt viele Festtage. 많은 축제일이 있다. (축제일이 많다.)

Im Herbst gibt es das Erntedankfest. 가을에는 추석이 있다.

An Weihnachten gibt es Geschenke. 성탄절에는 선물이 있다.

An diesen Tagen gibt es traditionelles Essen. 이 날들에는 전통 음식이 있다.

Silvester

Man lacht,
man redet,
man spielt und ist fröhlich.
Man isst,
man trinkt,
man singt und tanzt viel.
Und um Mitternacht ruft man:
Prost Neujahr!
Ein glückliches Neues Jahr!
So feiert man Silvester.

A1 **Ergänzen Sie die Sätze.**

Was kann man alles auf dem Adventskalender sehen?

Kann man einen Weihnachtsbaum sehen?

Ja, man kann einen Weihnachtsbaum sehen.

1. ________ ________ einen Engel ________? 2. ________ Geschenke ________?

Ja, ________________________ , ________________________

Was gibt es alles in diesem Adventskalender?

Gibt es einen Weihnachtsbaum?

Ja, es gibt einen Weihnachtsbaum.

3. ________________ einen Engel? 4. ________________ Geschenke?

Ja, ________________________ , ________________ viele ________

so ... wie ... …만큼 (그 만큼) …

Mein Freund ist *so* alt *wie* ich. 내 친구는 나하고 나이가 같다.

Ich bin fast *so* groß *wie* mein Vater. 나는 아버지하고 키가 거의 같다.

kein- ... so ... wie ... 어떤 ...도 ...만큼 (그 만큼) ...지 못하다

Kein Film ist *so* spannend *wie* dieser (Film).
어떤 영화도 이것만큼 흥미진진하지는 않다.

Keine Stadt in Korea ist *so* groß *wie* (die Stadt) Seoul.
한국의 어떤 도시도 서울만큼 크지 않다.

Es gibt viele Feste, aber *kein* Fest ist *so* wichtig *wie* das Weihnachtsfest.
축제는 많지만, 어떤 축제도 성탄절만큼 중요하지는 않다.

niemand/nichts ... so ... wie ... 아무도/아무 것도 ...만큼 (그 만큼) ...지 못하다 (...만큼 ...한 사람/것은 없다)

Niemand kennt mich *so* gut *wie* meine Mutter.
나의 어머니만큼 나를 잘 아는 사람은 없다.

Nichts schmeckt *so* gut *wie* dein Kuchen.
네가 만든 케이크만큼 맛있는 것은 없다.

Anfang/Mitte/Ende + 월 이름(관사 없음) ...월 초/중/말(에)

Anfang Januar 1월초(에)

Mitte August 8월 중순(에)

Ende Dezember 12월말(에)

Anfang/Mitte/Ende + 2격 명사 ... 초/중/말(에)

Anfang/Mitte/Ende des Jahres 연초/연중/연말(에)

Anfang/Mitte/Ende des Monats 월초/월중/월말(에)

Anfang/Mitte/Ende der Woche 주초/주중/주말(에)

Anfang/Mitte/Ende des Semesters 연초/연중/연말(에)

Anfang/Mitte/Ende des Urlaubs 월초/월중/월말(에)

Anfang/Mitte/Ende der Ferien 주초/주중/주말(에)

Er kommt Ende des Jahres nach Korea.
그는 연말에 한국에 온다.

Er kommt Ende des nächsten Jahres nach Korea.
그는 내년 말에 한국에 온다. (nächst- 다음)

Sie hat Mitte des Monats Geburtstag.
그녀의 생일은 중순에 있다.

Sie hat Mitte des nächsten Monats Geburtstag.
그녀의 생일은 다음 달 중순에 있다.

A2 **Ergänzen Sie den Text.**

Was ist so weiß wie der Schnee?
Ihre Haut ist so weiß wie der Schnee.

1. Was ist ___ schwarz ___ die Nacht?

   Ihre Haare sind ___________________________

2. Was ist ___ rot ___ eine Rose?

   Ihr Mund ist ___________________________

3. Was ist ___ blau ___ der Himmel?

   Ihre Augen sind ___ blau ___ der Himmel.

4. Wer ist ___ schön ___ Schneewittchen(백설 공주)?

   Niemand ist ___________________________

A3 Übersetzen Sie ins Deutsche.

1. 독일어는 영어만큼 흥미롭다.

2. 부산은 베를린만큼 크다.

3. 그는 거의 독일 사람처럼 독일어를 잘 말한다. (거의: fast)

4. 어떤 자동차도 이 자동차만큼 빠르지 않다.

5. 어떤 계절도 가을만큼 아름답지 않다.

6. 건강만큼 중요한 것은 없다. (아무 것도 건강만큼 중요하지 않다.)

7. Jens만큼 운이 좋은 사람은 없다. (Glück haben)

jd./et. (1격) erinnert jn. an jn./et. (4격) 누가/무엇이 누구에게 누구/무엇을 상기시키다(...을 보면 ...이 생각난다.)

Er erinnert mich an meinen Vater.
그를 보면 아버지 생각이 난다.

Was erinnert dich an Weihnachten?
무엇이 네게 성탄절을 생각하게 하는가?

Schnee erinnert mich an Weihnachten.
눈이 내게 성탄절을 생각하게 한다.

Tannenbäume erinnern mich an Weihnachten.
전나무가 내게 성탄절을 생각하게 한다.

Dieses Foto erinnert uns an die Zeit in Amerika.
이 사진이 우리에게 미국에서 살던 시절을 생각하게 한다.

von + 3격 ...의

Der Geruch von Plätzchen erinnert mich an Weihnachten. 쿠키(의) 냄새가

Die Lichter von Kerzen erinnern mich an Weihnachten. 촛의 불빛

Das Foto von meiner Großmutter erinnert mich an meine Kindheit. 할머니(의) 사진

vor + ... (3격): ... (이)전의 ...; **nach** + ... (3격): ...(이)후의

Die Zeit vor Weihnachten ist fast so wichtig wie Weihnachten. 성탄절 이전 시기

Ich mag den ersten Unterrichtstag nach den Semesterferien nicht. 방학 이후 첫 번째 수업일

(기간) + **vor** + ...(3격) ... (기간) 전에
(기간) + **nach** + ...(3격) ... (기간) 후에

Die Adventszeit beginnt vier Wochen vor Weihnachten. (성탄 4주 전에)

Ich habe drei Tage nach der Prüfung Geburtstag. (시험 3일 후에)

Viele Leute fahren schon einen Tag vor dem Erntedankfest zu den Eltern. (추석 하루 전에)

A4 **Ergänzen Sie den Text.**

Ein buntes Feuerwerk ***erinnert mich an*** *Silvester.*
화려한 불꽃놀이가 내게 실베스터(12월 31일)를 생각하게 한다.
화려한 불꽃놀이를 보면 나는 실베스터가 생각난다.

1. Schokolade und Blumen ______________ Valentinstag.

2. Bunte Eier und Hasen ______________ Ostern.

3. Das Lied 'Happy Birthday' ______________ deinen Geburtstag.

4. Rote Äpfel und Reiskuchen ______________ das Erntedankfest.

5. Der Geruch von Tteokguk-Suppe ______________ Neujahr.

6. Was erinnert euch an den ersten Schultag?
   Die Schultüte ____________________________

7. Was erinnert Sie an das Erntedankfest?
   Der Vollmond ____________________________

A5 **Übersetzen Sie ins Deutsche.**

1. 그 옛날 사진들을 보면 할머니가 생각난다.

2. 이 책을 보면 내 친구가 생각난다.

3. 김치 냄새를 맡으면 한국이 생각난다.

4. 시험 보기 전 마지막 2-3일은 매우 힘들다. (anstrengend)

5. 많은 사람들이 추석 하루 후에 집으로 돌아간다.

6. 너만큼 테니스를 잘 치는 사람은 없다.

7. 김치만큼 강하게 한국을 생각하게 하는 것은 없다.

dass ... (정동사 후치) ... 것/사실

(주어와 동사로 구성된) 절이 다른 문장(주절)의 구성성분(문장성분)이 될 때, 이를 종속절이라고 하고, 종속절을 주절에 연결(접속)하는 말을 종속접속사라고 한다. 종속절을 사용하면 두 문장을 하나로 묶을 수 있다

Du bist ehrlich. Das weiß ich. (ehrlich 정직한)

Ich weiß, dass du ehrlich bist. 나는 네가 정직하다는 것을 안다.

Du hast recht. Das glaube ich. (recht haben 옳다)

Ich glaube, dass du recht hast. 나는 네가 옳다고 생각한다.

종속절의 동사는 종속절 맨 뒤에 온다. 종속접속사 dass-절은 명사처럼 주어나 목적어 역할을 할 수 있다.

Ich weiß, dass er kommt.

Ich weiß, dass du heute Geburtstag hast.

Die Kinder wissen, dass der Weihnachtsmann kommt.

Die Kinder wissen, dass der Weihnachtsmann am 24. Dezember kommt.

Wissen Sie, dass es in Korea vier Jahreszeiten gibt?

Weiß deine Mutter, dass ich heute komme?

Weihnachts- und Neujahrskarten: 크리스마스와 새해를 겸한 인사

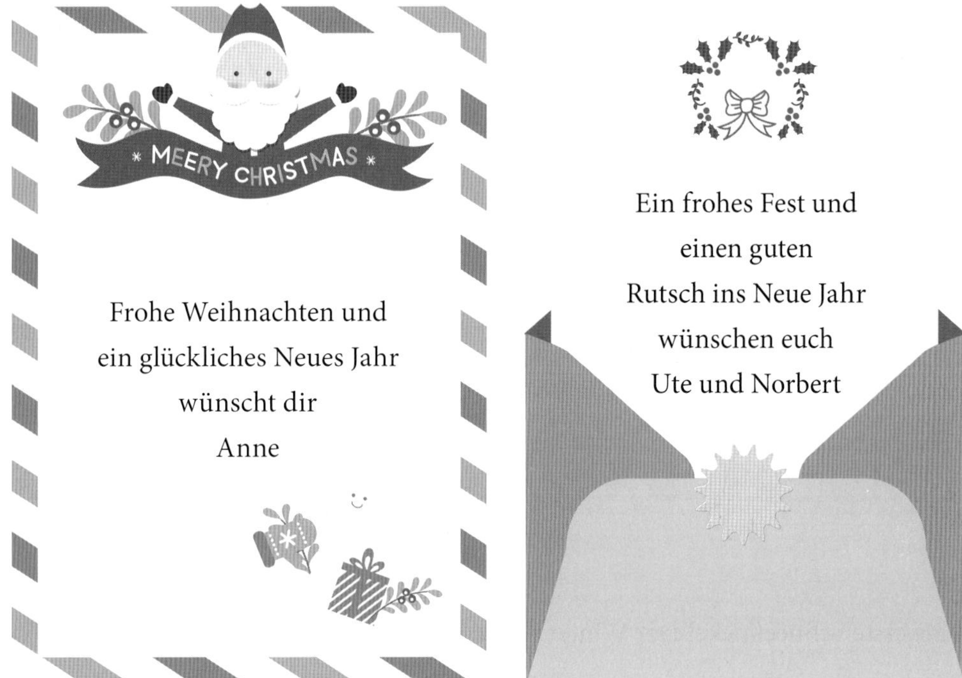

· Frohe Weihnachten und alles Gute fürs Neue Jahr!

· Ein frohes Weihnachtsfest und einen guten Rutsch ins Neue Jahr!

· Fröhliche Weihnachten und Gesundheit und Erfolg für das kommende Jahr!

· Frohe Weihnachten und die besten Wünsche zum Neuen Jahr!

· Frohe Weihnachten und ein glückliches Neues Jahr wünschen/wünscht euch/dir + <글을 보내는 사람 이름>

A6 Ergänzen Sie den Text.

Die ersten Schneeglöckchen! Der Frühling kommt bald!

(das Schneeglöckchen 갈란투스, 스노드롭)

Ja, ich weiß, dass der Frühling bald kommt.

1. Die ersten Rosen! Der Sommer ist nicht mehr weit!

___, ___ ___, ___ ___ ___ ___ ___ ___ ___

2. Die ersten gelben Blätter! Es wird Herbst!

___, ___ ___, ___ ___ ___ ___

3. Die erste Schneeflocke! Der Winter ist da.

(die Schneeflocke 눈송이)

___, ___ ___, ___ ___ ___ ___ ___

4. Der erste Kalender für das neue Jahr! Das neue Jahr kommt bald!

___, ___ ___, ___ ___ ___ ___ ___ ___

A7 **Ergänzen Sie die Sätze.**

am, an, in, mit, nach, unter, von, vor, zu

1. Die Zeit ____ Weihnachten heißt Advent.

2. ____ der Adventszeit schmückt man die Wohnung ____ Tannenzweigen.

3. Die Kinder haben einen Adventskalender ____ 24 Türchen.

4. ____ 24. Dezember kommt der Weihnachtsmann.

5. Die Familie feiert ____ Hause.

6. Alle gehen zusammen ____ die Weihnachtsmesse.

7. Die Geschenke liegen ____ dem Weihnachtsbaum.

8. Der Geruch ____ Plätzchen erinnert mich ____ Weihnachten.

9. Eine Woche ____ Weihnachten ist Silvester.

10. Ich lade Sie ____ meiner Silvesterparty ein.

TEXT zum Ergänzen

Auch in Korea ______ ______① viele Feste und Feiertage. Die ______② Feiertage sind das Erntedankfest Chuseok und Neujahr. Neujahr nach Mondkalender ______ ______ ______③ Seolnal.

Wie ______④ die Koreaner Seolnal? An Seolnal ______ alle ______ ______ ______⑤. Man ______ die traditionelle koreanische Kleidung Hanbok ______⑥. Die Frauen ______ einen Tisch ______ besonderen Speisen ______ die Ahnen ______⑦. Dann verbeugt man sich vor den Ahnen. ______ verbeugt sich der Großvater, ______ die Söhne und ______⑧ die Enkelsöhne.

______⑨ verbeugen sich die Familienmitglieder nach dem Alter voreinander. Das ______ ______ ______③ *Sebae*. Beim *Sebae* ______ die Kinder ______ ______⑩ „건강하십시오(Bleiben Sie gesund)!“ oder „오래 사십시오(Leben Sie lange)!“ Die Eltern wünschen den verheirateten Kindern zum Beispiel „건강한 아이를 얻어라! (Bekommt ein gesundes Kind!)“ und den Schulkindern „학교에서 열심히 공부해라! (______ ______ ______⑪ der Schule)!“ Die Kinder sind immer besonders aufgeregt, denn ______ ______, dass ______ Geldgeschenke ______⑫.

______ dem Sebae ______ ______⑬ ein leckeres Frühstück mit Tteokguk. Tteokguk ist das traditionelle Neujahrsessen.

Seolnal ______ ______ ______⑭. ______, ______ und Kinder ______ und ______⑮ zusammen. Sie spielen zum Beispiel Yut. Die Jungen lassen Drachen steigen und die Mädchen schaukeln auf der koreanischen Wippe Neolttwigi. So beginnt ein neues Mondjahr.

Wörter und Ausdrücke

- das Fest 축제, der Feiertag 경축일; Weihnachten, Ostern, Chuseok 등과 같은 명절 명칭 앞에는 관사를 사용하지 않는다. 그러나 명절 명칭 뒤에 -fest라는 말이 붙으면 관사를 사용한다: das Weihnachtsfest, das Osterfest
- das Erntedankfest 추수감사절
- nach Sonnenkalender 양력으로, nach Mondkalender 음력으로
- et. heißt auf Koreanisch ... 무엇을 한국어로 ...라고 한다
- anschließend 이어서
- sich voreinander verbeugen 서로에게 (허리를 굽혀) 인사하다
- die traditionelle koreanische Kleidung 전통 한국 의상; die Kleidung (복수: die Kleidungsstücke) 의복, das Kleid 원피스, die Kleider 옷가지, 원피스들
- der Sohn 아들 - die Söhne; der Enkelsohn 손자 - die Enkelsöhne; die Tochter 딸 - die Töchter; die Enkeltochter 손녀 - die Enkeltöchter
- ein Tisch mit besonderen Speisen für die Ahnen 조상들 위한 특별한 음식 상
- jd. verbeugt sich vor jm. 누가 누구에게 (허리를 굽혀) 인사하다, 절하다
- nach dem Alter 나이에 따라서
- (sie) verbeugen sich voreinander (그들이) 서로 절하다
- verheiratet 결혼한; die verheirateten Kinder 결혼한 자녀들; jd. wünscht den verheirateten Kindern et. 누가 결혼한 자녀들에게 무엇을 기원하다
- jd. bekommt ein Kind/einen Sohn/eine Tochter 누가 아이를/아들을/딸을 하나 얻다
- das Schulkind (초·중등) 학교에 다니는 아이 - die Schulkinder
- lecker 맛있는
- der Drachen 연 - die Drachen; Die Jungen lassen Drachen steigen. 남자아이들이 연을 날린다. jd. lässt einen Drachen steigen 누가 연을 날리다
- jd. schaukelt auf der koreanischen Wippe 누가 널뛰기를 하다

Tipps

① 한국에도 많은 축제와 축제일이 있다.
② 가장 중요한 (wichtig)
③ 한국어로 …라고 하다
④ 경축하다, 경축하며 즐기다

⑤ 모두 매우 일찍 일어나야 한다.
⑥ 설날에는 한복을 입는다.
⑦ 특별한 음식상을 차린다(준비한다).
⑧ 맨 먼저, 우선; 그 다음에/그러고 나서
⑨ 이어서
⑩ 자녀들이 부모에게 ...을 기원한다.
⑪ (너희들) 학교에서 열심히 공부해라.
⑫ 아이들은 세배 돈이 있다는 것을 안다.
⑬ 세배 후에는 떡국이 포함된 맛있는 아침식사가 있다
⑭ 설날은 가족 축제이다.
⑮ 조부모, 부모 그리고 자녀가 함께 식사하고 놀이를 한다.

TEXT zum Übersetzen

크리스마스는 한국에서도 경축일이다. 그러나 한국에서는 크리스마스가 독일에서만큼 중요하지 않다. 크리스마스 이전 기간에는 무엇을 하는가? (사람들은) 거리(들), 호텔(들), 백화점(들) 그리고 가게(들)를 (촛불) 전등과 크리스마스트리로 장식한다. 예쁜 크리스마스카드를 가게에서 살 수 있고, 거리에서는 크리스마스 노래를 들을 수 있다. (자기) 집을 전나무와 (촛불) 전등으로 장식하는 한국 사람도 (더러) 있다. 그러나 대부분의 사람은 강림절 장식환(Adventskranz)이 없으며, 아이들은 강림절 달력(Adventskalender)이 없다. 또한 크리스마스 과자(Weihnachtsplätzchen)도 굽지 않는다.
한국에서는 크리스마스가 가족 축제는 아니다. 12월 24일 크리스마스이브는 기독교 신자들에게만 중요하다. 기독교 신자들은 저녁에 크리스마스 미사에 간다. 12월 25일은 크리스마스 축제일이다. 이날에는 아이들에게 종종 작은 선물이 있다. 그러나 12월 25일이 설날처럼 그렇게 특별한 날은 아니다. 특별한 크리스마스 음식이나 특별한 놀이가 없다. 그날은 일요일과 마찬가지다. 한국의 젊은이들은 종종 영화관에 가거나 친구들을 만난다. 성인들도 자기 친구를 만나서 함께 식사하고 술을 마시기도 한다.

Aufgepasst!

1. (보통 법정 공휴일인) 경축일, 축제일 der Feiertag, 축제일 der Festtag
2. ...만큼 ... 중요하지 못하다: nicht so wichtig wie ...
3. '크리스마스 이전 기간에는 무엇을 하는가?' 에서처럼 일반 사람이 주어일 때 한국어에서는 보통 주어가 생략된다. 이 경우 독일어에서는 부정대명사 man을 사용한다: Was macht man ...?; ··· 이전 기간 die Zeit vor ...
4. die Straße - die Straßen; das Hotel - die Hotels; das Kaufhaus - die Kaufhäuser; das Geschäft - die Geschäfte
5. 크리스마스 장식을 위한 촛불로 최근에는 전등을 사용하므로, 촛불 전등을 das Licht - die Lichter로 번역할 수 있다.
6. '가게에서'는 특정 가게를 의미하는 것이 아니므로 복수 형태를 취하는 것이 좋다: in den Läden; '거리에서'는 여러 거리를 의미하지 않고, '실내가 아니라 밖에 있는 거리'라는 의미이므로 관용적으로 단수 형태를 사용한다: auf der Straße
7. ··· 한국 사람이 더러 있다 → (많지 않은) 일부 한국인들은 ···: manche Koreaner; 대부분의 한국인들은: die meisten Koreaner
8. 무엇을 무엇으로 장식하다: et. mit et. schmücken
9. '사람들에게는 ...이 없다'에서 '있다' 또는 '없다'에 '...에게는'이라는 표현이 앞에 오면, 'es gibt ...'라는 표현을 사용하지 않고, 'Man hat .../kein- ...'라는 표현을 사용한다:
   그 사람에게는 시간과 돈이 없다. Er hat keine Zeit und kein Geld.
   그 부부에게는 딸만 하나 있다. Das Ehepaar hat nur eine Tochter.
   물론 전치사 für를 사용하면, 'es gibt' 의 구문을 통해서도 '...에게는' 이라는 표현을 할 수 있다: 어른들에게는 선물이 있다. Für die Erwachsenen gibt es Geschenke.
10. 크리스마스 쿠키/과자를 굽다: Weihnachtsplätzchen backen
11. 12월 24일 크리스마스이브: Heiligabend, der 24. Dezember. 주제와 관련해서 중심이 되는 말이 먼저 제시되고, 이에 대한 보충 정보가 동격으로 제시된다. 따라서 한국어와 독일어에서 동격인 두 표현의 순서가 달라질 수 있다.
12. 기독교인: der Christ (die Christen)
13. 아이들에게 작은 선물이 있다: Für die Kinder gibt es kleine Geschenke.
14. 설날처럼 그렇게 특별한 날: ein so besonderer Tag wie Seolnal
15. '한국의 젊은이들' 은 'die jungen Koreaner (젊은 한국인들)' 로 번역할 수 있다.
16. '술을 마시다'는 trinken만을 사용해도 그 뜻을 표현할 수 있다.

TEXT zum Korrigieren

Ostern

Weihnachten und das Ostern sind in Deutschland die wichtigste Feste. Die beide Osterfeiertage ist Ostersonntag und Ostermontag. Ostern ist immer am Frühling, am Ende März oder Anfang bzw. Mitte April. Ostern ist ein bunt Fest: In der Zeit an Ostern bemalt man Eier. Mann schmückt die Wohnung von bunten Ostereier, Frühlingsblumen und Osternhasen. Man kauft oder malt auch Osterkarten und schickt Ostergrüße bei Freunde und Verwandten: Ein froh Osterfest wünscht dir Annette und Wolfgang.
Die Woche vor Ostern heisst 'Karwoche'. Am 'Karfreitag', ein Freitag vor Ostern, viele Menschen essen keine Fleisch. Wie macht man am den Osterfeiertagen? An Ostermorgen versteckt viele Eltern bunte Ostereier, Schokoladeneier und Schokoladen-Osterhasen in Haus oder in Garten. Die Kinder suchen es. Sie sind aufgeregt, denn sie wissen, dass sie dürfen die Eier und die Schokolade essen. Viel Familien gehen zusammen in der Kirche. An diesen Feiertage es geben leckeres Essen und Kuchen. Die Osterkuchen sieht wie ein Lamm. Man machen auch einen Osterspaziergang. An Ostermontag besucht man oft Verwandte, denn Ostern auch ein Familienfest ist.

bzw.: beziehungsweise 또는, 내지
das Lamm 어린 양

Ihr TEXT

Wie feiern Sie in Ihrer Familie Seolnal, Chuseok und Weihnachten?

Ferien

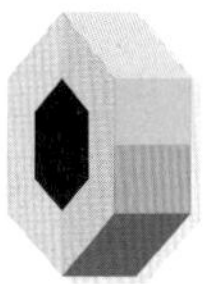

Modelltext

Lieber Minho,
viele Grüße aus England sendet dir dein Mailfreund Tobias. Ich habe jetzt Sommerferien und mache einen Sprachkurs in Winchester, denn ich will mein Englisch verbessern. Letztes Jahr war ich schon einmal hier und es war sehr schön.
Vormittags lerne ich vier Stunden Englisch. Die Teilnehmer sind alle so alt wie ich und kommen aus der ganzen Welt: aus Spanien, Italien, Russland, Japan und auch aus Korea. Im Unterricht erzählen wir über unser Land und das Leben dort und diskutieren über viele interessante Themen.
Nachmittags haben wir frei. Wenn das Wetter schön ist, gehe ich mit meinen Freunden schwimmen. Wir spielen auch oft Tennis, Badminton oder Fußball. Bei schlechtem Wetter gehen wir ins Kino. Jede Woche machen wir einen Ausflug. Gestern waren wir z.B. auf Schloss Windsor.
Abends gibt es manchmal eine kleine Theateraufführung. Die Teilnehmer bereiten alles selbst vor. Jeden Samstagabend gibt es eine Party.
Letztes Jahr hatte ich etwas Pech mit dem Wetter, aber in diesem Jahr habe ich Glück. Die Sonne scheint den ganzen Tag und es ist schön warm. Es regnet nur selten. Nur das englische Essen ist ein Problem ...
Was machst du in den Ferien? Warst du schon mal in England?

Viele Grüße
Dein Tobias

- der Gruß <-es, Grüße> 인사
- jm. et.^{4} senden 누구에게 무엇을 보내다
- et. verbessern 무엇을 개선하다
- letzt- 지난, 마지막의
- der Teilnehmer <-s, -> 참가자; an et.^{3} teilnehmen 무엇에 참가하다
- über et.^{4} diskutieren 무엇에 대해서 토론하다
- freihaben (수업·근무 등이 없어서) 자유 시간을 가지다
- schlecht 나쁜 (↔ gut)
- das Badminton <-s, 항상 단수> 배드민턴
- der Ausflug <-(e)s, Ausflüge> 소풍, 야유회, einen Ausflug machen 소풍을 가다
- die Theateraufführung 연극 공연, das Theater 연극 + die Aufführung 공연
- et. vorbereiten <분리 동사> 무엇을 준비하다
- selbst <지시대명사> 자신이 직접
- Pech mit et. haben 무엇에 관련하여 재수가 없다 (↔ Glück mit et. haben)

Ferien

· reisen
· wandern

· sich erholen
· faulenzen

· jobben

· lesen

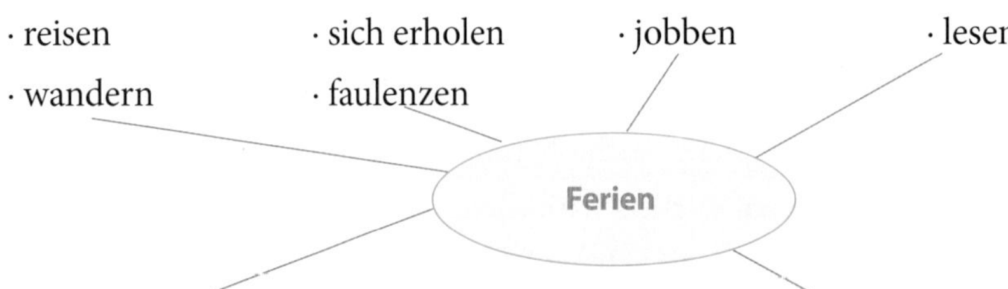

· Verwandte besuchen
· in einer Jugendherberge übernachten
(유스호스텔에서 묵다)
· zelten (텐트를 치다)

· einen Sprachkurs machen
· ein Museum besichtigen
· im Meer baden
· schwimmen gehen/lernen

Was machst du in den Semesterferien?

Ich jobbe in einem Supermarkt. (슈퍼마켓에서 아르바이트하다)

Ich reise nach Deutschland.

Ich lerne schwimmen.

Ich besichtige Museen. (das Museum, die Museen)

Ich mache eine Reise nach Europa.

Ich mache einen Sprachkurs für Deutsch.

Ich besuche meine Verwandten auf dem Land. (시골/지방에 사는 친척)

Ich bleibe zu Hause und faulenze den ganzen Tag. (빈둥대다)

Ich erhole mich. (휴식을 취하다, 재충전하다)

ganz und jed-

하루 종일 den ganzen Tag	매일 jeden Tag
일주일 내내 die ganze Woche	매주 jede Woche
한 달 내내 den ganzen Monat	매월 jeden Monat
일 년 내내 das ganze Jahr	매년 jedes Jahr

Wohin ...?

어디로: Wohin fahren wir?
Wohin möchtest du in den Ferien fahren?

바닷가로: Ich möchte ans Meer fahren.

산(속)으로: Ich möchte lieber in die Berge fahren.

이탈리아로: Ich möchte nach Italien fahren. (nach + 도시, 국가)

할아버지와 할머니께서 사시는 시골로:
Ich möchte lieber zu meinen Großeltern aufs Land fahren. (zu + 사람)

Wohin fliegst du denn? (비행기로)

Ich fliege nach Griechenland ans Meer.

Ich fliege nach Deutschland zu meinem Mailfreund.

Woher ...?

어디에서: Woher kommen die Studenten?

전 세계에서 오다: Die Studenten kommen aus der ganzen Welt.

... 출신이다: Carlos kommt aus Spanien. Susan kommt aus den USA.

...에서(로부터): Viele Grüße aus England sendet dir Peter.

Ergänzen Sie die Sätze.

1. _____ fährst du _____ den Ferien? - Ich fahre ich _____ Berge.

2. _____ ihr auch _____ Berge? - Nein, wir _____ Meer.

3. Was macht Andreas in den Ferien? - Er _____ Sprachkurs _____ England.

4. Was _____ deine Eltern _____ Ferien? - _____ eine Reise _____ Hawaii.

5. _____ diese Karte? - _____ aus Italien.

6. Zu Weihnachten bekomme ich Karten _____ ganzen Welt.

A2 Bilden Sie Sätze aus diesen Wörtern.

1. (aus, dir, sendet, Grüße, Freundin, deine, Hamburg, ~~Anna~~, Viele)

_______________________________________ Anna.

2. (~~denn~~, Deutschland, Deutsch, Sprachkurs, will, Ich, mache, in, einen, mein, ich, verbessern)

____

denn _______________________________________

3. (Morgens, Deutsch, vier, ~~lerne~~, Stunden, ich, habe, frei, nachmittags, und, ich)

_______ lerne _______________________________

und _______________________________________

4. (Teilnehmer, aus, Land, ~~erzählen~~, kommen, über, Welt, ~~und~~, Die, ganzen, der, ihr)

____

und erzählen

Das Präteritum (과거): sein → war-; haben → hatte-

인칭	sein	haben
ich	war	hatte
du Sie	warst waren	hattest hatten
er/sie/es	war	hatte
wir	waren	hatten
ihr Sie	wart waren	hattet hatten
sie	waren	hatten

Heute bin ich zu Hause, denn das Wetter ist schlecht.

Gestern war ich am Meer, denn das Wetter war schön.

Jetzt bin ich in Winchester, denn ich habe Ferien.

Vor einer Woche war ich in Seoul, denn ich hatte noch Seminare.

Jetzt bin ich Student und habe mehr Freizeit.

Letztes Jahr war ich noch Schüler und hatte kaum Freizeit. (kaum: 거의 …아닌)

Glück oder Pech

· (…와 관련해서) 운이 없다 → Pech mit … haben

Das Wetter war die ganze Zeit schlecht. 날씨가 내내 나빴다.

Wir *hatten Pech mit dem Wetter*. 날씨 운이 없었다.

· (…와 관련해서) 운이 좋다 → Glück mit … haben

Das Wetter war die ganze Zeit gut. 날씨가 내내 좋았다.

Wir *hatten viel Glück mit dem Wetter*. 날씨 매우 운이 좋았다.

A3 **Ergänzen Sie die Sätze.**

1. Dieses Jahr ______ ich schon 20 Jahre alt.
   Letztes Jahr ______ ich ______ ______ ______

2. Dieses Jahr ______ ich ein A in der Veranstaltung Deutsche Grammatik.
   Letztes Jahr ______ ich nur ein D.

3. Früher ______ er viel Zeit, aber ______ Geld.
   Jetzt ______ er viel Geld, aber ______ Zeit.

4. Gestern ______ du freundlich zu mir.
   Warum ______ du heute so unfreundlich?

5. Vorhin ______ ich noch großen Hunger. (vorhin 조금 전, 아까)
   Jetzt ______ ich keinen Hunger mehr. (kein- ______ mehr 더 이상 ______ 아닌)

6. Vor Weihnachten ______ wir viel Schnee.
   Jetzt ______ wir keinen Schnee mehr.

7. Vor dem Unterricht ______ ihr noch viele Fragen.
   ______ ihr jetzt keine Fragen mehr?

8. Vor der Heirat ______ sie viele Träume.
   Jetzt, nach der Heirat, ______ sie viele Sorgen.

A4 Ergänzen Sie haben oder sein im Präteritum.

Die Ferien ________ super!

Also, meine Sommerferien ________ einfach Spitze! Meine Freundin und ich ________ in Spanien. ________ du auch schon mal in Spanien? Der Flug nach Mallorca ________ toll. Auch das Hotel ________ sehr gut. Wir ________ ein großes Zimmer mit Bad. Das Essen ________ fantastisch. Das Hotel ________ ein großes Schwimmbad. Das Meer und der Strand ________ nicht weit. Wir ________ auch großes Glück mit dem Wetter. Es ________ immer schön. Aber das Beste ________ der Nachtclub im Hotel. Wir ________ jeden Abend dort. Es gab viele interessante junge Leute. Alle ________ viel Spaß. Es ________ nie langweilig. ________ du auch schöne Ferien? Wo ________ du in den Ferien?

- (die) Spitze, jd./et. ist Spitze 누가/무엇이 짱이다
- fantastisch 환상적인
- der Strand <-(e)s, Strände> 해변
- der Nachtclub <-s, -s> 나이트클럽

Über das Wetter erzählen

· Es ...(동사)

schneit 눈이 내린다. regnet 비가 온다.

· Es ist ...(형용사)

heiter 날씨가 청명하다. sonnig 햇빛이 비친다.

wolkig 구름이 끼어있다. bedeckt 구름이 끼어있다.

regnerisch 비가 내린다. windig 바람이 분다.

· Es gibt ...(명사): (일기예보) ··· 있을 것이다

Regen 비가 올 것이다.

Schnee 눈이 올 것이다.

Nebel 안개가 낄 것이다.

Gewitter 천둥번개가 있을 것이다.

Das Wetter ist schön. Es ist heiter. Die Sonne scheint.

Das Wetter ist nicht so schön. Es ist wolkig.

Das Wetter ist schlecht. Es ist bedeckt/regnerisch und windig.

Es gibt Regen/Schnee/Nebel/Gewitter.

Über die Temperatur erzählen

Es sind 33 Grad. Es ist heiß. Heute ist es 33 Grad heiß.
(heiß 앞의 33 Grad는 부사어로 heiß를 수식하므로 동사의 형태에 영향을 미치지 않음)

Es sind etwa 25 Grad. Es ist warm. Heute ist es 25 Grad warm.

Es sind 2 Grad unter Null. Es ist kalt. Heute ist es minus 2 Grad kalt.

Es sind etwa 10 Grad. Es ist kühl. (kühl는 온도와 함께 쓰지 않음)

A5 Antworten Sie.

1. In Deutschland ist es im Winter kalt. Wie ist es in Korea?
   In ______________________________ (auch kalt)

2. In Deutschland ist es im Sommer nicht sehr heiß. Wie ist es in Korea?
   In ______________________________ (sehr heiß)

3. In Deutschland ist es im Herbst oft neblig. Wie ist es in Korea?
   In ______________________________ (nicht oft)

4. In Deutschland ist es im Frühling sehr schön. Wie ist es in Korea?
   In ______________________________ (auch sehr schön)

A6 Übersetzen Sie ins Deutsche.

1. 어제는 날씨가 나빴다. 그러나 오늘은 날씨가 좋다.

____

2. 오늘은 매우 덥다. 기온이 32도이다.

____

3. 어제는 매우 추웠다. 기온이 영하 7도였다.

____

5. 제주도는 오월에 따뜻하다. 그러나 자주 바람이 많이 분다.

____

종속접속사 wenn ..., ... (...면, ...)
조건을 말할 때 사용하며, 종속절 속의 동사는 후치된다.

Morgen möchte ich Sie besuchen, wenn es möglich ist. 가능하다면

Ich bringe dich nach Hause, wenn du auf mich wartest. 네가 나를 기다리면

종속절(wenn 절)이 주절 앞에 오면, 주절은 동사로 시작한다. 종속절이 첫 번째 문장 성분(부사절)이 되기 때문이다.

Wenn das Wetter schön ist, gehe ich schwimmen.

Wenn du gehst, gehe ich auch.

wenn ... → bei ...(명사): ... 경우에 (bei 다음에 관사 없음)
wenn 조건절을 전치사 bei 구문으로 표현할 수 있다.

· 비가 오면

Wenn es regnet, → Bei Regen bleibe ich zu Hause.

· 눈이 내리면

Wenn es schneit, → Bei Schnee nehme ich die U-Bahn.

· 안개가 끼면

Wenn es neblig ist, → Bei Nebel fahre ich vorsichtig. (vorsichtig 조심스럽게)

· 날씨가 나쁘면

Wenn das Wetter schlecht ist, → Bei schlechtem Wetter machen wir keinen Ausflug.
(bei는 3격 요구 전치사: bei schlechtem Wetter ← das schlechte Wetter)

· 날씨가 좋으면

Wenn das Wetter schön ist, → Bei schönem Wetter machen wir einen Ausflug.

A7 **Verbinden Sie die beiden Sätze mit wenn.**

1. Das Wetter ist schön. Wir fahren ans Meer.
   Wenn

2. Es regnet. Wir bleiben zu Hause.
   Wenn

3. Es schneit. Man fährt langsamer.
   Wenn

4. Man ist müde. Man geht früh ins Bett.
   Wenn

A8 **Verbinden Sie die beiden Sätze mit bei.**

1. Es ist neblig. Man muss vorsichtig fahren.
   Bei

2. Das Wetter ist schön. Wir machen einen Ausflug.
   Bei

3. Es regnet. Wir spielen nicht Fußball.
   Bei

4. Es schneit. Es gibt wenige Autos auf der Straße.
   Bei

A9 **Übersetzen Sie ins Deutsche.**

1. 토요일에 시간이 있으면 우리 집에 와라.

2. 가능하다면, 방학 중에 독일로 여행하고 싶다.

3. 문제가 있으면, 언제든지 내게 전화하세요. (jederzeit 언제든지)

TEXT zum Ergänzen

Liebe Jutta,

viele Grüße _____ dem Seorak-Gebirge __________ _____ ① Hana. Ich _____ jetzt ________ ② und bin ____ vier Freunden ___ ③ Seorak-Gebirge. Das liegt ___ Osten __________ ④. Wir übernachten ___ _____ ⑤ Jugendherberge in den Bergen. Dort _____ ___ auch ______ Sportplatz, _______ Tennisplatz und ___ ⑥ Schwimmbad. _____ _____ ⑦ wandern wir in den Bergen, baden in Bergbächen und haben viel Spaß. ______ ⑧ machen wir Spiele, hören Musik, singen oder wir ___________ _____ _________ ⑨ Probleme. Wir kochen auch selbst. Es _____ _________ ⑩ Reis, Suppe, Fisch und Kimchi. Das Essen ist einfach, aber es _______ _____ ____ ⑪.

Das Seorak-Gebirge liegt nah am Meer. Gestern ______ ____ den ______ ____ ⑫ am Meer. Weißer Strand, blaues Meer, Sonne ... Es war herrlich!!! Leider _____ viele ________ ⑬ am Strand.

_____ ____ Wetter ______ wir _______ ⑭. ____ ist schön _____ und _____ ⑮. Ab und zu _____ ____ _____ ________ ⑯.

Leider müssen wir ___ _______ schon ______ _____ ⑰ Seoul zurück. _____ ___ _______ ____, _________ ich im Winter _____ ________ ____ ⑱ Seorak-Gebirge fahren. Ich ____ _____ ⑲ Winter und im Seorak-Gebirge ____ es _____ _____ ⑳ Schnee. Ich ______ Ski ______ ______ ㉑ oder einen Snowboard-Kurs machen. _____ du ___ ______ ㉒?

Viele Grüße

Hana

Wörter und Ausdrücke

- aus dem Seorak-Gebirge 설악산으로부터; der Berg (하나의 봉우리) 산, das Gebirge (여러 봉우리가 있는) 산(무리)
- et. liegt im Osten Koreas 무엇이 한국(내)의 동쪽 지역에 있다. Japan liegt östlich von Korea. 일본은 한국(으로부터)의 동쪽에 (위치해)있다
- in den Bergen 산(들로 둘러싸인 곳) 속에; im Berg 산(의 땅) 속에
- baden 물놀이하다, 목욕하다; schwimmen 수영하다
- der Bergbach <-(e)s, -bäche> 산 속의 하천, 계곡의 시냇물
- selbst kochen 직접 요리하다
- Das Essen ist einfach. 음식이 간단하다; 가벼운 음식 ein leichtes Essen
- der weiße Strand 백사장
- schön <동사나 형용사를 수식하는 부사어> (바람직하게) 상당히, 꽤, Es ist schön warm. 꽤 따뜻하다.
- ab und zu (=manchmal) 이따금씩
- Leider müssen wir ... zurück. 유감스럽게도 우리는 돌아가야 한다. zurückmüssen <구어체> 돌아가야 하다

Tipps

① 너에게 설악산에서 안부를 전한다.
② 나는 방학 중이다.
③ 친구들과 설악산에 있다.
④ 한국의 동부 지역에 있다.
⑤ 유스호스텔(die Jugendherberge)에서 숙박하다.
⑥ 그곳에는 ...이 있다.
⑦ 매일
⑧ 저녁에는
⑨ 우리의 문제들에 대해서 토론하다.
⑩ 대개는 밥, 국, 생선 그리고 김치가 있다.
⑪ 음식은 매우 맛있다.
⑫ 우리는 하루 종일 바닷가에 있었다.
⑬ 유감스럽게도 해변 가에는 사람이 많았다.

⑭ 우리는 날씨 운이 좋다.
⑮ 따뜻하고, 해가 비친다.
⑯ 천둥번개가 친다.
⑰ 우리는 토요일에 다시 서울로 돌아가야 한다.
⑱ 가능하다면
⑲ 나는 겨울을 좋아한다.
⑳ 설악산에는 항상 눈이 많다.
㉑ 나는 스키를 배우고 싶다.
㉒ 너 스키 탈 줄 아니?

TEXT zum Übersetzen

토비아스에게,
제주에서 민호가 안부 인사를 보낸다. 영국에서 보내준 편지 매우 고마워. 유감스럽게도 나는 아직 그곳에 한 번도 가본 적이 없어.
나는 방학을 제주도에서 보내. 제주도는 한국의 남쪽에 있어. 내 조부모님께서 이 섬에 살고 계시며, 나는 매년 여름 이 분들을 방문해. 지난여름에는 이곳에 한 달간 있었지만, 이번에는 단지 2주 동안만 머물러. 나는 방학 중에도 대학공부를 해야 해. 나의 할아버지는 작은 가게를 갖고 계셔. 아침에는 내가 가게에서 할아버지를 도와드려. 오후에는 몇 시간 동안 공부를 해.
제주도는 흥미로운 섬이야. 이곳에는 귤나무도 있다. 날씨는 매우 좋아. 하늘은 파랗고 해가 비치며, 온도는 약 30도야. 이따금씩 천둥번개가 치지만, 그러고 나면 다시 날씨가 좋아져. 여기 공기는 서울보다 훨씬 더 좋아.
내일 서울에서 친구가 세 명이 와. 우리는 해변가 캠핑장에 텐트를 치고, 매일 바다에서 물놀이하고, 낚시하고, 배드민턴을 치려고 해. 날씨가 그렇게 덥지 않으면, 우리는 한라산을 등산하려고 해. 우리는 정말로 한가한 시간을 보내면서 휴식을 취하고 싶어. 책 없이, 숙제 없이, 공부하지 않고 한 주일을!!! 나는 벌써부터 기쁘다.
이 그림엽서에서 너는 제주도를 볼 수 있어.
곧 다시 연락할 때까지 안녕
민호가

Aufgepasst!

1. '...에서 안부 인사를 보내다'는 보통 'Viele Grüße aus ... sendet dir/Ihnen ...'라고 한다. 이 경우 dir/Ihnen이 인칭대명사이므로 사람이름 주어보다 더 앞에 오게 된다.
2. '나는 아직 ...에 가본 적이 한 번도 없다'는 'Ich war noch nie in ...'라고 하며, '너 ...에 가본 적이 있니?'는 'Warst du schon mal in ...?'라고 한다.
3. …에서 방학/휴가/주말을 보내다: die Ferien/den Urlaub/das Wochenende ...(irgendwo) verbringen
4. 섬에 살다: auf einer Insel leben; auf der Insel Jeju-do leben
5. 매년 여름: jeden Sommer; 매년 겨울: jeden Winter
6. 지난여름에는: letzten Sommer; 이번 겨울에는: diesen Winter
7. 이번에는: dieses Mal; 지난번에는: letztes Mal
8. 대학공부를 하다: für die Universität lernen
9. 누구를 가게에서 도와주다: jm. im Geschäft/Laden helfen
10. 몇 시간: ein paar Stunden; ein paar Tage, ein paar Fragen
11. 귤나무: der Mandarinenbaum; '제주도에는 귤나무가 있다'에서처럼 특정한 귤나무를 언급하는 것이 아닌 경우에는 복수형을 사용하여, 'Auf der Insel Jeju-do gibt es Mandarinenbäume.'라고 한다.
12. 해가 비치다: die Sonne scheint; '날씨가 맑고 햇빛이 난다'는 'Es ist sonnig.'라고 한다.
13. 약 30도: etwa 30 Grad, ungefähr 30 Grad; 온도가 30도이다: Die Temperaturen liegen bei 30 Grad.
14. 천둥번개가 치다: es gibt (ein) Gewitter.
15. 이곳의 공기: die Luft hier (시간이나 장소를 나타내는 부사어는 뒤에서 명사를 수식함); '이곳의 공기는 서울보다 훨씬 더 좋다'에서 비교대상은 '이곳의 공기'와 '서울의 공기'임에 유의할 것; ...보다 훨씬 더 좋다: viel besser als ...(비교급은 sehr로 수식하지 못함.)
16. 캠핑장에 텐트를 치다(야영하다): auf dem Campingplatz zelten
17. 낚시하다: angeln
18. 배드민턴을 치다: Badminton spielen
19. 날씨가 그렇게 덥지 않으면: wenn es nicht so heiß ist (날씨나 온도 등을 나타낼 때 비인칭주어 es를 사용함.)
20. 등산하다: auf den Berg steigen
21. 정말로 한가한 시간을 보내다: richtig faulenzen
22. 휴식을 취하다:→ sich erholen
23. 엽서에서 너는 ...을 볼 수 있다: auf der Karte kannst du ... sehen

TEXT zum Korrigieren

Liebe Hana, *viele Grüße aus Paris*

Viel Gruß in Paris sendet Jutta dir. Ich mache mit meine Eltern eine Woche Urlaub in Paris. Ich bin noch nie in Frankreich, deshalb die Reise ist für mich interessant. Im Hotel oder im Café sage ich immer Französisch. Und die Französen können mich wirklich verstehen! Ist das nicht toll?! Ich glaube, dass Französisch wird mein Lieblingsfremdsprache!

Leider haben wir großes Pech von dem Wetter. In Deutschland hatten wir schönes Herbstwetter, aber in Paris hat es die ganze Zeit bedeckt, regnerisch und ziemlich kühl. Nur manchmal scheinen die Sonne. Deshalb besichtigen wir viele berühmte Museums und Schlossen. Das ist etwa anstrengend. Wenn es regnet stark, gehen wir oft in ein kleines Café.

Gestern sind wir in Disney-World. Wir haben vielen Spaß, aber es war sehr viele Leute dort!!! Heute wollen wir einen Ausflug in Versailles machen.

Bist du schon mal in Frankreich? Ich möchte bald wieder zu Frankreich Reisen. Aber reise ich dann lieber im Sommer. Und ich reise gern mit einer Freundin als mit meinen Eltern.

Deine Jutta

Ihr TEXT

Stellen Sie sich vor, dass Sie jetzt Ferien haben. Wo sind Sie? Wie ist das Wetter dort? Was machen Sie? Wie lange bleiben Sie? Und was wollen Sie noch machen? Schreiben Sie einen Brief an Ihren Freund oder Ihre Freundin.

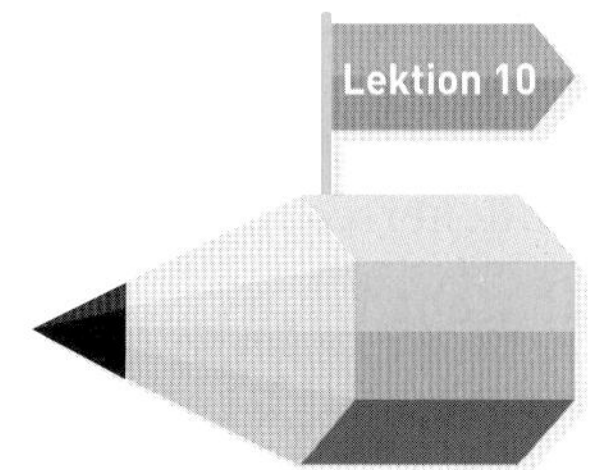

Ich räume mein Zimmer um.

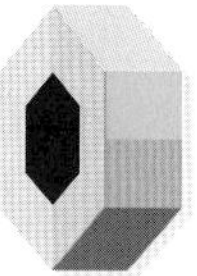

Modelltext

Letzte Woche bin ich endlich bei meinen Eltern ausgezogen! Ich habe jetzt eine eigene Einzimmerwohnung mit Kochgelegenheit. Die Wohnung ist nicht sehr groß, aber gemütlich.

Ich habe nicht viele Möbel. Links neben der Tür steht ein Bücherregal. Im Regal stehen meine Bücher. Links neben dem Regal steht mein Kleiderschrank. Gegenüber der Tür, also direkt vor dem Fenster, steht ein großer Schreibtisch. Auf dem Schreibtisch liegen Bücher, Stifte, mein Taschenrechner, mein Schlüsselbund, mein Geldbeutel ... Mein Schreibtisch ist immer unordentlich. Vor dem Schreibtisch stehen ein bequemer Stuhl und ein Papierkorb.
Mein Bett steht links neben dem Schreibtisch an der Wand. Auf dem Bett liegen Kissen und meine Kleider herum. Über dem Bett an der Wand hängt eine große Weltkarte. Ich möchte nämlich irgendwann eine Weltreise machen. Rechts neben meinem Schreibtisch steht ein kleiner, runder Tisch. Auf dem Tisch stehen Fotos von meiner Familie. Hinter dem Tisch steht ein Sessel. Der Sessel ist alt, aber sehr bequem und gemütlich. Er hat früher meiner Oma gehört. Zwischen dem Sessel und dem Schrank steht eine Kommode. Auf der Kommode stehen ein Spiegel und ein Kaktus.
Auf dem Boden liegt ein Teppich mit blauen und weißen Streifen. Er passt gut zu den Vorhängen am Fenster und zur Tapete. Die Vorhänge sind nämlich blau und die Tapete ist weiß mit dicken, blauen Streifen.
Am besten ist, dass es rechts neben der Tür eine kleine Kochnische und einen Kühlschrank gibt. Hier kann ich mir auch spätabends noch etwas kochen.

- endlich 마침내
- ausziehen <분리 동사> 이사 나오다
- eigen- 자신의
- die Einzimmerwohnung 원룸 아파트, ein Zimmer 방 + die Wohnung 집, 아파트
- die Kochgelegenheit 요리 시설, kochen 요리하다 + die Gelegenheit (…할 수 있는 간단한) 시설
- gemütlich 아늑한
- das Möbel <-s, -, 보통 복수> 가구
- links 왼쪽(에) (↔ rechts)
- neben <+ 3격 목적어> … 옆에, <+ 4격 목적어> … 옆으로
- das Bücherregal 서가, das Buch, die Bücher 책 + das Regal 서가

- der Kleiderschrank <-(e)s, -schränke> 옷장, das Kleid, die Kleider 옷 + der Schrank 장
- direkt 바로
- vor <+ 3격 목적어> … 앞에, <+ 4격 목적어> … 앞으로
- das Fenster <-s, -> 창문
- der Stift <-(e)s, -e> 필기구
- der Taschenrechner <-s, -> 전자계산기
- der/das Schlüsselbund <-(e)s, -e> 열쇠 꾸러미, der Schlüssel 열쇠 + der/das Bund 묶음
- der Geldbeutel <-s, -> 지갑, das Geld 돈 + der Beutel 봉투, 작은 보따리
- unordentlich 어지러진, un- + ordentlich 정돈된
- der Schreibtisch <-(e)s, -e> 책상, schreib- 쓰다 + der Tisch 테이블
- der Papierkorb <-(e)s, -körbe> 쓰레기통, das Papier 종이 + der Korb 바구니
- die Wand <-, Wände> 벽
- das Kissen <-s, -> 배게, 방석
- herumliegen <분리 동사> 여기저기 널려있다
- hängen 걸려있다
- die Weltkarte <-, -n> 세계 지도, die Welt 세계 + die Karte 지도
- nämlich 이유인즉
- irgendwann 언젠가
- die Weltreise <-, -n> 세계 여행, die Welt 세계 + die Reise 여행
- der Sessel <-s, -> 안락의자
- die Kommode <-, -n> 서랍장
- der Spiegel <-s, -> 거울
- der Kaktus <-/-ses, Kakteen> 선인장
- der Boden <-s, Böden> 바닥
- der Teppich <-s, -e> 카펫, 양탄자
- der Streifen <-s, -> 줄, 선
- der Vorhang <-s, Vorhänge> 커튼
- die Tapete <-, -n> 벽지
- die Kochnische <-, -n> (구석에 설치된) 간이 부엌, koch- 요리하다 + die Nische 구석 공간
- der Kühlschrank <-(e)s, -schränke> 냉장고, kühl 차가운 + der Schrank 장
- spätabends 늦은 밤에, 밤 늦게, spät 늦게 + abends 저녁에

어디에 Wo?

왼쪽/오른쪽의 -

link-/recht- <형용사>: die linke/rechte Hand

...의 왼쪽/오른쪽에

links/rechts ...<부사>:

links/rechts neben mir

문 왼쪽/오른쪽 옆에 → links/rechts neben der Tür

왼쪽/오른쪽 문 옆에 → neben der linken/rechten Tür

문 왼쪽/오른쪽 옆 벽에 → links/rechts neben der Tür an der Wand

왼쪽/오른쪽 문 옆 벽에 → neben der linken/rechten Tür an der Wand

위치를 나타내는 (3격 요구) 전치사

... 앞에 vor: Vor dem Haus steht ein Auto.

... 뒤에 hinter: Hinter dem Haus liegt der Garten.

... 옆에 neben: Neben dem Kaufhaus ist die Post.

... 맞은편에 gegenüber: Die Haltestelle ist gegenüber dem Museum. (die Haltestelle 정류소, halt- 멈추다 + die Stelle 장소)

... 위에 auf/über

침대 (표면) 위에 auf dem Bett

Auf dem Bett liegen Kissen und Kleider herum.

침대 (공간) 위에 über dem Bett

Über dem Bett hängen Poster von meinen Lieblingssängern. (das Poster 포스터, der Lieblingssänger 매우 좋아하는 가수, Lieblings- 매우 좋아하는 + der Sänger 가수)

... 아래에 unter:

침대 아래에: unter dem Bett

Unter dem Bett liegen meine Schuhe.

앞의 진술에 대한 이유를 설명할 때: 부사 nämlich

An der Wand hängt eine Weltkarte. Ich möchte **nämlich** eine Weltreise machen.

벽에는 세계 지도가 걸려있다. 내가 세계 여행을 하고 싶기 때문이다.

Der Teppich passt gut zu den Vorhängen. Die Vorhänge sind **nämlich** auch blau.

양탄자가 커튼에 잘 어울린다. 커튼도 파란색이기 때문이다.

Wortbildung (조어): Möbel <das, -s, -> (보통 복수) 가구

der Schrank: -schrank

der Kleider........... 옷장 der Küchen............. 부엌장

der Wohnzimmer........... 거실장

das Regal: -regal

das Bücher......... 책장

der Tisch: -tisch

der Schreib.......... 책상 der Ess........... 식탁 der Küchen........ 부엌 식탁

der Wohnzimmer.......... 거실 테이블

der Nacht.......... (침대 옆에 놓은) 협탁 (주의: der Nachtisch 후식)

das Bett

das Kinder.......... 어린이 침대 das Doppel........ (2인용 침대) 더블베드

das Etagen.......... 이층 침대

A1 Ergänzen Sie den Text!

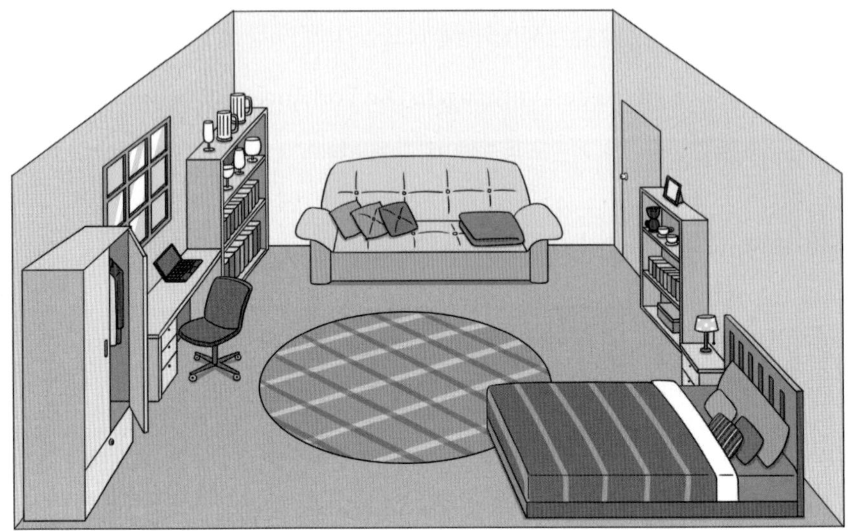

Endlich habe ich ein eigenes _____ und eigene Möbel! Wenn man in mein Zimmer kommt, steht rechts an der _____ ein blaues _____ Auf dem _____ _____ drei Kissen und eine Decke. Vor dem Sofa steht ein klein_____ eckig_____ _____ Auf dem Tisch _____ ein Foto _____ meinem Freund. _____ der Tür _____ ein Bücherregal. _____ Regal stehen mein_____ Bücher und viele Gläser. Ich sammle nämlich _____: Biergläser, Weingläser usw. _____ neben _____ Regal, direkt _____ dem Fenster, _____ mein Schreibtisch. Rechts auf _____ _____ steht mein Notebook. Vor _____ Schreibtisch _____ ein Stuhl. Der Kleiderschrank _____ links _____ _____ Schreibtisch. _____ _____ Bett _____ viele Kissen. _____ _____ Bett _____ ein kleiner Nachttisch. _____ _____ Nachttisch _____ _____ Lampe. Zwischen _____ Nachttisch und _____ Tür gibt _____ noch ein Regal. _____ Regal _____ eine Kaffeemaschine und einige Tassen.

➋ stehen **oder** liegen?

Der Computer

liegt auf dem Schreibtisch.

steht auf dem Schreibtisch.

A2 **Ergänzen Sie die Präpositionen und stehen/liegen/sitzen/hängen.**

Mein Zimmer ist immer etwas unordentlich.

Wenn man in mein Zimmer kommt, ______ rechts __ der Wand ein Sofa. Auf dem Sofa ______ meine Stofftiere. ______ dem Sofa ______ ein Tisch. __ dem Tisch ______ Zeitschriften.

(das Stofftier (헝겊) 인형)

Gegenüber der Tür ______ ein Bücherregal. __ Regal ______ meine Bücher. Auf dem Regal ______ mein altes Radio. __ dem Fenster ______ mein Schreibtisch.

Links ___ dem Schreibtisch ______ mein Computer. Rechts ______ dem Computer ______ mein Monitor. ______ dem Monitor ist die Tastatur. Rechts ______ der Tastatur ist meine Computermaus. ______ dem Schreibtisch ______ mein Fußball.

Ich habe kein Bett. Ich schlafe ___ einer Matratze. Die Matratze liegt ___ dem Boden. ____ der Matratze ____ eine Kommode. ___ der Kommode ____ ein Käfig. ___ Käfig wohnt meine Maus. Sie ist grau und heißt Fifi. Aber jetzt ist Fifi nicht ___ Käfig. Wo ist sie?

A3 Wie sieht das Zimmer aus? Zeichnen Sie das Zimmer!

Ich habe endlich mein Zimmer umgeräumt. Ich habe das Bett vor das Fenster gestellt. Jetzt weckt mich die Sonne am Morgen. Den Schreibtisch habe ich links an die Wand gestellt. Der Computer steht jetzt rechts auf dem Schreibtisch. Das ist praktischer. Das Regal steht nicht mehr links neben der Tür. Ich habe es links neben das Fenster an die rechte Wand gestellt. Vor dem Regal steht ein Sessel. Vor dem Sessel steht ein kleiner runder Tisch. Auf dem Tisch steht eine Blume. Über den Sessel habe ich die Bilder von meiner Familie an die Wand gehängt. Ich habe den Schrank links in die Ecke gestellt. Meine beiden Koffer habe ich darauf gelegt.

- umräumen <분리 동사> (물건의 위치를 옮겨) 다시 정돈하다
- wecken 깨우다
- et.[4] vor et.[4]/an et.[4]/in die Ecke stellen 무엇을 무엇 앞/옆/구석에 놓다
- praktisch 실용적인
- et. auf et.[4] legen 무엇을 무엇 위에 두다/올려놓다
- darauf 그 위에

누가 무엇을 ...에 두다: jd. stellt et. + <4격 요구 전치사: 방향> ...
무엇이 ...에 있다: et. steht + <3격 요구 전치사: 위치> ...

Ich **stelle** die Lampe auf **den** Tisch. 책상 위에 두다.
Die Lampe **steht** auf **dem** Tisch. 책상 위에 있다.

Ich **stelle** den Stuhl neben **das** Bett. 침대 옆에 두다.
Der Stuhl **steht** neben **dem** Bett. 침대 옆에 있다.

무엇을 어디에 걸다: jd. hängt et. + <4격 요구 전치사: 방향> ...
무엇이 ...에 걸려있다: et. hängt + <3격 요구 전치사: 위치> ...

Ich **hänge** das Bild an **die** Wand. 벽에 걸다.
Das Bild **hängt** an **der** Wand. 벽에 걸려있다.

Ergänzen Sie die Sätze.

Jetzt steht die Uhr auf dem Nachttisch.
→ Stell die Uhr doch auf den Schreibtisch!

1. Jetzt liegen die Poster auf dem Schrank.
   → Häng ________ doch ___ die Wand!

2. Jetzt liegen die Kissen auf dem Sofa.
   → Leg ________________ Bett!

3. Jetzt steht das Radio auf der Kommode.
   → Stell ______________ Regal!

4. Jetzt steht der Papierkorb neben dem Schreibtisch.
   → ________________ unter ___ Schreibtisch.

A5 **Übersetzen Sie ins Deutsche.**

1. 책상 위 왼쪽에 컴퓨터가 있다.

2. 책장 속에 책이 많이 꽂혀있다.

3. 나는 책상을 창문 앞에 두었다.

4. 나는 포스터들을 소파 위에 걸었다.

5. 나는 잔들을 서랍장(die Kommode) 위에 놓았다.

6. 창문 옆 왼쪽 벽에 큰 포스터가 한 장 걸려있다.

Text zum Ergänzen

Ich ____ ____ ____ ____①. Jetzt ____ ____ ____ ____ ____② und ich habe mehr Platz. Ich habe ____ mein Bett ____ ____ ____ ____③. Jetzt gibt es kein Bett mehr in meinem Zimmer, nur noch eine große koreanische Matratze. Die Matratze ____ ____ ____ ____ ____④ auf dem Boden. Daneben ____ mein Radio. Ich höre abends ____ ____ ____⑤. ____ ____ ____ ____⑥ ein großes, langes Kissen und fünf kleine Kissen. ____ ____ Matratze ____ jetzt ein ____, ____⑦ Teppich. Ich habe ihn letzte Woche gekauft. ____ ____ Teppich ____ ____ ____ ____⑧. Darauf ____ eine Lampe, ein Foto von ____ Freund und eine Vase mit ____ ____⑨. ____ ____ ____ ____⑩ immer viele Zeitschriften.

Der Schreibtisch ____ jetzt ____ ____ ____ ____ ____⑪. Ich ____ ____ ____ ____ Fenster ____⑫. Ich habe den Schreibtisch auch aufgeräumt. Er ist jetzt ganz ordentlich. ____ ____ ____ ____ ____⑬ meine Wörterbücher und daneben eine lustige Tasse mit vielen Stiften. Meinen alten Computer habe ich meiner kleinen Schwester geschenkt. Ich bekomme einen neuen zu Weihnachten.

Der Schrank steht jetzt nicht mehr ____ ____ ____⑭. Ich ____ ihn ____ an ____ ____ in ____ ____ ____⑮. Der Schrank ist ziemlich groß und langweilig. Ich habe viele Postkarten und Fotos ____ ____ ____ ____⑯. Jetzt gefällt er mir etwas besser.

Ich habe auch ein neues Regal. Meine Mutter hat ____ ____ ____⑰. Ich habe ____ ____ neben ____ ____ ____⑱. Alle meine Bücher, mein CD-Spieler und meine CDs ____ jetzt ____ ____⑲.

Wörter und Ausdrücke

- der Platz <-(e)s, Plätze> 공간, 자리, mehr Platz haben 더 넓은 공간을 가지다 → 공간이 넓다
- die Matratze <-, -n> 매트리스, eine koreanische Matratze 요
- daneben 그 옆에; 여기서는 neben der Matratze를 의미한다.
- darauf 그 위에; 여기서는 auf dem Tisch를 의미함. 이처럼 'da(r) + 전치사'는 앞의 말을 받아서 전치사와 결합한 형태이다. davor 그 앞에 dahinter 그 뒤에 darüber 그 위에. auf, über처럼 모음으로 시작하는 전치사는 모음 충돌을 피하기 위해서 dar-를 앞에 두어 darauf, darüber라고 한다.
- die Vase <-, -n> 꽃병
- die Zeitschrift <-, -n> 잡지
- aufräumen <분리 동사> 정리정돈하다

Tipps

① 내 방(의 물건들)을 재배치하다. (umräumen 물건을 재배치하다)
② 방이 훨씬 더 내 마음에 든다.
③ 내 침대를 나의 여동생에게 선물했기 때문이다.
④ 요가 오른쪽 벽에 붙여 바닥에 놓여있다.
⑤ 저녁에 라디오를 즐겨 듣기 때문이다.
⑥ 요 위에는 크고 긴 베개 하나와 작은 베개 다섯 개가 놓여있다.
⑦ 요 앞에는 크고, 다채로운 색상의 양탄자가 깔려있다.
⑧ 양탄자 위에는 작은 테이블이 놓여있다.
⑨ 그 위에는 스탠드 하나와 내 친구의 사진 그리고 장미 한 송이가 담긴 꽃병이 있다.
⑩ 테이블 아래에는 항상 잡지들이 놓여있다.
⑪ 책상이 이제는/더 이상 왼쪽 벽에 붙어 있지 않다.
⑫ 그것을 창문 앞에 놓았다/세워두었다.
⑬ 책상 위 오른 편에 내 사전들이 꽂혀/세워져있다.
⑭ 문 옆에 있지 않다.
⑮ 그것을 왼쪽 벽(에 붙여) 구석에 놓았다/세워두었다.
⑯ 엽서와 사진들을 옷장 문(die Schranktür)들에 붙여 걸었다.
⑰ 엄마가 그것을 내게 선물했다.

⑱ 그것을 문 왼쪽 옆에 놓았다/세워두었다.
⑲ 내 모든 책과 CD플레이어 그리고 CD들이 이제 책꽂이에 꽂혀있다.

Text zum Übersetzen

나는 내 방을 가지고 있다. 비록 그다지 크지는 않지만, 마음에 든다. 내 방에 들어오면, 오른쪽 벽에 작은 하얀 책상이 있다. 책상 위 왼쪽에는 내 컴퓨터가 있다. 그것은 이미 오래되었다. 나는 생일에 새 컴퓨터를 원한다. 컴퓨터 옆에는 책과 공책들이 놓여 있다. 책상 앞에는 의자가 있다. 책상 오른쪽 옆에는 휴지통이 있다. 책상 왼쪽 옆에는 내가 가장 좋아하는 책들이 들어있는 흰 책꽂이가 있다.

Aufgepasst!

1. 자신 소유의: eigen-
2. das Zimmer가 다음 문장에서 주어가 될 경우에는 'es'를 사용한다.
3. 비록 ...하지 않지만, ...하다: zwar nicht ..., aber ...
4. 그다지 ... 하지 않다: ist nicht besonders ...
5. '내 방에 들어오면'의 경우 특정인을 행위자로 언급하지 않고 있으므로 일반 사람을 나타내는 man을 주어로 사용한다.
6. 책상이 놓여있다: ein Schreibtisch steht
7. '오른쪽 벽에 책상이 있다'는 '오른쪽에 있는 벽에 책상이 붙어있다'라는 의미이다.
8. 생일에 (자신에게) 무엇을 희망하다: sich et. zum Geburtstag wünschen

9 휴지통 der Papierkorb, 쓰레기통 der Mülleimer

10. 내가 가장 좋아하는 책들이 꽂혀있는/들어있는 책꽂이 → ein Regal mit meinen Lieblingsbüchern

Text zum Korrigieren

Endlich habe ich ein eigen (eigenes) Zimmer! Wir haben jetzt nämlich eine großere Wohnung. Wenn man in mein Zimmer kommt, steht rechts am Wand ein großer, grauer Schreibtisch. Vor dem steht ein Stuhl. Ich setze oft am Schreibtisch und lerne oder male. Links auf den Schreibtisch einige Wörterbücher und rechts liegen meine Farbstifte und mein Skizzenblock. Auf dem Schreibtisch hängen drei Bilder an die Wand. Ich habe sie selbst gemalt. Neben dem Schreibtisch links liegt ein Regal in der Ecke. Im Regal stehen einige Bücher über Kunst. Ganz oben auf dem Regal sitzt mein Skateboard.

Gegenüber die Tür ist ein groß Fenster. Vor dem steht ein kleines schwarzes Sofa. An dem Sofa steht eine rote Decke. Links neben das Sofa liegt ein weißer runder Tisch. Auf dem steht mein Radio und davor liegen einige CDs. Vor das Sofa liegt ein Teppich mit schwarzen, grauen und weißen Streifen.

Links neben die Tür liegt noch ein Tisch und vor dem ein Stuhl. Auf den Tisch steht nur mein Computer und einige Bücher über Computer und Internet. Ich surfe nämlich oft ins Internet.

Die Wand auf dem Computer ist noch leer und etwas langweilig. Ich möchte noch einige Bilder oder Poster auf der Wand hängen.

- der Farbstift <-(e)s, -e> 유색 필기구
- der Skizzenblock <-(e)s, blöcke> 스케치북
- die Kunst <-, Künste> 예술
- das Skateboard <-s, -s> 스케이트보드

Ihr Text

A) Beschreiben Sie das Zimmer unten.

B) Beschreiben Sie Ihr Zimmer.

Mir geht es schlecht!

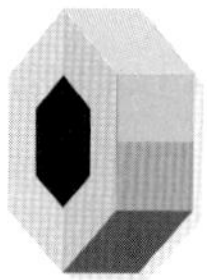

Modelltext

Donnerstag, den 12. April

Ich fühle mich elend! Ich habe starke Halsschmerzen und Durchfall. Ich weiß nicht, ob ich wieder gesund werde!!!

Es begann letzten Sonntag. Ich war mit meinen Freunden im Vergnügungspark. Nachmittags regnete es. Aber wir wollten noch Achterbahn fahren, weil wir Freikarten hatten. Abends waren meine Haare ganz nass und mir war kalt.
Am Montag ging es mir noch ganz gut. Nur mein Hals tat ein bisschen weh.
Am Dienstag hatte ich schon starke Halsschmerzen und leichtes Fieber. Ich konnte nicht zum Seminar gehen.

Am Mittwoch hat Mark angerufen. Er hat erzählt, dass am Freitag ein berühmter Philosoph zu uns an die Uni kommt und einen Vortrag hält. Den Vortrag wollte ich natürlich unbedingt hören.

Also habe ich viel Tee mit Zitrone und Honig getrunken, weil das gut gegen Halsschmerzen ist. Das sagt jedenfalls Oma. Ich habe vier Liter Tee mit Zitrone und Honig getrunken und dann habe ich Durchfall bekommen.

- sich ... fühlen (몸/마음 상태가) …하게 느끼다
- elend 비참한
- stark 심한 (↔ leicht), 강한 (↔ schwach)
- die Halsschmerzen <복수> 목통, der Hals 목 + der Schmerz 통증

- der Durchfall <-(e)s, -fälle, 보통 단수> 설사
- beginnen <begann, begonnen> 시작하다
- der Vergnügungspark 놀이공원 die Vergnügung 즐거움 + der Park 공원
- die Achterbahn <-, -en> 청룡열차
- die Freikarte 무료입장권, frei 무료의 + die Karte 카드, 입장권
- nass (물에) 젖은 (↔ trocken)
- das Fieber <-s, 항상 단수> 열
- berühmt 유명한
- der Philosoph<-en, -en> 철학자
- einen Vortrag halten 강연하다, der Vortrag <-(e)s, Vorträge> 강연
- unbedingt 무조건
- hören 듣다
- die Zitrone <-, -n> 레몬
- der Honig <-s, 항상 단수> 꿀

나는 몸이 좋지 않다. Mir geht es nicht gut.

Es geht mir ...	nicht gut.
Mir geht es ...	schlecht.
Ich fühle mich ...	miserabel. 비참한, 몹씨 아픈
	elend. 몹씨 아픈, 불행한
Ich habe ...	eine Erkältung. 감기에 걸렸다
	Husten. 기침을 한다
	Fieber. 열이 있다
	Durchfall. 설사를 한다
	Kopfschmerzen. 머리가 아프다
	Ohrenschmerzen. 귀가 아프다
	Halsschmerzen. 목이 아프다
	Zahnschmerzen. 이가 아프다
	Bauchschmerzen. 배가 아프다
	Rückenschmerzen. 허리가 아프다

나는 배가 매우 아프다. Ich habe starke Bauchschmerzen.

(≒ Mein Bauch tut sehr weh.)

stark 매우 - leicht 조금

나는 이가 매우 아프다.

Ich habe starke Zahnschmerzen. (≒ Mein Zahn tut sehr weh.)

나는 목이 조금 아프다.

Ich habe leichte Halsschmerzen. (≒ Mein Hals tut ein bisschen weh.)

hoch 높은 – leicht 조금

그는 열이 많이 있다(높다).

Er hat hohes Fieber. (틀림: Sein Fieber ist hoch.)

그는 열이 조금 있다.

Er hat leichtes Fieber. (틀림: Sein Fieber ist leicht.)

기분/몸의 상태가 ...하다 → sich ... fühlen (재귀동사)

재귀대명사 3·4격

	단수			복수		
1인칭	ich	du/Sie	er/sie/es	wir	ihr/Sie	sie
2인칭	mir	dir/sich	sich	uns	euch/sich	sich
3인칭	mich	dich/sich	sich	uns	euch/sich	sich

Wie fühlst du dich?

Ich fühle mich nicht gut. Ich habe starke Halsschmerzen.

Wie fühlt er sich?

Er fühlt sich schlecht. Er hat hohes Fieber und starke Ohrenschmerzen.

Wie fühlt ihr euch?

Wir fühlen uns wieder besser. Wir sind nur noch etwas müde.

A1 Ergänzen Sie die Sätze.

1. Wie fühlst du ______ ?

______ fühle ______ besser. Ich habe keine Kopfschmerzen mehr.

(kein- ... mehr 더 이상 ...이 없는/아닌)

2. Wie fühlen Sie ______ ?

______ fühle ______ sehr schlecht. Ich habe ______ Halsschmerzen.

3. Wie fühlt ihr ______ ?

______ fühlen ______ viel besser.

Wir haben kein ______ Fieber mehr, nur noch ______ Fieber.

A2 **Übersetzen Sie ins Deutsche?**

1. 몸이 좀 어떻습니까? 아직도 (여전히) 배가 아프십니까?

2. 네, 아직도 배가 많이 아픕니다.

3. 아니오, 배는 더 이상 아프지 않습니다.

Entschuldigungsbrief

호칭(Anrede) | 작성 장소 | 작성 날짜

Bonn, den 16. 4. 2019

Sehr geehrter Herr Professor Dr. Schmitter,
leider kann ich heute nicht an Ihrem Seminar zur Einführung in die Linguistik teilnehmen, da ich wegen akuter Bauchschmerzen zum Arzt muss. Das Attest des Arztes gebe ich nächste Woche ab.

Mit freundlichen Grüßen
Sabine Ehrlich

작성자 서명 | 맺는 인사 | 이유

A3 **Ergänzen Sie den Entschuldigungsbrief.**

(서울에 사는 대학생 Kim Taeho가 2019년 10월 8일 치통이 심하고, 열이 있어서 Herr Klein 교수의 수업에 참석할 수 없다는 내용의 편지를 쓴다.)

____

Entschuldigung

Sehr _________ _____ _________ Klein,

_____ kann ich heute nicht ___ _____ Seminar _________, _____ ich _________ _________ und Fieber _______ Ich _____ _____ Zahnarzt gehen.

Mit __________ __________

____

Präteritum (과거)

규칙동사의 과거시제 어미변화

인칭	어미	인칭	어미
ich	-(e)te	wir	-(e)ten
du	-(e)test	ihr	-(e)tet
er sie es	-(e)te	sie	-(e)ten
Sie	-(e)ten	Sie	-(e)ten

antworten
fragen
kaufen
machen
sagen
üben

brauchen
fühlen
leben
reisen
schmücken
wohnen

regnen (regnete, hat ... geregnet)

올 여름에는 비가 많이 내린다. 작년 여름에는 비가 거의 내리지 않았다.
In diesem Sommer regnet es viel. Im letzten Sommer regnete es kaum.

지금은 내가 서울에서 산다. 전에는 내가 부산에서 살았다.
Jetzt wohne ich in Seoul. Früher wohnte ich in Busan.

불규칙동사

(현재-과거-과거완료: i-a-o)
beginnen (begann, hat ... begonnen)

한국전쟁은 1950년 6월 25일에 시작되었다.
Der Koreakrieg begann am 25. Juni 1950.

(현재-과거-과거완료: u-a-a)
tun (tat, hat ... getan)

어제는 (내) 목이 아팠다. 오늘은 (내 목이) 더 이상 아프지 않다.
Gestern tat mein Hals weh. Heute tut mein Hals nicht mehr weh.

(현재-과거-과거완료: e-a-o)
sprechen (sprach, hat ... gesprochen)

그는 한국말을 잘 했다.
Er sprach gut Koreanisch.

화법조동사의 과거형

인칭	wollen	können	müssen	sollen	dürfen	mögen
ich	wollte	konnte	musste	sollte	durfte	mochte
du	wolltest	konntest	musstest	solltest	durftest	mochtest
er/sie/es	wollte	konnte	musste	sollte	durfte	mochte
wir	wollten	konnten	mussten	sollten	durften	mochten
ihr	wolltet	konntet	musstet	solltet	durftet	mochtet
sie	wollten	konnten	mussten	sollten	durften	mochten
Sie	wollten	konnten	mussten	sollten	durften	mochten

어릴 때 나는 고기를 먹으려 하지 않았으나, 지금은 고기를 좋아한다.
Als Kind wollte ich kein Fleisch essen, aber jetzt esse ich gern Fleisch.

일 년 전에는 내가 독일어로 문장을 쓸 수 없었으나, 지금은 이미 짧은 글을 쓸 수 있다.
Vor einem Jahr konnte ich keinen Satz auf Deutsch schreiben, aber jetzt kann ich schon kurze Texte schreiben.

작년에 우리는 문법 강좌에서 매주 쪽지 시험을 봐야 했다.
Letztes Jahr mussten wir im Grammatikkurs jede Woche einen Test schreiben.

어릴 때는 내가 항상 8시에 잠자러 가야 했다. 지금은 8시까지 집에 오기만 하면 된다 (하라고 한다).
Als Kind sollte ich immer um 8 Uhr ins Bett gehen. Jetzt soll ich nur bis 8 Uhr nach Hause kommen.

(고등)학생 때는 술을 마시면 안 됐지만, 대학생 때는 술을 마셔도 된다.
Als Schüler **durfte** man keinen Alkohol trinken, aber als Student darf man schon Alkohol trinken.

어릴 때 그는 과일과 야채를 좋아하지 않았다. 일 년 전부터 그는 채식주의자이고 과일과 야채만 먹고 산다. 그가 과일과 야채를 정말로 그렇게 좋아하는지?
Als Kind **mochte** er kein Obst und kein Gemüse. Seit einem Jahr ist er Vegetarier und lebt nur noch von Obst und Gemüse. Mag er Obst und Gemüse wirklich so gern?

A4 **Ergänzen Sie die Sätze.**

1. Letztes Jahr ____________ es sehr viel.

   Dieses Jahr schneit es aber nur sehr ____________

2. Gestern ____________ mir der Kopf sehr weh.

   Heute ____________ mir der Kopf aber ____________ mehr ____________

3. Früher ____________ er nicht schwimmen.

   Jetzt kann er aber sehr ____________ schwimmen.

4. Als Kind ____________ ich gern Milch.

   Heute trinke ich nicht mehr ____________ Milch. Ich trinke ____________ Kaffee.

5. Herr Professor Meyer ____________ früher immer laut und deutlich.

   Heute spricht er nur noch ____________ und ____________

A5 Ergänzen Sie die richtige Präteritumform.

Es ________(sein) einmal eine Prinzessin. Sie ______(heißen) Rosa und ___ (sein) sehr schön und reich. Prinzessin Rosa ______(wollen) nicht heiraten. Aber ihre Eltern ______(sagen): „Du bist jetzt 25. Such dir einen Mann!" Da ______(kommen) viele Prinzen zum Schloss und ______(wollen) Rosa heiraten. „Na gut", ______ (erklären) Rosa, „ich gebe euch Aufgaben. Der Beste darf mich heiraten." Prinz Ottokar ______(sollen) 100 Liter Bier trinken, aber er ______(können) es nicht. Prinz Heribert ______(müssen) 100 Stunden tanzen, aber das ______(sein) zu anstrengend für ihn. Prinz Thorwald ______(dürfen) mit der Königin einkaufen gehen, aber er ______(haben) nicht genug Geld. Da ______(fahren) alle Prinzen nach Hause zurück. Nur Prinz Ludowig ______(bleiben). Er ______(trinken) 100 Liter Bier, ______ (tanzen) 100 Stunden, ______(gehen) mit der Königin einkaufen und ________ (bezahlen) alles. „Ich bin der Beste!", ______(rufen) Ludowig. Prinzessin Rosa ______(geben) ihm einen Kuss und aus Prinz Ludowig ______(werden) ein Schwein. Da ______(wollen) kein Prinz mehr Prinzessin Rosa heiraten. Sie ______(leben) allein und glücklich.

- der Prinz <-en, -en> 왕자
- die Prinzessin <-, -nen> 공주
- reich 부유한 (↔ arm)
- jn. heiraten 누구와 결혼하다
- suchen 찾다, 구하다, sich jd./et. suchen (자신을 위해서) 누구/무엇을 찾다
- der Schloss <-es, Schlösser> 성
- et. erklären 무엇을 표명하다, 선언하다, jm. et. erklären 누구에게 무엇을 설명하다
- die Aufgabe 과제, jm. eine Aufgabe geben 누구에게 과제를 주다

- jm. et. geben <gab, gegeben> 누구에게 무엇을 주다
- antrengend 힘든
- der König 왕, die Königin 여왕
- zurückfahren <분리 동사> (차량으로) 돌아가다
- et. bezahlen 무엇의 값을 지불하다
- der Kuss <-es, Küsse> 키스, jn. küssen 누구에게 키스하다, jm. einen Kuss geben 누구에게 키스하다
- das Schwein <-(e)s, -e> 돼지
- allein 혼자

Perfekt (현재완료)

1. haben ... (타동사와 일부 자동사의) 과거분사

lernen (lernte, hat ... gelernt) (규칙동사 과거분사: ge...t)

Ich ***habe*** in der Schule Deutsch ***gelernt***.

trinken (trank, hat ... getrunken) (불규칙동사 과거분사: ge...en)

Ich ***habe*** zu viel Bier ***getrunken***.

erzählen (erzählte, hat ... erzählt) (비분리동사 과거분사: ...t)

Er ***hat*** mir alles ***erzählt***.

bekommen (bekam, hat ... bekommen) (비분리동사 과거분사: ...en)

Ich ***habe*** Durchfall ***bekommen***.

anrufen (rief ... an, hat ... angerufen) (분리동사 과거분사: ...ge...en)

Mein Freund Mark ***hat angerufen***.

2. sein ... (장소 이동, 상태 변화 등을 나타내는 자동사의) 과거분사

werden (wurde, ist ... geworden) (과거분사: ge...en)

Ich bin krank geworden.

Es ist dunkel geworden.

bleiben (blieb, ist ... geblieben) (과거분사: ge...en)

Sie ist zu Hause geblieben.

Wir sind drei Tage in Berlin geblieben.

gehen (ging, ist ... gegangen) (과거분사: ge...en)

Sie sind zum Arzt gegangen.

Vor einer Stunde ist er nach Hause gegangen.

A6 **Ergänzen Sie die Sätze.**

Er wollte Lehrer werden. Ist er wirklich Lehrer geworden?
- Nein, er ist kein Lehrer geworden.

1. Du wolltest ihm doch schreiben. ______ du ihm schon ______?

   - Nein, ich ______ ihm noch nicht ______

2. Sie wollten ihr doch helfen. ______ Sie ihr ______?

   - Nein, ich ______ ______ nicht ______

3. Du wolltest doch heute früh aufstehen. ______ du wirklich ______ ______?

   - Nein, ______ ______ nicht ______ ______

4. Peter wollte dich heute anrufen. ______ er dich schon ______?

   - Nein, er ______ ______ noch ______ ______

이유 묻고 답하기: Warum ...? → Weil ... (동사 후치)

너희들은 왜 우리와 함께 영화 보러 가려고 하지 않았니?
Warum wolltet ihr nicht mit uns ins Kino gehen?

우리가 무엇을 처리해야 했기 때문에 그러려고 하지 않았다.
Das wollten wir nicht, weil wir etwas erledigen mussten.
(et. erledigen 어떤 일을 처리하다; das는 앞 문장의 일부인 mit ... ins Kino gehen을 가리킴)

너는 왜 그 데모에 참가하려고 했니?
Warum wolltest du bei der Demonstration dabei sein?
(die Demonstration 데모, demonstrieren 데모하다)

핵에너지에 반대하기 때문에 그렇게 하려고 했어.
Ich wollte dabei sein, weil ich gegen Atomkraft bin.
(die Atomkraft 핵에너지; gegen et. sein 무엇에 반대하다)

어제 왜 그렇게 술을 많이 마셨니?
Warum hast du gestern so viel getrunken?

옛 학교 친구를 오랜만에 다시 만나서 분위기가 아주 좋아서 그렇게 많이 마셨어.
Ich habe so viel getrunken, weil ich meine alten Schulfreunde nach Langem mal wieder getroffen habe und die Stimmung sehr gut war.
(die Stimmung 분위기, nach Langem 오랜만에)

A7 **Antworten Sie.**

1. Warum kommst du zu spät? (→ Der Wecker hat nicht geklingelt.)
   Weil (der Wecker 자명종)

2. Warum ist Susi heute nicht zum Seminar gekommen?
   (→ Sie hatte starke Bauchschmerzen.)

3. Warum habt ihr die Deutsch-Vokabeln nicht gelernt? (die Vokabel 어휘)
   (→ Wir sind vom Abteilungstreffen zu spät nach Hause gekommen.)
   (das Abteilungstreffen 학과 모임)

weil-종속절과 **denn**-대등절의 어순

Ich habe großen Hunger, ***weil*** ich nicht gefrühstückt ***habe***.
Ich habe großen Hunger, ***denn*** ich ***habe*** nicht gefrühstückt.

A8 weil oder denn?

Im Kino läuft gerade der Film *Ben is Back* mit Julia Roberts. Ich möchte den Film sehen, ______ ich Julia Roberts so toll finde. Ich finde Julia Roberts so toll, ______ sie so interessant aussieht. Sie sieht interessant aus, ______ sie lächelt so süß. Sie lächelt so süß, ______ sie einen breiten Mund hat. Viele Leute gehen in ihre Filme, ______ sie so süß lächelt. Sie verdient viel Geld, ______ ihre Filme sind spannend und lustig. Ich mag den Film *Erin Brockovich* besonders gern, ______ dort spielt Julia Roberts eine starke Frau. Ich mag den Film auch, ______ er eine wahre Geschichte erzählt.

- laufen <강변화 동사: läuft, lief, gelaufen> et. läuft im Kino/im Fernsehen 무엇이 영화관/텔레비전에 상영되다
- lächeln 미소 짓다
- breit (폭이) 넓은 (↔ schmal)
- verdienen (돈을) 벌다
- spannend 흥미진진한 (↔ langweilig)
- lustig 코믹한, 재미있는
- wahr 사실의, 진실의
- et. erzählen 무엇을 이야기하다

A9 **Ergänzen Sie die richtigen Präteritum- oder Perfektformen.**

Gestern _______(sein) wirklich ein blöder Tag! Am Morgen ____ das Handy nicht _________(klingeln), weil der Akku leer _____(sein). Ich _____ nicht _________ (frühstücken) und _____ zu spät zum Seminar _________(kommen). Während des Seminars _____(haben) ich großen Hunger, aber ich _____(müssen) bis zur Pause warten. Dann _____ ich schnell zwei Brote und einen Apfel _________ (essen). Danach _____(haben) ich Bauchschmerzen. Im Deutschkurs ______ wir einen Test _________ (schreiben), aber ich _____(wissen) viele Vokabeln nicht. Ich ______ nur fünf von zehn Punkten _____(bekommen). Am Nachmittag ______ (wollen) ich zu Claudia, aber ich _____(können) nicht, denn ich ______(haben) einen Fahrradunfall. Ich _____ mit dem Fahrer des Autos zum Arzt und zur Polizei _________(gehen). Das _____ alles sehr lange _________(dauern).

- der Akku <-s, -s; der Akkumulator의 약자> 배터리
- leer 빈 (↔ voll)
- die Pause <-, -n> 휴식, 쉬는 시간
- der Punkt <-(e)s, -e> 점, 점수
- der Fahrradunfall <-s, -unfälle> 자전거 사고, das Fahrrad 자전거 + der Unfall 사고
- lange 오랫동안
- dauern 지속하다, (시간이) 걸리다

종속접속사 **dass**

sagen/erzählen, dass ... (...다고 말하다)
그가 자기 여자 친구가 자기를 떠났다고 말한다.

Er ***sagt***, ***dass*** seine Freundin ihn verlassen hat.

그는 다음 주에 유명한 철학자가 온다고 말했다.

Er ***hat erzählt***, ***dass*** nächste Woche ein berühmter Philosoph kommt.

wissen, dass ... (...다는 것/사실을 알다)
나는 네가 집에 없었다는 것을 알고 있다.

Ich ***weiß***, ***dass*** du nicht zu Hause warst.

너는 이 와인이 매우 비싸다는 것을 알았니?

Wusstest du, ***dass*** dieser Wein sehr teuer ist?

➋ Ich weiß, dass ...<확신하는 내용>
Ich weiß nicht, ob ...<확신하지 못하는 내용>

Ich **weiß, dass** er zu Hause ist. 그가 집에 있다는 것을 안다.
Ich **weiß nicht, ob** er zu Hause ist. 그가 집에 있는지 없는지 모르겠다.

A10 **Übersetzen Sie ins Deutsche.**

1. 그는 배가 아프다고 말했다.

2. 나는 어머니가 내 여자 친구에게 전화한 것을 알고 있다.

3. 나는 독일에서 (대학을 다니며) 공부하고 싶기 때문에 독일어를 열심히 공부한다.

4. 나는 버스를 놓쳐서 늦게 왔다. (den Bus verpassen)

TEXT zum Ergänzen

___ ___① es schlecht! Mein Rücken ___ ___②. Mein rechtes Knie ___ auch ___ ②. Es ist ganz dick und blau. Ich ___③ einen Unfall.

Am Samstag ___ unser Sportclub ___ ___ Berge ___④. Abfahrt ___ schon ___⑤ 7.00 Uhr. Es war noch ganz dunkel und ___ ___ ___⑥. Um 9.00 Uhr ___ wir ___⑦. ___ ___ noch nicht ___ ___ ___⑧ auf der Piste und wir ___⑨ gut üben. Ich ___ oft hingefallen, ___ ich ___ zum ersten Mal in meinem Leben Snowboard ___⑩. Snowboarden ist wirklich schwer. Aber nach ___ ___ ___ ich schon ganz gut ___⑪. Gegen 11.00 Uhr ___ immer mehr Leute und ___ ___⑫ nicht mehr so viel Platz. Ich ___ vorsichtig ___⑬. Aber dann ___ ich plötzlich einen großen ___ ___ vor mir ___⑭. Ich ___ nicht anhalten und der Mann ___⑮ auch nicht mehr anhalten! KRACH!! Wir ___⑯ beide im Schnee! Ich ___ nichts mehr ___ und ___⑰. Herr Polske, unser Trainer, ___ sofort ___ Arzt ___⑱. Der Arzt hat mich untersucht. Er ___ ___, ___⑲ es nicht so schlimm ist. Aber ich ___ nicht, ___ es wirklich ___ so ___ ___⑳, ___ ich ___ nicht gut ___㉑.

Wörter und Ausdrücke

- es geht jm. gut/schlecht 누가 잘/잘 못 지내다; 한국어의 주어가 독일어 3격 목적어로 표현된다. 문장 첫머리에 3격 목적어가 오면, 주어 es는 동사 뒤로 간다. Jm. geht es gut/schlecht.
- der Rücken은 신체의 '등' 부분을 의미하지만, '허리가 아프다.'라고 할 때에도 'Mein Rücken tut weh.'라고 말한다.

- das rechte/linke Knie 오른쪽/왼쪽 무릎; der rechte/linke Fuß 오른발/왼발
- 'dick und blau'는 '붓고 멍든'을 의미한다.
- einen Unfall haben 사고를 겪다. 한국어에서는 사고의 책임 소재에 따라 '사고를 내다(einen Unfall verursachen)' 또는 '사고를 당하다'라고 구분하여 말하지만, 독일어의 'einen Unfall haben'에서는 사고의 책임 소재가 구분되지 않는다.
- die Abfahrt 출발, abfahren <분리동사; fuhr ... ab, ist ... abgefahren> 출발하다; ankommen <분리 동사; kam ... an, ist ... angekommen> 도착하다, die Ankunft 도착
- die Piste <-, -n> 스키 슬로프
- üben 연습하다, die Übung 연습
- hinfallen <fällt ... hin, fiel ... hin, ist ... hingefallen> 넘어지다
- zum ersten/letzten Mal in meinem Leben 내 인생에서 처음/마지막으로
- schwer 힘든, 어려운 (↔ leicht 쉬운)
- gegen 11.00 /elf Uhr 11시경에
- der Platz 공간(이 의미로는 복수형을 사용하지 않음.); der Platz (die Plätze) 좌석, 자리 (Hier sind noch zwei Plätze frei. 여기 아직 자리가 두 개 있다.)
- vorsichtig 조심스러운, die Vorsicht 조심
- plötzlich 갑자기
- anhalten <hält ... an, hielt ... an, hat ... angehalten> 멈춰서다 Der Bus hat nicht angehalten. 그 버스는 멈춰 서지 않았다.
- Krach! <의성어> (부딪쳐서 나는 소리) 꿍! 쾅!
- nichts mehr sehen und hören 더 이상 아무 것도 보지 못하고 듣지 못하다
- sofort 즉시
- jn. untersuchen (의사가) 누구를 진찰하다, sich untersuchen lassen 진찰받다
- schlimm 나쁜, (상처, 병 따위가) 심한
- laufen 걷다

Tipps

① 몸이 안 좋다.
② 아프다
③ 사고를 겪었다.
④ 산으로 갔다.

⑤ 출발은 7시였다.
⑥ 눈이 내렸다.
⑦ 9시에 도착했다.
⑧ 사람들이 아직 그렇게 많지 않았다.
⑨ 연습할 수 있었다.
⑩ 처음 탔기 때문에 자주 넘어졌다.
⑪ 2시간 후에는 잘 탈 수 있었다.
⑫ 사람들이 점점 더 많이 와서 자리가 그렇게 많지 않았다.
⑬ 조심스럽게 탔다.
⑭ 갑자기 내 앞에 있는 키 크고 뚱뚱한 남자를 보았다.
⑮ 나도 그 남자도 멈춰 설 수 없었다.
⑯ 우리 두 사람은 눈 속에 (넘어져) 누워있었다.
⑰ 아무 소리도 들리지 않았고, 아무 것도 보이지 않았다.
⑱ 선생님이 즉시 의사를 불렀다.
⑲ 의사가 ...다고 말했다.
⑳ 정말로 그렇게 나쁘지(심각하지) 않은지 모르겠다.
㉑ 내가 잘 걸을 수 없기 때문에

TEXT zum Übersetzen

나는 몸이 매우 안 좋다. 심한 감기에 걸렸고, 열이 있다.
그것은 지난 일요일에 시작되었다. 일요일에 나는 내 여자 친구들과 수영하러 갔었다. 오후에 천둥번개가 쳤으며, 강한 비가 내렸다. 날씨가 상당히 차가워졌다. 그러나 재미있어서 우리는 물속에 머물러 있었다. 내 입술은 아주 파래졌고, 나는 추위를 느꼈다. 월요일에 나는 학교에 갔다. 나는 내내 춥기도 했고, 덥기도 하였다. 열이 있어서였다. 화요일에는 열이 39.5도였고, 목이 아팠다. 나는 학교에 갈 수 없었고, 어머니께서 나를 병원으로 데리고 갔다. 의사는 나를 진찰했고, 내가 며칠 동안 자리에 누워있어야 한다고 말했다. 나는 약도 먹어야 한다. 오늘 아침에 Judith가 (내게) 전화했다. 토요일에 열리는 BTS 연주회 무료입장권 2장을 가지고 있다고 말했다. BTS는 내가 제일 좋아하는 그룹이다. Judith가 나를 초대했다. 그러나 나는 몸이 아파서 연주회에 갈 수 없다. 그래서 나는 지금 (기분이) 더 안 좋다!

Aufgepasst!

1. 누구의 몸/형편이 안 좋다: es geht jm. schlecht
2. 감기에 걸리다: sich erkälten. 여기에서는 이미 감기에 걸린 상태이므로 'eine Erkältung haben' 또는 'erkältet sein'이라는 표현을 사용할 수 있다. '심한 감기'는 'eine starke/schlimme Erkältung'이라고 한다.
3. 지난 일요일: am letzten Sonntag 또는 letzten Sonntag (명사 4격은 부사어로 사용됨).
4. 천둥번개가 치다: es gibt ein Gewitter; 강한 비가 내리다: es regnet stark
5. 날씨가 차가워지다: es wird kühl/kalt. 문맥상 추운 겨울 날씨를 말하는 것이 아니고 비교적 따뜻했던 날씨가 기온이 떨어져서 춥게 느껴졌다는 뜻이므로 kühl이 더 타당할 수 있다.
6. 물속에 머무르다: im Wasser bleiben
7. 재미있다(재미를 느끼다): Spaß haben
8. 누가 추위를 느끼다(춥다): jm. ist kalt/es ist jm. kalt.
9. 내내 (전 시간동안): die ganze Zeit (4격 명사구)
10. 누가 열이 ....도이다: jd. hat ... Grad Fieber
11. 누구의 목이 아프다: jd. hat Halsschmerzen 또는 js. Hals tut weh
12. 누구를 병원으로 데리고 가다: jn. zum Arzt bringen
13. 누구를 진찰하다: jn. untersuchen
14. 며칠 동안: ein paar Tage 또는 einige Tage
15. 자리에 누워있다: im Bett bleiben
16. 약을 먹다: Medikamente nehmen/einnehmen
17. 연주회 무료입장권: eine Freikarte für das Konzert
18. 제일 좋아하는 그룹: die Lieblingsgruppe
19. 누구의 몸/기분 등이 더 안 좋다(그래서 잘 못 지내다): es geht jm. noch schlechter

TEXT zum Korrigieren

Mir geht es nicht gut.

Ich bin nicht gut. Mir geht es sogar sehr schlecht! Es beginnte am Montag. Frau Widder, unsere Deutschprofessorin, sagte, dass wir schreiben am Freitag einen Test. Ich wollte schon am Dienstag für den Test gelernt, weil ich hatte im letzten Test nur sechs von zehn Punkten. Aber am Dienstag hat es zu erstem Mal geschnien. Ich bin mit meiner Freunde eine lange Wanderung gemacht. Denn wollte ich am Mittwoch für den Test lernen. Aber am Mittwoch haben alle meinen Freunde zum Ski gefahren gegangen. „Gut", denkte ich, „dann lerne ich am Donnerstag." Aber donnerstags kam meine Oma. Sie hat Geburtstag. Ich musste ganzen Nachmittag mit meiner Mutter, meinen Tante und meinen Cousine Kuchen essen und Café trinken. Ich fühlte mir nicht wohl. Ich muss immer an den Deutschtest denken. Dann hatte ich eine Idee. Ich habe sechs Tafeln von Omas Schokoladenkuchen geesst und viel Kakao getrinkt. In der Nacht war ich elend und ich hatte viel Bauchschmerzen. Am Morgen war mein Gesicht ganz weiß und ich musste unbedingt zum Arzt gegangen. Ich habe aber gefreut, weil ich den Test schreiben nicht musste. Fünf Minuten vor hat mich Susi telefoniert und sagt, dass es keinen Deutschtest gab, weil Frau Widder war krank. Danach ging ich wirklich schlecht.

Ihr TEXT

Wann waren Sie zum letzten Mal krank? Was hatten Sie? Warum sind Sie krank geworden? Wie haben Sie sich gefühlt? Was haben Sie gemacht?

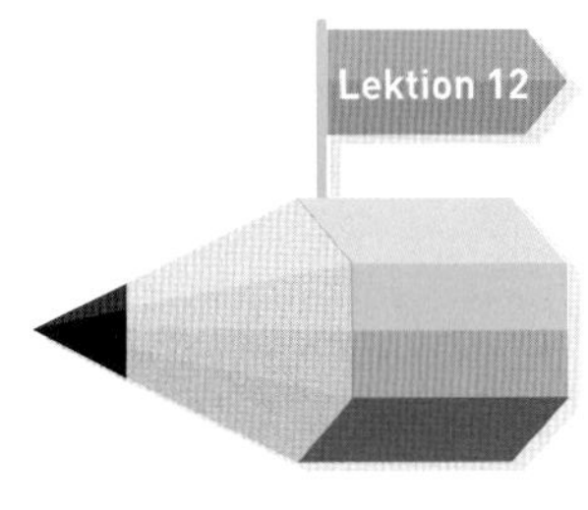

Lektion 12

Ich gehe nach Deutschland, um mein Deutsch zu verbessern.

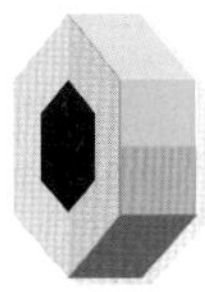

Modelltext

Lieber Stefan,
wie geht es dir? Wie ist das Wetter bei dir in Greven? In Korea hat die Regenzeit schon begonnen. Um nachts schlafen zu können, muss ich die Klimaanlage anschalten. Aber sonst geht es mir sehr gut. Denn endlich habe ich die Zulassung von der Universität Münster bekommen.
Ich werde im nächsten Semester für ein Jahr als Austauschstudent nach Deutschland gehen, um mein Deutsch zu verbessern. Die Universitätsverwaltung hat mir zusammen mit der Zulassung Informationen über Studentenwohnheime geschickt. Ich habe auch schon einen Antrag auf ein Zimmer beim Studentenwerk gestellt. Ich habe zwar eine Zusage für ein Zimmer im Studentenwohnheim bekommen, aber das Wohnheim ist sehr weit von der Uni entfernt. Ich habe keine Lust, auch in Deutschland jeden Tag lange mit dem Bus zu fahren. Daher überlege ich, mir ein Privatzimmer in Uninähe zu suchen. Ich weiß allerdings nicht, wie schwierig es ist, in Münster ein Zimmer zu finden, und wie hoch die Mieten sind. Deshalb möchte ich dich bitten, mir einige Tipps zu geben.
Ich freue mich auf jeden Fall, dich in Deutschland zu sehen.
Herzliche Grüße, auch an Susi.
Kihun

- die Regenzeit <-, 항상 단수> 장마철, der Regen + die Zeit
- die Zulassung <-, -en> 허가(서), eine Zulassung bekommen/erhalten 허가(서)를 받다

- der Austauschstudent <-en, -en> 교환학생, der Austausch 교환 + der Student 대학생
- die Universitätsverwaltung 대학 행정(부), die Universität 대학+ die Verwaltung 행정(부)
- das Studentenwohnheim <-(e)s, -e> 대학생기숙사, der Student 대학생 + das Wohnheim 기숙사
- der Antrag <-s, Anträge>신청(서), einen Antrag auf et. stellen 무엇을 신청하다
- das Studentenwerk (대학 부설) 학생 (후생복지) 지원처, der Student 대학생 + das Werk 기구, 기관
- die Zusage <-, -n> 승낙 (↔ die Absage 거절)
- weit 먼 (↔ nah)
- entfernt 떨어진
- daher 그래서
- überlegen 깊이 생각하다
- das Privatzimmer <-s, -> (공공 기숙사가 아닌) 민간 룸, privat 개인의/민간의 + das Zimmer 방
- die Uninähe <-, 항상 단수> 대학 근처, die Uni 대학(die Universität의 약자) + die Nähe 근처, 가까운 곳
- sich et. suchen 무엇을 구하다/찾다
- et. finden 무엇을 발견하다/찾다
- allerdings 하지만 물론
- die Miete <-, -n> 집세
- deshalb 그래서
- jn. (um et.) bitten 누구에게 (무엇을) 부탁하다, jn. bitten, ... zu .... 누구에게 ...을 부탁하다
- der Tipp <-s, -s> 유익한 정보
- auf jeden Fall 아무튼

…하기 위해서 um … zu + 부정사

Um nachts schlafen zu können, muss ich die Klimaanlage anschalten.
Ich werde im nächsten Semester für ein Jahr als Austauschstudent nach Deutschland gehen, um mein Deutsch zu verbessern.

나는 독일과 독일 사람들을 알기 위해서 독일어를 배운다.
Ich lerne Deutsch, um Land und Leute kennenzulernen.

나는 좋은 성적을 얻기 위해서 열심히 공부할 것이다.
Ich will fleißig lernen, um eine gute Note zu bekommen.

'um… zu + 부정사' 구문이 앞으로 오면 주절은 동사로 시작함

날씬한 몸매를 유지하기 위해서 나는 많이 먹으면 안 된다.
Um schlank zu bleiben, darf ich nicht viel essen.

더 빨리 집에 가기 위해서 택시를 탄다.
Ich nehme ein Taxi, um schneller nach Hause zu kommen.

zu에 화법조동사 구분이 올 때

나는 독일(대학)에서 공부할) 다음 학기에 독일에서 공부할 것이다.
Ich lerne Deutsch, um in Deutschland studieren zu können.

미래 시제 (Futur)

…할 것이다 werde … + <본동사>

Ich werde im nächsten Semester für ein Jahr als Austauschstudent nach Deutschland gehen.

나는 다음 학기에 독일에서 공부할 것이다.
Ich werde im nächsten Semester in Deutschland studieren.

나는 내년에 결혼할 것이다.
Ich werde im nächsten Jahr heiraten.

A1 **Setzen Sie die Sätze ins Futur.**

1. Sie fährt morgen nach Hause.

2. Ich mache einen Sprachkurs in Leipzig.

3. Am Wochenende bleiben wir zu Hause.

4. Ich rufe dich heute Abend an.

5. Ich sage dir so schnell wie möglich Bescheid.
(jm. Bescheid sagen 누구에게 (관련 사항에 대하여) 알려주다)

…로서 als …

그는 지멘스사에서 엔지니어로 일한다.
Er arbeitet als Ingenieur bei Siemens.

외국인으로 은행 계좌를 여는 것이 항상 쉽지만은 않다.
Es ist nicht immer einfach, als Ausländer ein Konto zu eröffnen.

…을 신청하다 einen Antrag auf et. stellen

나는 장학금을 신청하고 싶다.
Ich möchte einen Antrag auf ein Stipendium stellen.

독일에서 3개월 이상 체류하려면, 비자를 신청해야 한다.
Man muss einen Antrag auf ein Visum stellen, wenn man länger als drei Monate in Deutschland bleiben möchte.

A2 **Ergänzen Sie die Sätze.**

1. Nächstes Semester werde ich ____ Austauschstudentin ____ der Uni Jena studieren.

2. Sie arbeitet drei Monate ____ Praktikantin ____ Mercedes ____ Stuttgart.

3. Meine Freundin jobbt ____ Dolmetscherin ____ dieser Konferenz.

4. Ich habe einen Antrag ____ ein Zimmer ____ Studentenwohnheim gestellt.

5. Ihre Noten sind sehr gut! Versuchen Sie doch, ____ kommenden Semester einen Antrag ____ ein Stipendium zu stellen.

(비록) …이긴 하지만, 그러나 … zwar …, aber …

Ich habe zwar eine Zusage für ein Zimmer im Studentenwohnheim bekommen, aber das Wohnheim ist sehr weit von der Uni entfernt.

그 집은 아름답기는 하지만, 내게는 너무 비싸다.
Die Wohnung ist zwar schön, aber zu teuer für mich.

그가 비록 열심히 공부했지만, 그 시험에 합격하지 못했다.
Er hat zwar fleißig gearbeitet, aber die Prüfung nicht bestanden.

내가 그녀에게 여러 번 편지를 보냈지만, 답을 받지 못했다.
Ich habe ihr zwar mehrmals geschrieben, aber keine Antwort bekommen.

A3 Übersetzen Sie ins Deutsche.

1. 나는 독일어가 아름답기는 하지만, 매우 어렵다고 생각한다.

2. 나는 독일어를 전공으로 공부하지만, 내 독일어는 그렇게 훌륭하지 않다.

3. 다음 학기에 그녀는 뮌헨에 있는 코트라에서 실습생으로 일할 것이다.

4. 내년에 나는 교환학생으로 베를린에 가려고 한다.

…하고 싶은 생각 Lust, … zu + 부정사

Ich habe **keine Lust**, auch in Deutschland jeden Tag lange mit dem Bus **zu fahren.**

나는 또 하나의 외국어를 배울 생각/의향이 있다.
Ich habe Lust, noch eine Fremdsprache zu lernen.

저와 함께 영화관에 가실 생각이 있습니까?
Haben Sie Lust, mit mir ins Kino zu gehen?

우리와 함께 독일어를 배울 생각이 있니?
Hast du Lust, mit uns Deutsch zu lernen?

주말에 바닷가로 가고 싶은 생각이 있니?
Hast du Lust, am Wochenende ans Meer zu fahren?

나는 수업에 들어가고 싶은 생각이 없다(→ 싶지 않다). 날씨가 한마디로 너무 좋아.
Ich habe keine Lust, heute zum Unterricht zu gehen. Das Wetter ist einfach zu schön.

나는 이 시간대에 지하철을 타고 싶지 않다. 지하철에 사람이 너무 많아.
Ich habe keine Lust, um diese Zeit mit der U-Bahn zu fahren. Die U-Bahn ist zu voll.

이 더위에 요리하고 싶지 않다.
Ich habe keine Lust, bei dieser Hitze zu kochen.

··· 하는 것 zu + 부정사

> Daher überlege ich, mir ein Privatzimmer in Uninähe zu suchen.
> Ich weiß allerdings nicht, wie schwierig es ist, in Münster ein Zimmer zu finden, ...
> Deshalb möchte ich dich bitten, mir einige Tipps zu geben.
> Ich freue mich auf jeden Fall, dich in Deutschland zu sehen.

동사의 목적어 역할(가목적어 es를 사용하기도 함)

나는 내년에 독일에 갈 계획이다.
Ich plane, nächstes Jahr nach Deutschland zu gehen.

나는 다음 학기에 뮌스터에서 공부하려고 한다.
Ich habe vor, im nächsten Semester in Münster zu studieren.

나는 규칙적으로 운동하는 것이 중요하다고 생각한다.
Ich finde es wichtig, regelmäßig Sport zu treiben. (es는 가목적어)

문장의 주어 역할(보통 가주어 es가 앞에 옴)

입학허가서를 받기가 쉽지 않다.
Es ist nicht einfach, eine Zulassung zu bekommen.

비자 신청을 하는 것이 꼭 필요합니까?
Ist es notwendig, einen Antrag auf ein Visum zu stellen?

전치사의 목적어 역할

이 방에서 흡연하지 않을 것을 부탁합니다. → 이 방에서 흡연하지 말아주세요.
Ich bitte Sie (darum), in diesem Raum nicht zu rauchen.

만나 뵙게 되어 기쁩니다.
Ich freue mich (darüber), Sie kennenzulernen.

나는 벌써부터 너를 다시 보는 것을 기쁜 마음으로 기대한다.
Ich freue mich schon darauf, dich wiederzusehen.

Bilden Sie Sätze.

1. dich, mir, antworten. Ich, bitte, schnell, zu, möglichst

2. im, Semester, nach, nächsten, zu, Deutschland, Er, überlegt, gehen

3. ist, nicht, finden, einfach, einen, zu, Es, Ferienjob
   (der Ferienjob: 방학 중 아르바이트)

..., 의문사 종속절: 의문사가 종속절을 이끄는 경우

Ich weiß allerdings nicht, **wie schwierig** es ist, in Münster ein Zimmer zu finden, und **wie hoch** die Mieten sind.

그가 어디에 사는지 아십니까? - 아뇨, 그가 어디에 사는지 모릅니다.
Wissen Sie, wo er wohnt? - Nein, ich weiß nicht, wo er wohnt.

이 비행기가 언제 도착하는지 아십니까? - 아뇨, 언제 도착하는지 모릅니다.
Wissen Sie, wann die Maschine ankommt? - Nein, ich weiß nicht, wann sie ankommt.

그녀가 몇 살인지 아십니까? - 아뇨, 그녀가 몇 살인지 모릅니다.
Wissen Sie, wie alt sie ist? - Nein, ich weiß nicht, wie alt sie ist.

그가 무엇을 즐겨 먹는지 아니? - 아니, 그것은 몰라.
Weißt du, was er gern isst? - Nein, das weiß ich nicht.

A5 두 문장을 한 문장으로 만드시오.

1. Welcher Wochentag ist heute? Weißt du das?

2. Wann ist er geboren? Wissen Sie das?

3. An welcher Universität hat er studiert? Wissen Sie das?

4. Wann kommt der Zug an? Können Sie mir das sagen?

5. Wieviel Uhr ist es? Können Sie mir das sagen?

A6 Übersetzen Sie ins Deutsche.

1. 나는 학생기숙사에 살고 싶은 생각이 없다.

2. 베를린에서 방을 구하기가 힘들다.

3. 베를린에서 방세가 얼마나 하는지 모른다.

4. 내게 그에 관한 정보를 몇 개 보내주기를 부탁한다.

5. 나는 내년에 독일 대학에서 공부하게 되어 기쁘다.

TEXT zum Ergänzen

Lieber Kihun,

das ist ja eine tolle Nachricht! Ich freue ________① auch, _______ in Deutschland ____② sehen.

Ich habe _______ schon nach Studentenwohnungen ____ _____ Nähe ________③ Uni umgeschaut. Eine kleine Einzimmerwohnung um die 25㎡ kostet durchschnittlich 500 Euro pro Monat. Dazu kommen die Nebenkosten für Wasser, Strom, Heizung usw.

Ich rate dir allerdings, ____ ______ Wohngemeinschaft ____④ ziehen. Ein Zimmer in einer WG ist nicht nur günstiger, ___________ du kannst _______⑤ dein Deutsch schneller verbessern, ________ du _____ ___________⑥ zusammen wohnst. ____⑦ Anhang findest du einige interessante Angebote. Alle Wohnungen liegen zentral und in Uninähe. Du kannst ___ Fuß ______⑧ Uni gehen.

________ du mir schreibst, _________ _____⑨ am besten gefallen, kann ich ________ ⑩ näher erkundigen. Ich helfe _____⑪ gern.

So weit für heute. Ich warte ______ ________⑫ Antwort.

Herzliche Grüße
Stefan

Wörter und Ausdrücke

- die Nähe 가까운 곳, 근처, in der Nähe + 2격 명사구: … 근처에
- sich nach et.3 umschauen 무엇을 (알아보기 위해서) 둘러보다
- die Einzimmerwohnung 원룸 (아파트)

- um + 수량 (대략) … 대의, eine kleine Einzimmerwohnung um die 25㎡ 25 평방미터 대의 크기의 원룸 아파트
- durchschnittlich 평균적으로, der Durchschnitt 평균
- pro 매…, …당 pro Monat 매월, einmal pro Woche 주당 한 번
- hinzukommen …이 더해지다
- die Nebenkosten <항상 복수> (기본 집세에) 추가로 부과되는 비용, 부대비용
- der Strom <-s, 항상 단수> 전기
- die Heizung <-, -en> 난방
- in … ziehen …로 (이사) 들어가다, in eine große Stadt/Wohnung 어느 도시/집으로 이사하다
- jm. et. raten 누구에게 무엇을 조언하다; jm. raten, … zu … 누구에게 …하라고 조언하다
- allerdings 하지만 (물론)
- die WG (die Wohngemeinschaft) 주거 공동체
- günstig (성능 대비) 가격이 저렴한
- nicht nur …, sondern auch … …뿐만 아니라, … 또한
- der Anhang <-(e)s, Anhänge> 첨부, 부록
- das Angebot <(e)s, -e> 제안
- verbessern 더 좋게 만들다, 개선하다
- zentral 중심의
- die Uninähe 대학 근처, die Uni 대학 + die Nähe 근처
- sich nach et.[3] erkundigen 알아보다
- näher (nah의 비교급) 더 자세히
- so weit für heute 오늘은 여기까지

Tipps

① 기쁘다
② 너를 독일에서 보다
③ 너의 대학 근처에 (정보를 얻기 위해서) 둘러보다.
④ 주거 공동체로 이사 들어가는 것을
⑤ 더 저렴할 뿐만 아니라, 너의 독일어도 더 빨리 개선할 수 있다

⑥ 다른 사람들과 함께 살면
⑦ (이메일의) 첨부에
⑧ 걸어서 대학에 가다
⑨ 어떤 것이 네게 가장 마음에 드는지 글로 알려주면
⑩ (정보를 얻기 위해서) 알아보다
⑪ 너를 도와줄게
⑫ 너의 답을 기다리마

TEXT zum Übersetzen

Anika에게

어떻게 지내니? 너희가 있는 Tübingen의 날씨는 어때? 서울은 매일 비가 내린다. 벌써 장마철이 시작했기 때문이야. 나는 잠을 자기 위해서 밤에 에어컨을 켜야 해. 하지만 그것 말고는 잘 지내고 있어. 나는 오랫동안 Tübingen 대학으로부터 입학허가서가 오기를 기다렸어. 그런데 어제 마침내 왔어!

다음 학기에 나는 독일어 실력을 개선하기 위해서 일 년 동안 교환학생으로 Tübingen에 가. 대학 행정기관에서 내게 학생기숙사에 관한 정보를 보냈어. 학생지원처에 벌써 방을 신청했어. 학생지원처에서 내게 학생기숙사의 방 승인서를 보내주기 했으나, 그 기숙사가 대학에서 매우 멀리 떨어져 있어. 나는 Tübingen에서도 매일 오랫동안 버스를 타고 싶지 않아. 여기 서울에서 나는 매일 한 시간 넘게 버스를 타고 대학에 가. 그래서 대학 근처에 민간 방을 찾아볼까 해. 그러나 Tübingen에서 방을 구하는 것이 얼마나 어려운지 모르겠어. 그런데 그곳 방값은 얼마나 돼? 그래서 네가 내게 몇 가지 정보를 알려주었으면 해.

독일에서 너를 보게 되어 매우 기쁘다. 네 남자 친구 Jan은 어떻게 지내니? Jan에게도 안부 전해 줘.

곧 볼 때까지 안녕

지원이가

Aufgepasst!

1. 너희가 (살고) 있는 Tübingen의 날씨: das Wetter bei euch in Tübingen
2. ··· 때문이야: denn .... 대등접속사 denn은 문장의 어순에 영향을 미치지 않음.
3. ···하기 위해서: um ... zu
4. 그것 말고는: sonst; Montags und dienstags habe ich Unterricht. Sonst habe ich immer frei. 월요일과 화요일에는 내가 수업이 있어. 그 밖에는 항상 시간이 있어.
5. 오래 기다렸다: Ich habe lange (auf et.) gewartet; 무엇이 왔다: ... ist gekommen.
6. 내 독일어 실력을 개선하기 위해서: um meine Deutschkenntnisse zu verbessern
7. 대학 행정기관: die Universitätsverwaltung
8. 누구에게 무엇에 관한 정보를 보내다: jm. Informationen über et. schicken
9. 무엇을 신청하다: eine Antrag auf et. stellen
10. ···이나, ···: zwar ..., aber ...
11. 승인서: die Zusage; ···에서 멀리 떨어져 있다: ... ist weit von et. entfernt
12. ···하고 싶지 않다: keine Lust haben, ... zu ...
13. 한 시간 넘게: über eine Stunde
14. ···해 볼까 해: ich überlege, ... zu .... ; (대학 등 공공기관에서 관리하지 않는) 민간 방: das Privatzimmer
15. 네가 ··· 했으면 해: ich möchte dich bitten, ...; 몇 가지 정보/팁: einige Tipps
16. ···하게 되어 기쁘다: Ich freue mich, ...
17. ···에게 안부 전해줘: Schöne/Herzliche Grüße an jn.
18. ...까지 안녕: Bis ...; 다음 주(에 볼 때)까지 안녕: Bis nächste Woche.
19. 인사 끝에 Dein/Ihr + 남성 이름, Deine/Ihre + 여성 이름

TEXT zum Korrigieren

Liebe Bettina, *geht es dir?*

wie es dir geht? Wie das Wetter bei euch ist? Regnet es viel? In Daegu es regnet jeden Tag, weil die Regen Zeit hat schon angefangen. Um zu schlafen können, nachts muss ich die Klimaanlage anschalten. Aber sonst gehe ich sehr gut. Gestern habe ich endlich Zulassung aus der Universität Hamburg bekommt! Im nächstem Semester werde ich ein Jahr als Austauschstudent zu Hamburg gehen. Die Universitätsverwaltung hat mich auch Information über Studentenwohnheime geschickt. Aber ich möchte besser in einer WG mit deutschen Studenten leben. Dann ich kann viel schnell Deutsch lernen. Ich weiß aber nicht, wie schwierig ist es, in Hamburg ein WG-Zimmer zu suchen. Wie hoch sind dort die Miete? Ich möchte dir bitten, mir einige Tipps zu geben.

Herzliche Gruß aus Daegu

Deine Suyeon

Ihr TEXT

Stellen Sie sich vor, dass Sie von einer deutschen Universität eine Zulassung zum Studium bekommen haben. Schreiben Sie einer deutschen Freundin oder einem deutschen Freund eine Mail darüber und bitten Sie sie/ihn, Ihnen Informationen über Wohnungen und Mietpreise zu schicken.

Wie schreibt man auf Deutsch?

부록

Schlüssel

Lektion 1

A1 1. Mein Name ist Peter und ich lebe in Berlin. 2. Ich bin 16 Jahre alt. 3. Ich habe einen Bruder und eine Schwester. 4. Mein Hobby ist Schwimmen. 5. Wie ist dein Name?

A2 1. Name 2. ich, in 3. Jahre 4. Bruder, und, Schwester 5. Mein Hobby, Tennis

A3 Tag, Maria, Schmidt, Berlin, Schüler, Vater, Lehrer, Mutter, Bank, Bruder

A4 1. Ich heiße Daniel. 2. Wo wohne ich? 3. Ich wohne in Köln. 4. Wie ist deine Adresse? 5. 'Peter' ist ein deutscher Name. 6. Wie geht es Ihnen? - Danke, mir geht es gut.

A5 1. Ich wohne in Seoul. 2. In Deutschland studiere ich. 3. Mein Vater wohnt in Korea. 4. Wie geht es Ihnen? 5. Mir geht es gut.

A6 Mein Name ist Maria. Ich bin Studentin. Ich bin 21 Jahre alt und wohne in Berlin. Mein Hobby ist Tennis. Ich habe drei Geschwister, und zwar einen Bruder und zwei Schwestern. Mein Bruder Daniel ist 18 Jahre alt. Meine Schwester Lina ist 15 und meine Schwester Anna ist 24 Jahre alt.

A7 Ich heiße Lukas. Ich bin 1,80m groß. Ich wohne in Essen. Morgens esse ich ein Brötchen und trinke eine Tasse Kaffee. Meine Großmutter sagt, Wasser ist gesund. Das weiß ich auch. Aber ich trinke nicht gern Wasser.

A9 1. Sie heißt Doris Müller. Sie wohnt in der Bahnhofstr. 6 in Bochum. Ihre

Telefonnummer ist (0234) 963025. Sie ist am 10. 6. 1984 geboren. Sie ist in Bonn geboren.

2. Das ist mein Lehrer. Er heißt Bernd Polske. Er wohnt in der Frauenstr. 10. Seine Telefonnummer ist (0251)4922701. Er ist am 5. 5. 1948 geboren. Er ist in Osnabrück geboren.
3. Das ist mein Freund. Er heißt Jonas Kohl. Er wohnt in der Böckler-Allee 21. Seine Telefonnummer ist 0241-86678. Seine E-Mail-Adresse ist kohl@t-online.de. Er ist am 6. 7. 1987 in Köln geboren.
4. Das ist meine Freundin. Sie heißt Andrea Scholz. Sie wohnt am Alexanderplatz 8 in Berlin. Ihre Handynummer ist 0179-5367866. Ihre E-Mail-Adresse ist ascholz@hotmail.com. Sie ist am 26. 4. 1994 in Kiel geboren.

A10 Das ist eine Visitenkarte. Es ist die Visitenkarte von Silvia Schneider. Frau Schneider kommt aus Deutschland. Sie ist Rechtsanwältin. Sie wohnt in Gemünden. Ihr Büro ist in der Fischerstr. 2. Die Telefonnummer ist 09351-2772. Frau Schneider arbeitet auch in Gemünden. Ihre Privatnummer ist 09351-2387.

A11 1. Ich komme aus Korea. 2. Ich bin am 25. Mai in Busan geboren. 3. Sie kommt aus Deutschland. 4. Sie ist am 18. Februar 1999 geboren. 5. Das sind meine Eltern. 6. Meine Mutter ist Professorin. 7. Mein Bruder arbeitet bei VW. 8. Meine Wohnung ist in der Johannesstraße 8.

A12 Das ist mein Freund. Er heißt Daniel Wolff. Er kommt aus Deutschland. Er wohnt in Köln. Er ist Student. Seine Telefonnummer ist 0221-304035.

Das ist meine Freundin. Sie heißt Ute Fischer. Sie kommt aus Deutschland. Sie wohnt in Berlin. Sie ist 21 Jahre alt und Studentin. Ihre Telefonnummer ist 030-390988.

TEXT zum Korrigieren

1. Das ist mein Freund. Er heißt Michael Kant. Er wohnt in Münster. Seine Telefonnummer ist 0251-743823. Er ist am 24. 12. 1984 geboren. Er ist in Heidelberg geboren.
2. Petra König kommt aus Deutschland. Sie ist Ingenieurin. Sie arbeitet bei der Firma Bosch in Stuttgart. Ihr Büro ist am Robert-Bosch-Platz 1. Die Telefonnummer ist 0711-814453. Frau König wohnt auch in Stuttgart. Die Telefonnummer ist 0711-213687.

Lektion 2

A1 Minho: Vorname: Minho; Nachname: Kang; Alter: 21 Jahre; Größe: 1,74m; Haarfarbe: schwarz; Augenfarbe: braun. Familie: Eltern und eine Schwester; Wohnort: Seoul.

Yuri: Vorname: Yuri; Nachname: Kang; Alter: 17 Jahre; Größe: 1,58m; Augenfarbe: braun; Haarfarbe: rot; Charakter: ein bisschen verrückt.

Minhos Eltern: Vater: Lehrer; Mutter: Lehrerin; Charakter: nett

A2 1. der Großvater 2. die Großmutter 3. der Onkel 4. die Tante 5. die Tante 6. der Onkel 7. die Großeltern 8. der Onkel

A3 1. mein Vater 2. mein Onkel 3. meine Großmutter/Oma 4. meine Tante

A4 1. einen, Mein, eine 2. eine, Meine, einen 3. einen, Mein, eine 4. einen, eine

A5 1. Hast du Geschwister? 2. Ich habe einen jüngeren Bruder. 3. Hast du eine (ältere) Schwester? 4. Hast du einen (älteren) Bruder? 5. Mein älterer Bruder ist Student. 6. Ich habe eine Großmutter. 7. Mein Großvater mütterlicherseits ist Arzt. 8. Meine Tante mütterlicherseits ist Lehrerin.

A6 1. Du hast schwarze Haare. 2. Du hast braune Augen. 3. Er hat schwarze Haare. 4. Sie hat braune Augen. 5. Seine Haare sind weiß. 6. Ihre Augen sind braun.

A7 1. Meine Haare sind schwarz. Ich habe schwarze Haare. 2. Meine Großmutter hat weiße Haare. Ihre Haare sind weiß. 3. Seine Augen sind blau. Er hat blaue Augen. 4. Deine Augen sind braun. Du hast braune Augen.

A8 2. Ihre Nase ist lang und dünn. 3. Ihr Mund ist klein und rot. 4. Ihr Gesicht ist schön und rund.

A9 1. Er hat schwarze Haare. Er hat kurze, schwarze Haare. Seine Haare sind kurz und schwarz.
2. Er hat braune Augen. Er hat kleine, braune Augen. Seine Augen sind klein und braun.

3. Er hat kleine Ohren. Er hat kleine, runde Ohren. Seine Ohren sind klein und rund.
4. Er hat eine dicke Nase. Er hat eine dicke, hässliche Nase. Seine Nase ist dick und hässlich.
5. Er hat einen roten Mund. Er hat einen breiten, roten Mund. Sein Mund ist breit und rot.

A10 1. große, braune, nette Augen; braune Haare, blonde Haare, weiße Haare.

A11 Über Minho: 2. Er ist Student. 3. Er ist 21 Jahre alt. 4. Er ist 1,74m groß. 5. Er ist nett.
Über Yuri: 1. Sie kommt aus Korea. 2. Sie ist Schülerin 3. Sie ist 17 Jahre alt. 4. Sie ist ein bisschen verrückt.

A12 1. Frau Schmidt ist freundlich, aber Herr Schmidt ist sehr unfreundlich.
2. Ich bin 23 Jahre alt und 1,70m groß.
3. Sein Mund ist groß, aber seine Augen sind klein.
4. Mein Bruder ist schon Student, aber ich bin noch Schülerin.
5. Ich bin groß, aber meine Schwester ist sehr klein.

TEXT zum Ergänzen

Hallo,
ich heiße Yuna Ahn. Ich bin 19 Jahre alt und Studentin. Ich bin 1,65m groß und habe schwarze Haare. Meine Augen sind braun. Ich wohne in Daejeon. Das ist eine große Stadt in Korea.
Ich habe zwei Schwestern. Sie heißen Mina und Jina. Mina ist 15 Jahre alt und Mittelschülerin. Sie ist fleißig. Jina ist 17 Jahre alt und Oberschülerin. Sie ist faul. Mina hat kurze Haare, aber Jina (hat) lange Haare.
Mein Vater ist Professor und meine Mutter ist Ärztin. Meine Eltern sind streng, aber nett.
Und wie heißt du? Hast du auch Geschwister? Und wo wohnst du?
Viele Grüße
Deine Yuna

TEXT zum Übersetzen

Seoul, den 18. 4. 2019

Lieber Brieffreund,

ich heiße Dongho Shin. Ich bin 20 Jahre alt und Student. Ich bin 1,73m groß und habe kurze schwarze Haare. Meine Augen sind klein und braun. (=Ich habe kleine braune Augen.) Ich wohne in Gwangju. Das ist eine große Stadt.

Ich habe einen (jüngeren) Bruder und eine (ältere) Schwester. Mein Bruder heißt Junho. Er ist 17 Jahre alt und noch Schüler. Er ist fleißig. Meine Schwester heißt Dongju. Sie ist 22 Jahre alt und Studentin. Sie hat lange braune Haare und große Augen. Sie ist schön.

Mein Vater ist Professor und meine Mutter ist Lehrerin. Sie sind nett.

Und wie heißt du? Hast du auch Geschwister? Und wo wohnst du?

Viele Grüße

Dongho

TEXT zum Korrigieren

Lieber Mailfreund,

mein Name ist Yuna Kim. Ich bin 21 Jahre alt und Studentin. Ich bin 1,61m groß und habe schwarze Haare. Meine Augen sind braun. Ich wohne in Busan. Das ist eine große Stadt in Korea.

Ich habe zwei Brüder. Sie heißen Sudong und Judong. Sudong ist 16 Jahre alt und noch Schüler. Er ist fleißig. Judong ist 18 Jahre alt und schon Student. Er ist faul.

Mein Vater ist Rechtsanwalt und meine Mutter ist Ärztin. Meine Eltern sind streng, aber nett.

Und wie heißt du? Hast du auch Geschwister? Und wo wohnst du?

Viele Grüße

Deine Yuna

Lektion 3

A1 1. Deutsche 2. Deutscher 3. Angestellte, Angestellter, Angestellte 4. Alter 5. Fremder 6. Neue

A2 1. Sie ist Amerikanerin. 2. Er ist Deutscher. 3. Sie ist Deutsche. 4. Er ist

Österreicher. 5. Er ist Japaner. 6. Sie ist Chinesin. 7. Er ist Franzose. 8. Sie ist Russin. 9. Er ist Brite/Engländer. 10. Er ist Italiener.

A3 1. ich habe keine Schwester; ich habe keine Freundin; ich habe keine Hobbys.
2. ich lerne nicht gern Fremdsprachen; ich mache nicht gern Hausaufgaben; ich gehe nicht gern in die Schule.
3. ich mag kein koreanisches Essen/ich mag koreanisches Essen nicht; ich mag keine Katzen/ich mag Katzen nicht.

A4 1. Ich habe keine Geschwister. 2. Ich habe kein Wörterbuch. 3. Ich habe keine Zeit. 4. Meine Eltern wohnen nicht in Deutschland. 5. Ich lerne gern Fremdsprachen. 6. Ich gehe nicht gern ins Museum. 7. Ich mag Schokolade./Ich esse gern Schokolade. 8. Ich mag keine Hunde.

A5 1. Ich schwimme sehr gern. Schwimmst du auch gern? Nein, ich schwimme nicht gern.
2. Ich fotografiere sehr gern. Fotografierst du auch gern? Nein, ich fotografiere nicht gern.
3. Ich spiele sehr gern Fußball. Spielst du auch gern Fußball? Nein, ich spiele nicht gern Fußball.

A6 1. Ich spiele sehr gern Tennis. 2. Er ist ein bisschen faul. 3. Meine (jüngere) Schwester ist ganz/ziemlich fleißig. 4. Seoul ist sehr groß. 5. Mein Lehrer ist ganz/ziemlich streng. 6. Meine Großeltern sind sehr alt.

A7 1. Mein Lieblingsfach ist Englisch. Ich möchte Englischlehrer/in werden.
2. Mein Lieblingsfach ist Deutsch. Ich möchte Deutschlehrer/in werden.
3. Mein Lieblingsfach ist Biologie. Ich möchte Biologe/Biologin werden.
4. Mein Lieblingsfach ist Chemie. Ich möchte Chemiker/in werden.
5. Mein Lieblingsfach ist Mathematik. Ich möchte Mathematiker/in werden.
6. Mein Lieblingsfach ist Physik. Ich möchte Physiker/in werden.
7. Mein Lieblingsfach ist Geschichte. Ich möchte Historiker/in werden.
8. Ich möchte Tennisspieler/in werden.
9. Ich spiele sehr gern Fußball. Ich möchte Fußballspieler/in werden.
10. Ich treibe sehr gern Sport. Ich möchte Sportlehrer/in werden.

A8 1. Ich mag Sport. Ich möchte Sportlehrer/in werden.
2. Ich reise gern. Geographie ist mein Lieblingsfach.
3. Mein (jüngere) Schwester spricht gern Deutsch. Sie möchte Deutschlehrerin werden.
4. Mein (jüngerer) Bruder spielt gern Computerspiele. Er möchte Softwareprogrammierer werden.
5. Chemie ist ihr Lieblingsfach. Sie möchte Chemikerin werden.
6. Meine (jüngere) Schwester mag Tiere. Sie möchte Tierärztin werden.
7. Mein Freund spielt gern Computerspiele/Mein Freund mag Computerspiele. Er möchte Gamer werden.

TEXT zum Ergänzen

Lieber Minho,
vielen Dank für deine Mail. Mein Name ist Annegret Klein. Aber alle nennen mich Anne. Ich bin auch 21 Jahre alt. Ich bin zwar Deutsche, aber meine Mutter kommt aus Korea. Ich bin 1,74m groß und habe lange braune Haare. Meine Augen sind auch braun. Ich habe einen kleinen Bruder. Er ist fünfzehn Jahre alt. Ich habe keinen Hund, aber eine Katze. Sie ist schwarz und heißt Kitty.
Mein Vater ist Sportlehrer und meine Mutter ist Englischlehrerin. Meine Eltern sind ein bisschen konservativ. Sie wohnen in Heidelberg. Heidelberg ist eine schöne alte Stadt.
Ich studiere Koreanistik an der Universität Tübingen. Ich möchte Übersetzerin werden. Tübingen ist ziemlich klein. In Tübingen studieren auch viele Koreaner.
Meine Hobbys sind Tanzen und Bücher lesen. Ich schwimme auch gern.
Schreib doch mal über deinen Alltag und deine Hobbys.

Viele Grüße
Anne

Text zum Übersetzen

Lieber Minho,
vielen Dank für deinen Brief. Mein Name ist Gerhard Jahnel. Ich bin Österreicher und 18 Jahre alt. Ich bin ziemlich groß (1,98m) und habe braune Haare. Ich habe keine Geschwister, aber viele Freunde.
Mein Vater ist Polizist und meine Mutter ist Malerin. Sie malt sehr gut. Mein

Vater ist sehr streng, aber meine Mutter ist nicht so streng. Wir wohnen in Graz. Graz ist eine sehr alte und schöne Stadt.
Meine Schule heißt Maximilian-Gymnasium. Meine Deutschlehrerin ist sehr nett. (Sie ist sehr schön!!!) Was ist mein Lieblingsfach? Deutsch! Ich schwimme auch gern, aber ich mag meinen Sportlehrer nicht. Ich möchte Polizist werden. Gehst du gern in die Schule? Hast du Hobbys?

Bis bald.
Gerhard

TEXT zum Korrigieren

Mainz, den 17. 10. 2019

Lieber Minho!
Vielen Dank für deinen Brief. Ich heiße Mark Pfeifer. Ich bin 17 Jahre alt. Ich bin Deutscher. Ich habe blaue Augen und blonde Haare. Ich bin ziemlich/sehr groß.
Ich habe eine Schwester, aber keinen Bruder. Meine Schwester heißt Maria. Sie ist 15 Jahre alt und ganz okay.
Mein Vater ist Mathematiklehrer und meine Mutter ist Hausfrau. Sie sind sehr nett. Ich gehe auf das Gutenberg-Gymnasium. Meine Lieblingsfächer sind Physik und Mathe. Ich mag auch Englisch und Französisch. Mein Französisch ist sehr gut.
Mein Hobby ist Sport. Ich schwimme gerne und spiele gerne Fußball.

Viele Grüße/Bis bald
Mark

Lektion 4

A1 1. Um Viertel nach sieben frühstücke ich. 2. Um halb acht fahre ich zur Arbeit. 3. Um zwölf Uhr esse ich zu Mittag. 4. Um vier Uhr fahre ich mit dem Bus nach Hause. 5. Um zwölf Uhr gehe ich ins Bett.

A2 2. Dienstags habe ich zuerst Lektüre. Dann habe ich Aufsatz. Und danach habe ich Englisch.
3. Mittwochs habe ich zuerst Philosophie. Dann habe ich Geschichte. Und danach

habe ich Medien.

4. Donnerstags habe ich zuerst Kultur. Dann habe ich Übersetzen. Und danach habe ich Religion.
5. Freitags habe ich zuerst Dolmetschen. Dann habe ich Gesellschaft. Und danach habe ich Enkodierung.

A3 1. Um wieviel Uhr stehst du auf? - Ich stehe morgens um 6 Uhr auf.
2. Um wieviel Uhr frühstückst du? - Normalerweise frühstücke ich um 7 Uhr.
3. Wann hast du am Donnerstag Unterricht? - Am Donnerstag habe ich von 8 bis 12 Uhr Unterricht.
4. Wo isst du zu Mittag? - Ich esse in der Mensa zu Mittag.
5. Was machst du vor dem Abendessen? -Vor dem Abendessen höre ich Musik.
6. Was machst du nach dem Abendessen? - Nach dem Abendessen mache ich Hausaufgaben.
7. Wann gehst du ins Bett? - Ich gehe um 12 Uhr ins Bett.
8. Was machst du am Wochenende? - Am Wochenende treffe ich meine Freunde.
9. Gehst auch samstags zur Uni? - Nein, samstags habe ich keinen Unterricht.
10. Was machst du am Sonntag? - Sonntags gehe ich zuerst in die Kirche und danach spiele ich Fußball.

A4 1. Am Nachmittag habe ich auch Unterricht. 2. Ich gehe schon um sieben Uhr zur Universität. 3. Von zwei bis halb fünf mache ich meistens Hausaufgaben. 4. Sonntags spiele ich oft Fußball oder Tennis.

A5 1. Ich gehe selten ins Kino. 2. Sonntags gehe ich nie zur Arbeit. 3. Nach der Schule/ Arbeit spiele ich oft Tennis oder Fußball. 4. Ich gehe immer vor zwölf Uhr ins Bett. 5. Meine Großmutter/Oma ist schon 80 Jahre alt.

A6 1. Wie kommst du nach Hause? Ich fahre mit dem Bus. Fährst du auch mit dem Bus? Nein, ich nehme die U-Bahn.
2. Wie kommst du zur Universität? Ich fahre mit dem Fahrrad zur Universität. Fährst du auch mit dem Fahrrad? Nein, ich gehe zu Fuß.
3. Wie kommst du zum Hotel? Ich fahre mit dem Taxi zum Hotel. Fährst du auch mit dem Taxi? Ja, ich nehme auch ein Taxi.

A7 1. Wie kommen Sie ins Büro? - Normalerweise nehme ich die U-Bahn.
2. Was machen Sie nach der Arbeit? - Meistens gehe ich zum Sportzentrum. Aber manchmal gehe ich auch sofort nach Hause.
3. Sind Sie sonntags normalerweise zu Hause? - Nein, ich gehe oft in die Bibliothek oder ins Internetcafé.
4. Auf welche Universität gehen Sie?/Welche Universität besuchen Sie? - Ich gehe auf die Humboldt-Universität in Berlin./Ich besuche die Humboldt-Universität in Berlin.

TEXT zum Ergänzen

Aachen, den 10. 5. 2019

Hallo Minho!
Danke für deine Mail. Dein Tagesablauf ist ja wirklich schrecklich!!!
Hier ist mein Tagesablauf: Sieben Uhr! Der Wecker klingelt. Ich stehe nicht auf. Fünf nach sieben! Der Wecker klingelt noch einmal! Ich stehe endlich auf. Ich dusche, frühstücke und putze mir die Zähne. Aber ich bin immer noch sehr müde. Meistens fahre ich mit dem Fahrrad zur Universität. Manchmal nehme ich auch den Bus. Montags, mittwochs und donnerstags habe ich drei Veranstaltungen, zwei am Morgen und eine am Nachmittag. Nach den Veranstaltungen fahre ich nach Hause. Zuerst erledige ich die Aufgaben für die Seminare. Am Dienstag habe ich nur ein Seminar. Nachmittags gebe ich Nachhilfeunterricht in Deutsch. Am Freitag habe ich keine Veranstaltung. Da spiele ich oft mit meinen Kommilitonen Fußball.
Nach dem Abendessen sehe ich fern oder surfe im Internet. Aber ich lerne auch oft für eine Klausur. Meistens gehe ich um elf Uhr ins Bett. Am Wochenende stehe ich spät auf.
Was machst du am Sonntag? Ich freue mich auf deine Mail.

Viele Grüße
Tobias

PS: Meine Lieblingsgruppe ist Exo.

TEXT zum Übersetzen

Lieber Minho!
Vielen Dank für deine Mail. Dein Tagesablauf ist ja wirklich schrecklich!!!
Hier ist mein Tagesablauf: Ich stehe schon um halb sieben auf. Vor dem Frühstück treibe ich Sport. Nach dem Frühstück fahre ich zur Universität. Ich nehme immer die U-Bahn. Von neun bis ein Uhr habe ich Veranstaltungen. Dienstag ist mein Lieblingstag. Dienstags habe ich meine Lieblingsveranstaltungen: Mathematik, Physik und Informatik. Das Informatikseminar ist nie langweilig. Nach den Veranstaltungen fahre ich nach Hause und esse zu Mittag. Danach erledige ich meistens meine/die Seminaraufgaben. Dienstagnachmittags spiele ich Tennis. Donnerstagabends gebe ich Nachhilfeunterricht in Mathematik. Samstags gehe ich manchmal schwimmen oder ins Kino. Und sonntags schlafe ich lange!!!
Was machst du am Sonntag?
Ich freue mich auf deine Mail!

Viele Grüße
Dein E-Mailfreund Frank

TEXT zum Korrigieren

Berlin, den 7. 5. 2019

Lieber Gert,
vielen Dank für deine Mail. Dein Tagesablauf ist sehr langweilig.
Hier ist mein Tagesablauf: Um halb sieben aufstehen, waschen, anziehen. Ich frühstücke nie. Ich fahre immer mit dem Bus zur Arbeit. Von Montag bis Donnerstag arbeite ich bis 17.00 Uhr. Am Freitag arbeite ich nur bis 13 Uhr. Am Freitagnachmittag spiele ich Tennis. Das macht Spaß! Abends sehe ich fern. Um 22. 30 Uhr gehe ich ins Bett. Samstags gehe ich manchmal schwimmen oder ich male. Am Sonntag gehe ich in die Kirche.
Was machst du am Sonntag? Gehst du auch in die Kirche?

Viele Grüße
Deine Anne

Lektion 5

A1

EINLADUNG

Liebe Daniela!

Ich habe am 6. Dezember Geburtstag. Das möchte ich feiern.

Wann? Am Samstag, dem 8. Dezember
Beginn: um 19.00 Uhr
Ende: um ? Uhr
Wo? Bei mir zu Hause
Bitte mitbringen: gute Laune

Bis Samstag
Tobi

A2 (1) Wir feiern unsere Hochzeit. Wir laden Sie zu unserer Hochzeit herzlich ein.
(2) Ich feiere meinen Studienabschluss. Ich lade euch zu meiner Abschlussfeier herzlich ein.
(3) Wir feiern Silvester. Wir laden euch zu unserer Silvesterparty herzlich ein.

A3 (1) Wir feiern am zweiten Februar Hochzeit.
(2) Wir haben am fünften Mai keinen Unterricht.
(3) Wir feiern am fünfundzwanzigsten Dezember Weihnachten.

A4 1. Was machen Sie am fünften Mai? Der fünfte Mai ist Kindertag. Ich gehe in den Kinderpark.
2. Was machen Sie am elften Mai? Der elfte Mai ist ein Freitag. Ich gehe ins Kino.
3. Was machen Sie am zweiundzwanzigsten Mai? Der zweiundzwanzigste Mai ist ein Dienstag. Ich besuche meine Großeltern.

A5 1. Ich will/möchte ein Stipendium bekommen. Deshalb muss ich viel lernen.
2. Ich möchte gerne einen Hund haben. Aber ich darf keinen Hund haben. Meine Eltern mögen keine Hunde.
3. Ich muss/möchte früh zu Hause sein. Deshalb möchte/muss/will ich ein Taxi

nehmen.
4. Kannst du mir bitte deine Email-Adresse geben? Ich möchte/will dir schreiben.
5. Er spielt sehr gut Tennis. Er kann dir Tennisunterricht geben.

A6 (1) Ich möchte am Samstag, dem zwölften August, meine Geburtstagsparty machen/meinen Geburtstag feiern.
(2) Ich möchte dich herzlich zu meiner Geburtstagsparty einladen. Kannst du zu meiner Geburtstagsparty kommen?
(3) Du kannst bei mir übernachten. Meine Eltern sind einverstanden.
(4) Leider kann ich nicht zu deiner Geburtstagsparty kommen. Ich muss für die Prüfung lernen.
(5) Ich möchte dich nach der Prüfung am neunzehnten August besuchen.

A7 (1) Schreiben Sie viel auf Deutsch!
(2) Hören Sie für die Klausur oft deutsche Nachrichten!
(3) Lesen Sie den Text laut vor!
(4) Üben Sie die Grammatik!
(5) Geben Sie Ihre Hausaufgaben immer rechtzeitig ab!
(6) Steh früh auf!
(7) Iss viel!
(8) Fahr mit dem Fahrrad zur Schule!
(9) Komm früh nach Hause!
(10) Mach zuerst deine Hausaufgaben!
(11) Sieh nicht so viel fern!

A8 (1) Komm zu meiner Geburtstagsparty!
(2) Du musst morgen früh aufstehen. Geh früh ins Bett!
(3) Du musst vor acht Uhr in der Universität sein. Nimm ein Taxi!
(4) Schreiben Sie hier bitte Ihren Namen und Ihre Adresse.
(5) Lesen Sie viel! Und schreiben Sie auch viel!

A9

Hallo Minho!
Alles Liebe zum Geburtstag wünscht dir deine Freundin Sabine

Lieber Minho!
Herzlichen Glückwunsch und alles Gute zum 21. Geburtstag wünschen dir deine Freunde Tina und Markus

Liebe Mutti,
wir gratulieren dir ganz herzlich zu deinem 47. Geburtstag und wünschen dir alles Gute für die Zukunft. Susanne und Sebastian

Lieber Herr Becker,
Alles Gute zum heutigen 40. Geburtstag wünschen Ihnen die Teilnehmer Ihres Kurses Aufsatz 1

A10 (1) Ja, es gefällt mir sehr.
(2) Ja, sie gehört mir.
(3) Ich danke Ihnen für die Einladung.
(4) Ich gratuliere ihr zum Geburtstag.
(5) Ich wünsche ihnen eine gute Reise.
(6) Natürlich helfe ich dir gern.
(7) Ja, ich bringe dir gerne einen Tee.
(8) Ja, ich zeige sie dir gern.

A11 (1) Erzähl mir bitte eine Geschichte!
(2) Zeige mir bitte die Fotos von deiner Koreareise!
(3) Schreib mir bitte jeden Tag eine Mail!
(4) Hilf mir bitte!
(5) Erkläre mir bitte die Grammatik!
(6) Lies mir bitte den Text laut vor!
(7) Bring mir bitte eine Tasse Kaffee!

A12 (1) Vielen Dank für die Einladung zu Ihrer Geburtstagspary./Ich danke Ihnen für die Einladung zu Ihrer Geburtstagsparty.
(2) Herzlichen Glückwunsch zu Ihrem 50. (fünfzigsten) Geburtstag./Ich gratuliere Ihnen zu Ihrem 50. Geburtstag.

(3) Ich möchte Ihnen ein Geburtstagsgeschenk schicken. Geben Sie mir bitte Ihre Adresse.

(4) Ich wünsche Ihnen viel Glück und Gesundheit!

TEXT zum Ergänzen

Lieber Tobi!
Alles Gute zum 21. Geburtstag wünscht dir Oma Elli. Bleib gesund und studiere fleißig!
Ich besuche dich und deine Eltern am Donnerstag, dem 6. September. Am Samstag backe ich einen Geburtstagskuchen für dich. Du isst doch so gern Schokoladenkuchen! Ich habe auch eine Überraschung für dich. Was es ist? Das sage ich dir nicht. Hi Hi! Rate mal!

Bis Donnerstag!
Deine Oma Elli

TEXT zum Übersetzen 1

Liebe Freunde,
ich habe am 24. November Geburtstag. Ich möchte eine Geburtstagsparty machen. Kommt bitte alle!

Wann? Am Samstag, dem 26. November.
Beginn: 18.00 Uhr
Ende: 24.00 Uhr oder später
Wo? Bei mir zu Hause

Bitte bringt (bitte) gute Laune mit! Ich freue mich auf euch!

Markus

TEXT zum Übersetzen 2

Lieber Markus,
vielen Dank für deine Einladung. Ich kann leider nicht kommen. Am Samstag muss ich meine Großeltern besuchen. Meine Oma hat auch Geburtstag. Sie wird 70 (Jahre alt). Sie möchte ihren Geburtstag mit der ganzen Familie feiern. Ich gratuliere dir ganz herzlich zu deinem Geburtstag und wünsche dir alles Gute.

Martina

PS: Ich habe ein kleines Geschenk für dich. Das gebe ich dir später.

TEXT zum Korrigieren

Hallo Daniel!
Ich habe am 15. Januar Geburtstag. Ich möchte am 17. Januar eine Geburtstagsparty machen. Kannst du kommen?
Die Party beginnt um 18.00 Uhr und endet um 23.00 Uhr. Wir feiern bei mir zu Hause.

Daniela

PS: Ich freue mich auf dich!!!
Liebe Daniela!
Vielen Dank für die Einladung zu deiner Geburtstagsparty.
Ich kann leider nicht zu deiner Party kommen. Ich muss meinen Opa in Frankfurt besuchen. Er hat auch am 15. Januar Geburtstag. Mein Opa ist schon ziemlich alt: Er wird 81.
Ich habe ein kleines Geschenk für dich. Ich gebe es dir am Montag in der Mensa.

Bis Montag
Daniel

Lektion 6

A1 1. Zwei Packungen Milch kosten 1,20 Euro.
2. Drei Tafeln Schokolade kosten 2,40 Euro.
3. Vier Dosen Bier kosten 2,80 Euro.
4. 200 Gramm Käse kosten zwei Euro.

A2 1. Deshalb kaufe ich 2kg Kartoffeln, aber nur 200g Reis.
2. Deshalb kaufe ich 3kg Bananen, aber nur ein Pfund (=500g) Äpfel.
3. Deshalb kaufe ich drei Packungen Saft, aber nur eine Packung Milch.
4. Deshalb kauft sie eine große Pizza, aber nur ein Stück Kuchen.
5. Deshalb kauft er sechs Dosen Bier, aber nur eine Flasche Wein.

A3 1. Busan ist auch eine große Stadt. Aber Seoul ist noch größer als Busan. Seoul ist am größten. Seoul ist die größte Stadt in Korea.
2. Das Auto ist schneller als das Fahrrad. Aber das Flugzeug ist noch schneller

als das Auto. Das Flugzeug ist am schnellsten. Das Flugzeug ist das schnellste Verkehrsmittel.

3. Mein Vater ist älter als meine Mutter. Mein Onkel ist noch älter als mein Vater. Er ist 47. Also, mein Onkel ist am ältesten.
4. Ich bin kleiner als mein Bruder. Meine Schwester ist noch kleiner als ich. Also, meine Schwester ist am kleinsten.
5. Der Hallasan-Berg ist höher als der Jirisan-Berg. Der Baekdusan-Berg ist noch höher als der Hallasan-Berg. Er ist 2.744m hoch. Der Baekdusan-Berg ist am höchsten. Er ist der höchste Berg auf der koreanischen Halbinsel.

A4 1. Ich muss lernen, denn ich habe morgen einen Test. Morgen habe ich einen Test. Deshalb muss ich lernen.

2. Ich nehme ein Taxi. Denn ich muss um 7 Uhr zu Hause sein. Ich muss um sieben Uhr zu Hause sein. Deshalb nehme ich ein Taxi.
3. Ich möchte ein Geschenk kaufen. Denn mein Freund hat morgen Geburtstag. Mein Freund hat morgen Geburtstag. Deshalb möchte ich ein Geschenk kaufen.
4. Morgen kann ich länger schlafen. Denn samstags habe ich kein Seminar. Samstags habe ich kein Seminar. Deshalb kann ich morgen länger schlafen.

A5 1. Ich trinke (zwar) gern Tee. Aber Ich trinke noch lieber Kaffee als Tee. Deshalb kaufe ich öfter Kaffee als Tee.

2. Ich muss heute Kaffee kaufen. Denn meine Freundin hat heute Geburtstag. Meine Freundin mag Kaffee noch viel lieber als ich.
3. Ich kaufe Filterkaffee. Denn Filterkaffee schmeckt besser als Instantkaffee.

A6 1. Das Buch ist (mir) zu langweilig/schwierig. 2. Deutsch ist (mir) zu schwierig. 3. Ich bin zu müde.

A7 1. sehr, zu 2. sehr, zu 3. zu 4. zu 5. sehr

A8 1. Am Samstag wird meine Oma 80 Jahre alt. Sie ist immer noch sehr gesund. Deshalb wollen wir den Geburtstag meiner Oma groß feiern.

2. Ich schenke meiner Oma keinen Kuchen. Denn Kuchen ist ihr zu süß.
3. Meine Oma mag lieber Obst als Kuchen. Deshalb kaufe ich Obst.
4. Meine Oma isst gern Erdbeeren. Denn Erdbeeren sind süß und weich.

TEXT zum Ergänzen

Sonntag, den 9. 6. 2019

Liebes Tagebuch!

Es ist schon zwei Uhr in der Nacht. Also, es ist schon Sonntag. Ich kann nicht einschlafen. Ich bin sehr aufgeregt, denn heute ist mein Geburtstag! Heute mache ich eine große Party! Alle Freunde aus meinem Kurs kommen. Ich freue mich schon sehr auf die Party, denn Florian kommt auch. Ich mag Florian. Er ist sehr nett. Er ist viel netter als die anderen Jungen. Er ist sehr klug und der Beste in der Abteilung. Er schreibt nur Einsen. Aber er ist auch lustig. Deshalb mögen ihn alle Mädchen. Wen mag er am liebsten? Natürlich mich, oder?

Für die Party muss ich viel vorbereiten. Was muss ich noch machen?

- Ich muss mein Zimmer aufräumen.
- Ich muss einkaufen:
  · zwei Packungen Eis (Isst Florian gern Schokoladeneis?)
  · fünf Flaschen Saft (Mag Florian lieber Apfelsaft oder Orangensaft?)
  · Obst (ein Kilo Äpfel und zwei Kilo Bananen)
  · drei Tüten Kartoffelchips
- Ich muss Pizza backen. (Die Pizza muss schmecken!)
- Ich will auch einen Kuchen backen. (Florian isst gern Kuchen.)

Petra sorgt für die Musik. Meine CDs sind alle zu langweilig.

Jetzt gehe ich ins Bett. Wirklich!

 Gute Nacht.

TEXT zum Übersetzen

Samstag, den 8. 6. 2019

Es ist schon Samstag, ein Uhr in der Nacht. Ich bin sehr müde. Aber ich kann nicht einschlafen, denn morgen ist mein Geburtstag. Ich habe einige Freunde aus meiner Abteilung zu mir nach Hause eingeladen. Ich freue mich auf die Party, denn Minsu kommt. Ich kenne Minsu noch nicht gut. Aber er ist süßer und netter als alle anderen Jungs in meiner Abteilung. Er spricht am besten Deutsch in der Abteilung. Ich möchte ihn näher kennenlernen.

Was muss ich für die Geburtstagsparty machen?

- mein Zimmer aufräumen
- 20 Dosen Cola kaufen/besorgen
- 5 Flaschen Limonade kaufen/besorgen

- 6 Tüten Kartoffelchips kaufen/besorgen
- 5 Tafeln Schokolade kaufen/besorgen

Für das Essen sorgt Mama. Oma backt Kuchen. Omas Kuchen schmeckt immer gut.

TEXT zum Korrigieren

Es ist Samstag, zwei Uhr in der Nacht. Ich bin sehr aufgeregt und kann nicht einschlafen. Denn heute ist meine Geburtstagsparty. Ich möchte die beste, schönste und tollste Party machen! Die Party muss toll sein, denn Jan kommt. Jan ist ein neuer Junge in unserer Klasse. Ich mag ihn sehr. Er ist klüger als die anderen Jungs und schreibt nur Einsen.

Was muss ich noch machen?

- mein Zimmer aufräumen
- Getränke kaufen: 10 Flaschen Saft
- Kartoffelchips kaufen: drei Tüten
- 10 Tafeln Schokolade

Mama sorgt für Kuchen und Pizza. Sie macht auch einen Kartoffelsalat.
Mama ist die Beste!!
Jetzt muss ich aber wirklich ins Bett.

Lektion 7

A1 1. Ich finde sie toll. Wie findest du sie? Ich finde sie nicht so gut. Ihre Musik ist zu schnell. Sie gefällt mir nicht. Ich mag keine schnelle Musik.

2. Ich finde sie sehr spannend. Wie findest du sie? Ich finde sie zu brutal. Sie gefallen mir nicht. Ich mag keine brutalen Geschichten.

A2

Liebe Hanna,

ich finde Jens ganz toll! Er gefällt mir sehr! Wie findest du ihn denn? Findest du ihn auch gut? Oder findest du Mario besser als ihn? Mario ist zwar intelligent und lustig, aber er ist nicht zuverlässig. Ich kann ihm nicht glauben. Deshalb möchte ich Jens näher kennenlernen. Kannst du mich verstehen? Ich warte auf deine Antwort.

Viele Grüße
Nicki

A3

Die Frau trägt einen kurzen Rock. Der kurze Rock steht ihr gut. Die Frau trägt eine weiße Bluse. Die weiße Bluse steht ihr gut. Die Frau trägt einen langen Mantel. Der lange Mantel steht ihr gut.

Der Mann trägt eine schwarze Hose. Die schwarze Hose steht ihm gut. Der Mann trägt ein weißes Hemd. Das weiße Hemd steht ihm gut. Der Mann trägt eine schöne Krawatte. Die schöne Krawatte steht ihm gut.

A4 1. Ich trage lieber Hosen als Röcke.
2. Mir stehen Hemden besser als T-Shirts.
3. Ich finde den roten Pullover schicker als den gelben.
4. Ich mag lange Mäntel überhaupt nicht.

A5 1. ▷ Wie findest du dieses rote Hemd?
▶ Ich finde es schick, aber es passt mir nicht. Es ist mir zu groß.
▷ Dann probier mal das blaue Hemd hier an.
2. ▷ Wie finden Sie diesen Mantel?
▶ Ich finde ihn elegant, aber er passt mir nicht. Er ist mir zu lang.
▷ Dann probieren Sie mal diesen kurzen Mantel hier an.
3. ▷ Wie gefällt dir dieser Anzug?
▶ Er gefällt mir nicht. Er ist zu sportlich. Ich möchte lieber einen eleganten Anzug. Elegante Anzüge stehen mir besser.
▷ Dann probier mal den schwarzen Anzug hier an.
4. ▷ Wie gefallen dir diese Schuhe?
▶ Sie gefallen mir nicht. Sie sind zu eng. Ich möchte lieber weite Schuhe. Weite Schuhe stehen mir besser.
▷ Dann probier mal die weiten Schuhe hier an.

A6 1. ▷ Was soll ich Susanne zum Geburtstag schenken?
▶ Sie kocht sehr gern.
▷ Soll ich ihr ein koreanisches Kochbuch schenken? Ob ihr ein koreanisches Kochbuch gefällt?
▶ Das ist eine gute Idee. Ein koreanisches Kochbuch gefällt ihr sicher.

2. ▷ Was soll ich Claudia zum Abschied schenken?
   ▶ Sie trinkt gern Tee.
   ▷ Soll ich ihr einen koreanischen Tee schenken? Ob ihr ein koreanischer Tee gefällt?
   ▶ Das ist eine gute Idee. Ein koreanischer Tee gefällt ihr sicher.
3. ▷ Was soll ich Minho zum Studienabschluss schenken?
   ▶ Er fotografiert gern.
   ▷ Soll ich ihm eine Kamera schenken? Ob ihm eine Kamera gefällt?
   ▶ Nein, er hat schon zwei Kameras. Schenk ihm doch das Buch „Bessere Bilder“.

A7 1. Was soll ich heute Abend anziehen? Zieh doch dein neues Kostüm an. Es steht dir gut.
2. Was sollen wir Vater zu seinem 60. Geburtstag schenken? Er spielt doch so gern Golf. Schenken wir ihm eine Golfreise! Eine Golfreise gefällt ihm sicher.
3. Jan geht nach Deutschland zurück. Was soll ich ihm zum Abschied schenken? Schenk ihm das Buch „Koreanische Tempel“. Er besucht doch gern Tempel. Ob er das Buch nicht schon hat? Nein, das Buch ist ganz neu. Es gefällt ihm sicher.

TEXT zum Ergänzen

Hallo Tagebuch!
Es ist schon halb drei in der Nacht. Warum ich nicht einschlafen kann? Stell dir vor: Ich habe eine Einladung zum Geburtstag von Tobias! Er wird 22. Tobias ist mein Kommilitone. Er ist sehr groß, blond und nett. Er gefällt mir sehr gut. Die anderen Studenten in der Abteilung sind ziemlich blöd. Ich finde Tobias am sympathischsten. Ob er mich hübsch findet? Ob er mich mag? Ob ich ihm auch gefalle? Das weiß ich noch nicht.
Was soll ich Tobias nur schenken? Soll ich ihm eine CD schenken? Ob er klassische Musik mag? Oder mag er lieber Rock oder Rap? Ich weiß es nicht. Soll ich ihm ein Computerspiel schenken? Aber das ist zu teuer. Ich habe eine gute Idee! Ich schenke ihm ein T-Shirt. Aber das ist vielleicht zu persönlich. Also kaufe ich ihm doch lieber eine CD!
Aber was soll ich morgen nur anziehen? Ich will doch gut aussehen! Soll ich mein rotes Kleid anziehen? Oder soll ich lieber meinen blauen Rock und die weiße Bluse anziehen? Nein, die sind zu altmodisch! Tobias mag sicher

keine altmodischen Sachen! Ich ziehe lieber meine neue Jeans und das enge schwarze T-Shirt an. Die passen mir gut. Und die stehen mir auch gut. Jetzt kann ich ruhig einschlafen. Bis morgen!

TEXT zum Übersetzen

Morgen werde ich 22! Morgen feiere/mache/gebe ich eine große Party! Morgen kommt Natalie! Ich freue mich auf morgen. Ich freue mich auf Natalie!
Sie hat lange blonde Haare und große blaue Augen. Ich finde sie sehr schön/hübsch. Sie sieht wirklich toll aus. Alle Jungs in unserer Abteilung mögen sie.
Aber wer gefällt Natalie? Wen findet sie toll? Findet sie mich toll? Oder mag sie Jens lieber als mich? Ich weiß es nicht, denn Natalie ist ein schüchternes Mädchen.
Ich möchte Natalie auf der Party gerne näher kennenlernen. Ich möchte ihr eine rote Rose schenken. Ob sie Rosen mag?
Und was soll ich morgen anziehen? Soll ich die blaue Hose und das weiße Hemd anziehen? Nein, die sind zu langweilig. Die blaue Hose passt mir auch nicht mehr. Ich ziehe lieber meine alte Jeans und das neue schwarze T-Shirt an. Die stehen mir gut.

TEXT zum Korrigieren

Hallo Tagebuch!
Ich bin so aufgeregt, wegen Achim!!! Er wird 22 Jahre alt. Er gibt eine große Geburtstagsparty. Ich freue mich auf die Party. Aber am meisten freue ich mich auf Achim! Ich finde Achim toll! Er ist ein höflicher und hilfsbereiter junger Mann. Leider ist er unsportlich. Und ich mag Sport.
Ob ich Achim gefalle? Wie findet er mich? Ich weiß es nicht, denn Achim ist etwas schüchtern. Aber ich bin nicht schüchtern. Ich möchte ihn morgen näher kennenlernen.
Was soll ich Achim schenken? Soll ich ihm eine CD schenken? Ob er eine Lieblingsgruppe hat? Ich habe keine gute Idee. Ich male eine Geburtstagskarte für ihn. Ob ihm das gefällt?
Was soll ich nur anziehen? Mein gelbes Kleid ist zu eng und passt mir nicht mehr gut. Den blauen Jeansrock finde ich zu altmodisch. Ich ziehe lieber eine Hose an. Hosen stehen mir besser als Kleider. Meine neue Jeans gefällt Achim sicher.

Lektion 8

A1 1. Kann man einen Engel sehen? Ja, man kann einen Engel sehen.
2. Kann man Geschenke sehen? Ja, man kann Geschenke sehen.
3. Gibt es einen Engel? Ja, es gibt einen Engel.
4. Gibt es Geschenke? Ja, es gibt viele Geschenke.

A2 1. Was ist so schwarz wie die Nacht? Ihre Haare sind so schwarz wie die Nacht.
2. Was ist so rot wie eine Rose? Ihr Mund ist so rot wie eine Rose.
3. Was ist so blau wie der Himmel? Ihre Augen sind so blau wie der Himmel.
4. Wer ist so schön wie Schneewittchen? Niemand ist so schön wie Schneewittchen.

A3 1. Deutsch ist so interessant wie Englisch.
2. Busan ist so groß wie Berlin.
3. Er spricht fast so gut Deutsch wie ein Deutscher.
4. Kein Auto ist so schnell wie dieses (Auto).
5. Keine Jahreszeit ist so schön wie der Herbst.
6. Nichts ist so wichtig wie die Gesundheit.
7. Niemand hat so viel Glück wie Jens.

A4 1. Schokolade und Blumen erinnern mich an Valentinstag.
2. Bunte Eier und Hasen erinnern mich an Ostern.
3. Das Lied 'Happy Birthday' erinnert mich an deinen Geburtstag.
4. Rote Äpfel und Reiskuchen erinnern mich an das Erntedankfest.
5. Der Geruch von Tteokguk-Suppe erinnert mich an Neujahr.
6. Die Schultüte erinnert uns an den ersten Schultag.
7. Der Vollmond erinnert mich an das Erntedankfest.

A5 1. Die alten Fotos erinnern mich an meine Großmutter.
2. Dieses Buch erinnert mich an meinen Freund/meine Freundin.
3. Der Geruch von Kimchi erinnert mich an Korea.
4. Die letzten zwei, drei Tage vor der Prüfung sind sehr anstrengend.
5. Viele Leute fahren einen Tag nach dem Erntedankfest nach Hause zurück.
6. Niemand/Keiner spielt so gut Tennis wie du.
7. Nichts erinnert mich so stark an Korea wie Kimchi.

A6 1. Ja, ich weiß, dass der Sommer nicht mehr weit ist.
2. Ja, ich weiß, dass es Herbst wird.
3. Ja, ich weiß, dass der Winter da ist.
4. Ja, ich weiß, dass das neue Jahr bald kommt.

A7 1. vor 2. In, mit 3. mit 4. Am 5. zu 6. in 7. unter 8. von, an 9. nach 10. zu

TEXT zum Ergänzen

Auch in Korea gibt es viele Feste und Feiertage. Die wichtigsten Feiertage sind das Erntedankfest *Chuseok* und Neujahr. Neujahr nach Mondkalender heißt auf Koreanisch *Seolnal*.
Wie feiern die Koreaner *Seolnal*? An *Seolnal* müssen alle sehr früh aufstehen. Man zieht die traditionelle koreanische Kleidung Hanbok an. Die Frauen bereiten einen Tisch mit besonderen Speisen für die Ahnen vor. Dann verbeugt man sich vor den Ahnen. Zuerst der Großvater, dann die Söhne und danach die Enkelsöhne.
Anschließend verbeugen sich die Familienmitglieder nach dem Alter voreinander. Das heißt auf Koreanisch *Sebae*. Beim *Sebae* wünschen die Kinder den Eltern: „Bleiben Sie gesund!" oder „Leben Sie lange!" Die Eltern wünschen den verheirateten Kindern zum Beispiel „Bekommt ein gesundes Kind!" und den Schulkindern „Lernt fleißig in der Schule!" Die Kinder sind immer besonders aufgeregt, denn sie wissen, dass es Geldgeschenke gibt.
Nach dem *Sebae* gibt es ein leckeres Frühstück mit *Tteokguk*. *Tteokguk* ist das traditionelle Neujahrsessen. *Seolnal* ist ein Familienfest. Großeltern, Eltern und Kinder essen und spielen zusammen. Sie spielen zum Beispiel *Yut*. Die Jungen lassen Drachen steigen und die Mädchen schaukeln auf der koreanischen Wippe *Neolttwigi*. So beginnt ein neues Mondjahr.

TEXT zum Übersetzen

Weihnachten ist auch in Korea ein Feiertag. Aber in Korea ist Weihnachten nicht so wichtig wie in Deutschland. Was macht man in der Zeit vor Weihnachten? Man schmückt die Straßen, Hotels, Kaufhäuser und Geschäfte mit Lichtern und Weihnachtsbäumen. Man kann schöne Weihnachtskarten in den Läden kaufen und auf der Straße kann man Weihnachtslieder hören. Manche Koreaner schmücken auch ihre Wohnungen mit Tannenbäumen und

Lichtern. Aber die meisten Leute haben keinen Adventskranz und die Kinder haben keinen Adventskalender. Man backt auch keine Weihnachtsplätzchen. Weihnachten ist in Korea kein Familienfest. Heiligabend, der 24. Dezember, ist nur für die Christen wichtig. Die Christen gehen abends in die Weihnachtsmesse. Der 25. Dezember ist der Weihnachtsfeiertag. An diesem Tag gibt es für die Kinder oft kleine Geschenke. Aber der 25. Dezember ist kein so besonderer Tag wie Seolnal. Es gibt kein besonderes Weihnachtsessen und keine besonderen Spiele. Der Tag ist wie ein Sonntag. Die jungen Koreaner gehen oft ins Kino oder treffen Freunde. Auch die Erwachsenen treffen ihre Freunde und essen und trinken zusammen.

TEXT zum Korrigieren

Weihnachten und Ostern sind in Deutschland die wichtigsten Feste. Die beiden Osterfeiertage sind Ostersonntag und Ostermontag. Ostern ist immer im Frühling, Ende März bzw. Anfang oder Mitte April. Ostern ist ein buntes Fest: In der Zeit vor Ostern bemalt man Eier. Man schmückt die Wohnung mit bunten Ostereiern, Frühlingsblumen und Osterhasen. Man kauft oder malt auch Osterkarten und schickt Ostergrüße an Freunde und Verwandte: Ein frohes Osterfest wünschen dir Annette und Wolfgang.
Die Woche vor Ostern heißt 'Karwoche'. Am 'Karfreitag', dem Freitag vor Ostern, essen viele Menschen kein Fleisch. Was macht man an den Osterfeiertagen? Am Ostermorgen verstecken viele Eltern bunte Ostereier, Schokoladeneier und Schokoladen-Osterhasen im Haus oder im Garten. Die Kinder suchen sie. Sie sind aufgeregt, denn sie wissen, dass sie die Eier und die Schokolade essen dürfen. Viele Familien gehen zusammen in die Kirche. An diesen Feiertagen gibt es leckeres Essen und Kuchen. Der Osterkuchen sieht aus wie ein Lamm. Man macht auch einen Osterspaziergang. Am Ostermontag besucht man oft Verwandte, denn Ostern ist auch ein Familienfest.

Lektion 9

A1 1. Wohin fährst du in den Ferien? Ich fahre in die Berge.
2. Fahrt ihr auch in die Berge? Nein, wir fahren ans Meer.
3. Was macht Andreas in den Ferien? Er macht/besucht einen Sprachkurs in England.

4. Was machen deine Eltern in den Ferien? Sie machen eine Reise nach Hawaii.
5. Woher kommt diese Karte? Sie kommt aus Italien.
6. Zu Weihnachten bekomme ich Karten aus der ganzen Welt.

A2 1. Viele Grüße aus Hamburg sendet dir deine Freundin Anna.
2. Ich mache einen Sprachkurs in Deutschland, denn ich will mein Deutsch verbessern.
3. Morgens lerne ich vier Stunden Deutsch und nachmittags habe ich frei.
4. Die Teilnehmer kommen aus der ganzen Welt und erzählen über ihr Land.

A3 1. Dieses Jahr bin ich schon 20 Jahre alt. Letztes Jahr war ich 19 Jahre alt.
2. Dieses Jahr habe ich ein A in Deutsch. Letztes Jahr hatte ich nur ein D.
3. Früher hatte er viel Zeit, aber wenig Geld. Jetzt hat er viel Geld, aber wenig Zeit.
4. Gestern warst du freundlich zu mir. Warum bist du heute so unfreundlich?
5. Vorhin hatte ich noch großen Hunger. Jetzt habe ich keinen Hunger mehr.
6. Vor Weihnachten hatten wir viel Schnee. Jetzt haben wir keinen Schnee mehr.
7. Vor dem Unterricht hattet ihr noch viele Fragen. Habt ihr jetzt keine Fragen mehr?
8. Vor der Heirat hatte sie viele Träume. Jetzt, nach der Heirat, hat sie viele Sorgen.

A4

Die Ferien waren super!
Also, meine Sommerferien waren einfach spitze! Meine Freundin und ich waren in Spanien. Warst du auch schon mal in Spanien? Der Flug nach Mallorca war toll. Auch das Hotel war sehr gut. Wir hatten ein großes Zimmer mit Bad. Das Essen war fantastisch. Das Hotel hatte ein großes Schwimmbad. Das Meer und der Strand waren nicht weit. Wir hatten auch großes Glück mit dem Wetter. Es war immer schön. Aber das Beste war der Nachtclub im Hotel. Wir waren jeden Abend dort. Es gab viele interessante junge Leute. Alle hatten viel Spaß. Es war nie langweilig. Hattest du auch schöne Ferien? Wo warst du in den Ferien?

A5 1. In Korea ist es im Winter auch kalt.
2. In Korea ist es im Sommer sehr heiß.
3. In Korea ist es im Herbst nicht oft neblig. (= In Korea ist es selten neblig.)
4. In Korea ist es im Frühling auch sehr schön.

A6 1. Gestern war das Wetter schlecht. Aber heute ist das Wetter schön.
2. Heute ist es sehr heiß. Es sind 32 Grad. (= Wir haben 32 Grad.)
3. Gestern war es sehr kalt. Es waren 7 Grad unter Null.
5. Auf der Insel Jeju-do ist es im Mai warm. Aber es ist oft sehr windig.

A7 1. Wenn das Wetter schön ist, fahren wir ans Meer.
2. Wenn es regnet, bleibe ich zu Hause.
3. Wenn es schneit, fährt man langsamer.
4. Wenn man müde ist, geht man früh ins Bett.

A8 1. Bei Nebel muss man vorsichtig fahren.
2. Bei schönem Wetter machen wir einen Ausflug.
3. Bei Regen spielen wir nicht Fußball.
4. Bei Schnee gibt es wenige Autos auf der Straße.

A9 1. Wenn du am Samstag Zeit hast, komm zu mir/besuch mich!
2. Wenn es möglich ist, möchte ich in den Ferien nach Deutschland reisen.
3. Wenn Sie Probleme haben, können Sie mich jederzeit anrufen.

TEXT zum Ergänzen

Liebe Jutta,
viele Grüße aus dem Seorak-Gebirge sendet dir Hana. Ich habe jetzt Ferien und bin mit vier Freunden im Seorak-Gebirge. Das liegt im Osten Koreas. Wir übernachten in einer Jugendherberge in den Bergen. Dort gibt es auch einen Sportplatz, einen Tennisplatz und ein Schwimmbad. Jeden Tag wandern wir in den Bergen, baden in Bergbächen und haben viel Spaß. Abends machen wir Spiele, hören Musik, singen oder wir diskutieren über unsere Probleme. Wir kochen auch selbst. Es gibt meistens Reis, Suppe, Fisch und Kimchi. Das Essen ist einfach, aber es schmeckt sehr gut.
Das Seorak-Gebirge liegt nah am Meer. Gestern waren wir den ganzen Tag am Meer. Weißer Strand, blaues Meer, Sonne ... Es war herrlich!!! Leider waren viele Menschen/Leute am Strand.
Mit dem Wetter haben wir Glück. Es ist schön warm und sonnig. Ab und zu gibt es ein Gewitter.
Leider müssen wir am Samstag schon wieder nach Seoul zurück. Wenn es

möglich ist, möchte ich im Winter noch einmal ins Seorak-Gebirge fahren. Ich mag den Winter und im Seorak-Gebirge gibt es immer viel Schnee. Ich möchte Ski fahren lernen oder einen Snowboard-Kurs machen. Kannst du Ski fahren?

Viele Grüße
Hana

TEXT zum Übersetzen

Lieber Tobias,
viele Grüße aus Jeju sendet dir Minho. Vielen Dank für deinen Brief aus England. Leider war ich noch nie/nicht dort.
Ich verbringe meine Ferien auf der Insel Jeju-do. Jeju-do liegt im Süden Koreas. Meine Großeltern leben auf der Insel und ich besuche sie jeden Sommer. Letzten Sommer war ich einen Monat hier, aber dieses Mal bleibe ich nur zwei Wochen. Ich muss auch in den Semesterferien für die Uni lernen. Mein Großvater hat ein kleines Geschäft/einen kleinen Laden. Morgens helfe ich ihm im Geschäft/Laden. Nachmittags/Am Nachmittag lerne ich ein paar Stunden.
Jeju-do ist eine interessante Insel. Es gibt hier auch/sogar Mandarinenbäume. Das Wetter ist toll. Der Himmel ist blau, die Sonne scheint und es ist etwa 30 Grad heiß/die Temperaturen liegen bei etwa/ungefähr 30 Grad. Manchmal gibt es ein Gewitter, aber danach ist es wieder schön. Die Luft hier ist viel besser als in Seoul.
Morgen kommen drei Freunde (von mir) aus Seoul. Wir wollen auf einem Campingplatz am Strand zelten, jeden Tag im Meer baden, angeln und Badminton spielen. Wenn es nicht so heiß ist, wollen wir auf den Berg Halla-san steigen. Wir möchten richtig faulenzen und uns erholen. Eine Woche keine Bücher/ohne Bücher, keine Hausaufgaben/ohne Hausaufgaben, kein Lernen/ohne Lernen!!!!
Ich freue mich schon!!!
Auf der Ansichtskarte/Karte kannst du die Insel Jeju-do sehen

Bis bald
Minho

TEXT zum Korrigieren

Liebe Hana,
viele Grüße aus Paris sendet dir Jutta. Ich mache mit meinen Eltern eine Woche Urlaub in Paris. Ich war noch nie in Frankreich, deshalb ist die Reise für mich interessant. Im Hotel oder im Café spreche ich immer Französisch. Und die Franzosen können mich wirklich verstehen! Ist das nicht toll?! Ich glaube, dass Französisch meine Lieblingsfremdsprache wird!
Leider haben wir großes Pech mit dem Wetter. In Deutschland hatten wir schönes Herbstwetter, aber in Paris ist es die ganze Zeit bedeckt, regnerisch und ziemlich kühl. Nur manchmal scheint die Sonne. Deshalb besichtigen wir viele berühmte Museen und Schlösser. Das ist etwas anstrengend. Wenn es stark regnet, gehen wir oft in ein kleines Café.
Gestern waren wir in Disney-World. Wir hatten viel Spaß, aber es waren/gab sehr viele Leute dort!!! Heute wollen wir einen Ausflug nach Versailles machen.
Warst du schon mal in Frankreich? Ich möchte bald wieder nach Frankreich reisen. Aber dann reise ich lieber im Sommer. Und ich reise lieber mit einer Freundin als mit meinen Eltern.

Deine
Jutta

Lektion 10

A1 Endlich habe ich ein eigenes Zimmer! Wenn man in mein Zimmer kommt, steht rechts an der Wand ein blaues Sofa. Auf dem Sofa liegen drei Kissen und eine Decke. Gegenüber der Tür steht ein Bücherregal. Im Regal stehen meine Bücher und viele Gläser. Ich sammle nämlich Gläser: Biergläser, Weingläser usw. Links neben dem Regal, direkt vor dem Fenster, steht mein Schreibtisch. Rechts auf dem Schreibtisch steht mein Notebook. Vor dem Schreibtisch steht ein Stuhl. Der Kleiderschrank steht links neben dem Schreibtisch. Auf dem Bett liegen viele Kissen. Neben dem Bett steht ein kleiner Nachttisch. Auf dem Nachttisch steht eine Lampe. Zwischen dem Nachttisch und der Tür gibt es noch ein Regal. Im Regal stehen eine Kaffeemaschine und einige Tassen.

A2 Mein Zimmer ist immer etwas unordentlich.

Wenn man in mein Zimmer kommt, steht rechts an der Wand ein Sofa. Auf dem Sofa liegen meine Stofftiere. Vor dem Sofa steht ein Tisch. Auf dem Tisch liegen Zeitschriften.

Gegenüber der Tür steht ein Bücherregal. Im Regal stehen meine Bücher und viele Kerzen. Auf dem Regal steht mein altes Radio. Vor dem Fenster steht mein Schreibtisch.

Links auf dem Schreibtisch steht mein Computer. Rechts neben dem Computer steht mein Monitor. Rechts neben dem Monitor ist die Tastatur. Rechts neben der Tastatur ist meine Computermaus. Unter dem Schreibtisch liegt mein Fußball.

Ich habe kein Bett. Ich schlafe auf einer Matratze. Die Matratze liegt auf dem Boden. Neben der Matratze steht eine Kommode. Auf der Kommode steht ein Käfig. Im Käfig wohnt meine Maus. Sie ist grau und heißt Fifi. Aber jetzt ist Fifi nicht im Käfig. Wo ist sie?

A4 1. Häng die Poster doch an die Wand!
2. Leg die Kissen doch auf das Bett!
3. Stell das Radio doch ins Regal!
4. Stell den Papierkorb doch unter den Schreibtisch.

A5 1. Links auf dem Schreibtisch steht der/ein Computer.
2. Im Regal stehen viele Bücher.
3. Ich habe den Schreibtisch vor das Fenster gestellt.
4. Ich habe die Poster über das Sofa gehängt.
5. Ich habe die Gläser auf die Kommode gestellt.
6. Links neben dem Fenster an der Wand hängt ein großes Poster.

Text zum Ergänzen

Ich habe mein Zimmer umgeräumt. Jetzt gefällt es mir viel besser und ich habe mehr Platz. Ich habe nämlich mein Bett meiner kleinen Schwester geschenkt. Jetzt gibt es kein Bett mehr in meinem Zimmer, nur noch eine große koreanische Matratze. Die Matratze liegt rechts an der Wand auf dem Boden. Daneben steht mein Radio, weil ich abends gerne Musik höre. Auf der Matratze liegen ein großes, langes Kissen und fünf kleine Kissen.

Vor der Matratze liegt jetzt ein großer, bunter Teppich. Ich habe ihn letzte Woche gekauft. Auf dem Teppich steht ein kleiner Tisch. Darauf stehen eine Lampe, ein Foto von meinem Freund und eine Vase mit einer Rose. Unter dem Tisch liegen immer viele Zeitschriften.

Der Schreibtisch steht jetzt nicht mehr links an der Wand. Ich habe ihn vor das Fenster gestellt. Ich habe den Schreibtisch auch aufgeräumt. Er ist jetzt ganz ordentlich. Rechts auf dem Schreibtisch stehen meine Wörterbücher und daneben eine lustige Tasse mit vielen Stiften. Meinen alten Computer habe ich auch meiner kleinen Schwester geschenkt. Ich bekomme einen neuen zu Weihnachten.

Der Schrank steht jetzt nicht mehr neben der Tür. Ich habe ihn links an die Wand in die Ecke gestellt. Der Schrank ist ziemlich groß und langweilig. Ich habe viele Postkarten und Fotos an die Schranktüren gehängt. Jetzt gefällt er mir etwas besser.

Ich habe auch ein neues Regal. Meine Mutter hat es mir geschenkt. Ich habe es links neben die Tür gestellt. Alle meine Bücher, mein CD-Spieler und meine CDs stehen jetzt im Regal.

Text zum Übersetzen

Ich habe ein eigenes Zimmer. Es ist zwar nicht besonders groß, aber es gefällt mir. Wenn man in mein Zimmer kommt, steht rechts an der Wand ein kleiner, weißer Schreibtisch. Links auf dem Schreibtisch steht mein Computer. Er ist schon alt. Ich wünsche mir einen neuen Computer zum Geburtstag. Neben dem Computer liegen Bücher und Hefte. Vor dem Schreibtisch steht ein Stuhl. Rechts neben dem Schreibtisch steht ein Papierkorb. Links neben dem Schreibtisch steht ein weißes Regal mit meinen Lieblingsbüchern.

Text zum Korrigieren

Endlich habe ich ein eigenes Zimmer! Wir haben jetzt nämlich eine größere Wohnung. Wenn man in mein Zimmer kommt, steht rechts an der Wand ein großer, grauer Schreibtisch. Davor steht ein Stuhl. Ich sitze oft am Schreibtisch und lerne oder male. Links auf dem Schreibtisch liegen einige Wörterbücher und rechts meine Farbstifte und mein Malblock. Über dem Schreibtisch hängen drei Bilder an der Wand. Ich habe sie selbst gemalt. Links neben dem Schreibtisch steht ein Regal in der Ecke. Im Regal stehen einige Bücher über Kunst. Ganz oben auf dem Regal liegt mein Skateboard.
Gegenüber der Tür ist ein großes Fenster. Davor steht ein kleines schwarzes Sofa. Auf dem Sofa liegt eine rote Decke. Links neben dem Sofa steht ein weißer runder Tisch. Darauf steht mein Radio und davor liegen einige CDs. Vor dem Sofa liegt ein Teppich mit schwarzen, grauen und weißen Streifen.
Links neben der Tür steht noch ein Tisch und davor ein Stuhl. Auf dem Tisch stehen nur mein Computer und einige Bücher über Computer und Internet. Ich surfe nämlich oft im Internet.
Die Wand über dem Computer ist noch leer und etwas langweilig. Ich möchte noch einige Bilder oder Poster an die Wand hängen.

Lektion 11

A1 1. Wie fühlst du dich? Ich fühle mich besser. Ich habe keine Kopfschmerzen mehr.
2. Wie fühlen Sie sich? Ich fühle mich sehr schlecht. Ich habe starke Halsschmerzen.
3. Wie fühlt ihr euch? Wir fühlen uns viel besser. Wir haben kein hohes Fieber mehr, nur noch leichtes Fieber.

A2 1. Wie fühlen Sie sich? Haben Sie immer noch Bauchschmerzen?
2. Ja, ich habe immer noch starke Bauchschmerzen.
3. Nein, ich habe keine Bauchschmerzen mehr.

A3

Seoul, den 8. 10. 2019

Entschuldigung
Sehr geehrter Herr Professor Klein,
leider kann ich heute nicht zu Ihrem Seminar kommen, da ich starke Zahnschmerzen und Fieber habe. Ich muss zum Zahnarzt gehen.
Mit freundlichen Grüßen
Taeho Kim

A4 1. Letztes Jahr schneite es sehr viel. Dieses Jahr schneit es aber nur sehr wenig.
2. Gestern tat mir der Kopf sehr weh. Heute tut mir der Kopf aber nicht mehr weh.
3. Früher konnte er nicht schwimmen. Jetzt kann er aber sehr gut schwimmen.
4. Als Kind trank ich gern Milch. Heute trinke ich nicht mehr gern Milch. Ich trinke lieber Kaffee.
5. Herr Professor Meyer sprach früher immer laut und deutlich. Heute spricht er nur noch leise und undeutlich.

A5

Es war einmal eine Prinzessin. Sie hieß Rosa und war sehr schön und reich. Prinzessin Rosa wollte nicht heiraten. Aber ihre Eltern sagten: „Du bist jetzt 25. Such dir einen Mann!“ Da kamen viele Prinzen zum Schloss und wollten Rosa heiraten. „Na gut“, erklärte Rosa, „ich gebe euch Aufgaben. Der Beste darf mich heiraten.“ Prinz Ottokar sollte 100 Liter Bier trinken, aber er konnte es nicht. Prinz Heribert musste 100 Stunden tanzen, aber das war zu anstrengend für ihn. Prinz Thorwald durfte mit der Königin einkaufen gehen, aber er hatte nicht genug Geld. Da fuhren alle Prinzen nach Hause zurück. Nur Prinz Ludowig blieb. Er trank 100 Liter Bier, tanzte 100 Stunden, ging mit der Königin einkaufen und bezahlte alles. „Ich bin der Beste!“, rief Ludowig. Prinzessin Rosa gab ihm einen Kuss und aus Prinz Ludowig wurde ein Schwein. Da wollte kein Prinz mehr Prinzessin Rosa heiraten. Sie lebte allein und glücklich.

A6 1. Du wolltest ihm doch schreiben. Hast du ihm schon geschrieben? Nein, ich habe ihm noch nicht geschrieben.
2. Sie wollten ihr doch helfen. Haben Sie ihr geholfen? Nein, ich habe ihr nicht geholfen.
3. Du wolltest doch heute früh aufstehen. Bist du wirklich früh aufgestanden? Nein, ich bin nicht früh aufgestanden.
4. Peter wollte dich heute anrufen. Hat er dich schon angerufen? Nein er hat mich noch nicht angerufen.

A7 1. Weil der Wecker nicht geklingelt hat.
2. Weil sie starke Bauchschmerzen hatte.
3. Weil wir vom Abteilungstreffen zu spät nach Hause gekommen sind.

A8

Im Kino läuft gerade der Film *Ben is Back* mit Julia Roberts. Ich möchte den Film sehen, weil ich Julia Roberts so toll finde. Ich finde Julia Roberts so toll, weil sie so interessant aussieht. Sie sieht interessant aus, denn sie lächelt so süß. Sie lächelt so süß, weil sie einen breiten Mund hat. Viele Leute gehen in ihre Filme, weil sie so süß lächelt. Sie verdient viel Geld, denn ihre Filme sind spannend und lustig. Ich mag den Film *Erin Brockovich* besonders gern, denn dort spielt Julia Roberts eine starke Frau. Ich mag den Film auch, weil er eine wahre Geschichte erzählt.

A9

Gestern war wirklich ein blöder Tag! Am Morgen hat das Handy nicht geklingelt, weil der Akku leer war. Ich habe nicht gefrühstückt und bin zu spät zum Seminar gekommen. Während des Seminars hatte ich großen Hunger, aber ich musste bis zur Pause warten. Dann habe ich schnell zwei Brote und einen Apfel gegessen. Danach hatte ich Bauchschmerzen. Im Deutschkurs haben wir einen Test geschrieben, aber ich wusste viele Vokabeln nicht. Ich habe nur fünf von zehn Punkten bekommen. Am Nachmittag wollte ich zu Claudia, aber ich konnte nicht, denn ich hatte einen Fahrradunfall. Ich bin mit dem Fahrer des Autos zum Arzt und zur Polizei gegangen. Das hat alles sehr lange gedauert.

A10 1. Er sagte, dass er Bauchschmerzen hatte.
2. Ich weiß, dass meine Mutter meine Freundin angerufen hat.

3. Ich lerne fleißig Deutsch, weil ich in Deutschland studieren möchte.
4. Ich bin zu spät gekommen, weil ich den Bus verpasst habe.

TEXT zum Ergänzen

Mir geht es schlecht. Mein Rücken tut weh. Mein rechtes Knie tut auch weh. Es ist ganz dick und blau. Ich hatte einen Unfall.
Am Samstag ist unser Sportclub in die Berge gefahren. Abfahrt war schon um 7.00 Uhr. Es war noch ganz dunkel und es hat geschneit. Um 9.00 Uhr sind wir angekommen. Es gab noch nicht so viele Leute auf der Piste und wir konnten gut üben. Ich bin oft hingefallen, denn ich bin zum ersten Mal in meinem Leben Snowboard gefahren. Snowboarden ist wirklich schwer. Aber nach zwei Stunden konnte ich schon ganz gut fahren. Gegen 11.00 Uhr kamen immer mehr Leute und es gab nicht mehr so viel Platz. Ich bin vorsichtig gefahren. Aber dann habe ich plötzlich einen großen dicken Mann vor mir gesehen. Ich konnte nicht anhalten und der Mann konnte auch nicht mehr anhalten! KRACH!! Wir lagen beide im Schnee. Ich habe nichts mehr gehört und gesehen. Herr Polske, unser Trainer, hat sofort einen Arzt gerufen. Der Arzt hat mich untersucht. Er hat gesagt, dass es nicht so schlimm ist. Aber ich weiß nicht, ob es wirklich nicht so schlimm ist, denn ich kann nicht gut laufen.

TEXT zum Übersetzen

Mir geht es sehr schlecht. Ich habe eine starke/schlimme Erkältung und Fieber. /Ich bin stark erkältet und habe Fieber. Es begann (am) letzten Sonntag. Am Sonntag bin ich mit meinen Freundinnen schwimmen gegangen. Nachmittags gab es ein Gewitter und es hat stark geregnet. Es wurde ganz kühl. Aber wir sind im Wasser geblieben, weil wir viel Spaß hatten. Meine Lippen wurden ganz blau und mir war kalt/es war mir kalt. Am Montag bin ich in die Schule/zur Uni gegangen. Mir war die ganze Zeit kalt und heiß, weil ich Fieber hatte. Am Dienstag hatte ich 39,5 Grad Fieber und Halsschmerzen. Ich konnte nicht in die Schule/zur Uni gehen und meine Mutter hat mich zum Arzt gebracht. Der Arzt hat mich untersucht und gesagt, dass ich einige Tage im Bett bleiben muss. Ich muss auch Medikamente (ein)nehmen. Heute morgen hat Judith mich angerufen. Sie hat erzählt/gesagt, dass sie zwei Freikarten für das BTS-Konzert am Samstag hat. BTS ist meine Lieblingsgruppe. Judith hat mich eingeladen. Aber ich kann nicht ins Konzert gehen, weil ich krank bin. Deshalb geht es mir jetzt noch schlechter!

TEXT zum Korrigieren

Mir geht es nicht gut. Mir geht es sogar sehr schlecht! Es begann am Montag. Frau Widder, unsere Deutschprofessorin, sagte, dass wir am Freitag einen Test schreiben. Ich wollte schon am Dienstag für den Test lernen, weil ich im letzten Test nur sechs von zehn Punkten hatte. Aber am Dienstag hat es zum ersten Mal geschneit. Ich habe mit meinen Freunden eine lange Wanderung gemacht. Dann wollte ich am Mittwoch für den Test lernen. Aber am Mittwoch sind alle meine Freunde zum Skifahren gegangen. „Gut", dachte ich, „dann lerne ich am Donnerstag." Aber am Donnerstag kam meine Oma. Sie hatte Geburtstag. Ich musste den ganzen Nachmittag mit meiner Mutter, meinen Tanten und meinen Cousinen Kuchen essen und Kaffee trinken. Ich fühlte mich nicht wohl. Ich musste immer an den Deutschtest denken. Dann hatte ich eine Idee. Ich habe sechs Stücke von Omas Schokoladenkuchen gegessen und viel Kakao getrunken. In der Nacht war mir elend und ich hatte starke Bauchschmerzen. Am Morgen war mein Gesicht ganz weiß und ich musste unbedingt zum Arzt gehen. Ich habe mich aber gefreut, weil ich den Test nicht schreiben musste. Vor fünf Minuten hat Susi mich angerufen und gesagt, dass es keinen Deutschtest gab, weil Frau Widder krank war. Danach ging es mir wirklich schlecht.

Lektion 12

A1 1. Sie wird morgen nach Hause fahren.
2. Ich werde einen Sprachkurs in Leipzig machen.
3. Am Wochenende werden wir zu Hause bleiben.
4. Ich werde dich heute Abend anrufen.
5. Ich werde dir so schnell wie möglich Bescheid sagen.

A2 1. Nächstes Semester werde ich als Austauschstudentin an der Uni Jena studieren.
2. Sie arbeitet drei Monate als Praktikantin bei Mercedes in Stuttgart.
3. Meine Freundin jobbt als Dolmetscherin auf dieser Konferenz.
4. Ich habe einen Antrag auf ein Zimmer im Studentenwohnheim gestellt.
5. Ihre Noten sind sehr gut! Versuchen Sie doch, im kommenden Semester einen Antrag auf ein Stipendium zu stellen.

A3 1. Ich finde Deutsch zwar schön, aber sehr schwer.
2. Ich studiere zwar Deutsch als Hauptfach, aber mein Deutsch ist nicht so gut.
3. Nächstes Semester/Im nächsten Semester wird sie als Praktikantin bei Kotra in München arbeiten.
4. Nächstes Jahr will ich als Austauschstudentin nach Berlin gehen.

A4 1. Ich bitte dich, mir möglichst schnell zu antworten.
2. Er überlegt, im nächsten Semester nach Deutschland zu gehen.
3. Es ist nicht einfach, einen Ferienjob zu finden.

A5 1. Weißt du, welcher Wochentag heute ist?
2. Wissen Sie, wann er geboren ist?
3. Wissen Sie, an welcher Universität er studiert hat?
4. Können Sie mir sagen, wann der Zug ankommt?
5. Können Sie mir sagen, wieviel Uhr es ist?

A6 1. Ich habe keine Lust, im Studentenwohnheim zu wohnen.
2. Es ist schwierig, in Berlin ein Zimmer zu finden.
3. Ich weiß nicht, wie hoch die Mieten in Berlin sind.
4. Ich bitte dich, mir einige Informationen darüber zu schicken.
5. Ich freue mich, nächstes Jahr in Deutschland zu studieren.

TEXT zum Ergänzen

Lieber Kihun,
das ist ja eine tolle Nachricht! Ich freue mich auch, dich in Deutschland zu sehen.
Ich habe mich schon nach Studentenwohnungen in der Nähe deiner Uni umgeschaut. Eine kleine Einzimmerwohnung um die 25 m^2 kostet durchschnittlich 500 Euro pro Monat. Hinzu kommen die Nebenkosten für Wasser, Strom, Heizung usw.
Ich rate dir allerdings, in eine Wohngemeinschaft zu ziehen. Ein Zimmer in einer WG ist nicht nur günstiger, sondern du kannst auch dein Deutsch schneller verbessern, wenn du mit anderen zusammen wohnst. Im Anhang findest du einige interessante Angebote. Alle Wohnungen liegen zentral und in Uninähe. Du kannst zu Fuß zur Uni gehen.

Wenn du mir schreibst, welche dir am besten gefallen, kann ich mich näher erkundigen. Ich helfe dir gern.
So weit für heute. Ich warte auf deine Antwort.

Herzliche Grüße
Stefan

TEXT zum Übersetzen

Liebe Annika,
wie geht es dir? Wie ist das Wetter bei euch in Tübingen? Es regnet jeden Tag in Seoul, denn die Regenzeit hat schon begonnen. Ich muss nachts die Klimaanlage anschalten, um schlafen zu können. Aber sonst geht es mir sehr gut. Ich habe lange auf die Zulassung von der Universität Tübingen gewartet. Gestern ist sie dann endlich gekommen!
Im nächsten Semester werde ich für ein Jahr als Austauschstudentin nach Tübingen gehen, um meine Deutschkenntnisse zu verbessern. Die Universitätsverwaltung hat mir Informationen über Studentenwohnheime geschickt. Ich habe auch schon einen Antrag auf ein Zimmer beim Studentenwerk gestellt. Das Studentenwerk hat mir zwar auch schon eine Zusage für ein Zimmer im Studentenwohnheim geschickt, aber das Wohnheim ist sehr weit von der Uni entfernt. Ich habe keine Lust, auch in Tübingen jeden Tag lange mit dem Bus zu fahren. Hier in Seoul muss ich ja jeden Tag über eine Stunde mit dem Bus zur Uni fahren. Daher überlege ich, mir ein Privatzimmer in der Nähe der Uni zu suchen. Ich weiß aber nicht, wie schwierig es ist, in Tübingen ein Zimmer zu finden. Wie hoch sind denn dort die Mieten? Deshalb möchte ich dich bitten, mir einige Tipps zu geben.
Ich freue mich sehr, dich in Deutschland zu sehen. Wie geht es deinem Freund Jan? Herzliche Grüße auch an Jan.

Bis bald
Deine Jiwon

TEXT zum Korrigieren

Liebe Bettina,
wie geht es dir? Wie ist das Wetter bei euch? Regnet es viel? In Daegu regnet

es jeden Tag, weil die Regenzeit schon angefangen hat. Um schlafen zu können, muss ich nachts die Klimaanlage anschalten. Aber sonst geht es mir sehr gut. Gestern habe ich endlich die Zulassung von der Universität Hamburg bekommen! Im nächsten Semester werde ich für ein Jahr als Austauschstudentin nach Hamburg gehen. Die Universitätsverwaltung hat mir auch Informationen über Studentenwohnheime geschickt. Aber ich möchte lieber in einer WG mit deutschen Studenten leben. Dann kann ich viel schneller Deutsch lernen. Ich weiß aber nicht, wie schwierig es ist, in Hamburg ein WG-Zimmer zu finden. Wie hoch sind dort die Mieten? Ich möchte dich bitten, mir einige Tipps zu geben.

Herzliche Grüße aus Daegu
Deine Suyeon

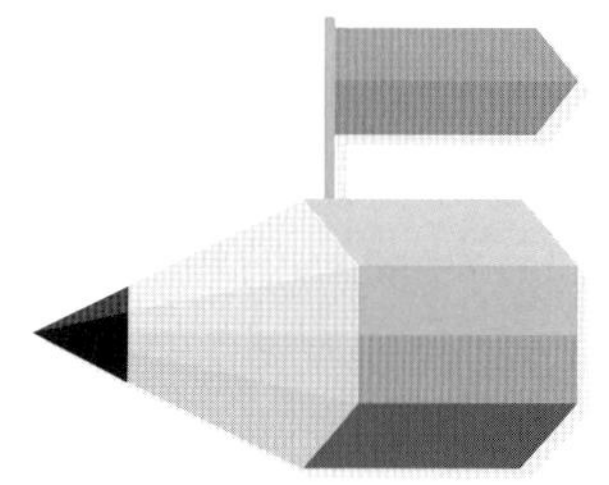

한-독 작문사전

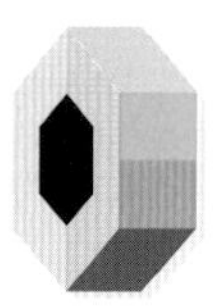

(…)가/로/거리 Straße

하이네 가 die Heine-Straße/die Heinestraße

리터 가에 살다 in der Ritterstraße wohnen

가게 das Geschäft, der Laden

문방구 das Schreibwarengeschäft/der Schreibwarenladen

가구 das Möbel <보통 복수>

새 가구를 사다 neue Möbel kaufen

가구를 재배치하다 die Möbel umstellen

가까운, 가까이 nah (näher, am nächsten)

가는 dünn

가는 머리카락 dünne Haare

파란 가는 줄무늬가 있는 양탄자 eine Tapete mit dünnen, blauen Streifen

가능한 möglich

가능하다면 내일 너를 방문하고 싶다. Wenn es möglich ist, möchte ich dich morgen besuchen.

가능한 한/최대한 möglichst

가능한 한 빨리 möglichst schnell

가다 (걸어서) 가다 (zu Fuß) gehen; (차량으로) 가다 fahren

집에 가다 nach Hause gehen

자러 가다 ins Bett gehen

영화 보러 가다 ins Kino gehen

수영하러/물건 사러 가다schwimmen/einkaufen gehen

가벼운 leicht

가벼운 코트를 입다 einen leichten Mantel anziehen

가벼운 음식/식사 ein leichtes Essen

가벼운 통증을 느끼다 leichte Schmerzen haben

가벼운 사고를 겪다 einen leichten Unfall haben

가성비가 좋은 günstig

가수 der Sänger, die Sängerin

가운데 die Mitte

가을 der Herbst

아름다운 가을 ein schöner Herbst

가을 날씨 das Herbstwetter

가장 좋아하는 Lieblings-

가장 좋아하는 가수/교사/요일 der Lieblingssänger/-lehrer/-tag

가장 좋아하는 과목/동물/음식 das Lieblingsfach/-tier/-essen

가장 좋아하는 그룹/음악 die Lieblingsgruppe/-musik

가장 친한 best-
나의 가장 친한 친구 mein bester Freund
가져오다 bringen; mitbringen
행운/불행을 가져오다 Glück/Unglück bringen
선물/즐거운 기분을 가져오다 ein Geschenk/gute Laune mitbringen
가족 die Familie
가족 축제 das Familienfest
가지(고 있)다 haben
사전을 가지고 있다 ein Wörterbuch haben
계획을 가지고 있다 einen Plan haben
각진 eckig
각진 얼굴 ein eckiges Gesicht
간단한 einfach
간단한 시험 eine einfache Prüfung
그 시험은 간단했다. Die Prüfung war einfach.
간단한 음식 ein einfaches Essen
간단한 시험 der Test
간단한 시험을 보다 einen Test schreiben
갈란투스 <식물> das Schneeglöckchen
갈색의 braun
갈색 눈/머리카락 braune Augen/Haare
갈색 바지 eine braune Hose
감기 die Erkältung
감기에 걸리다 eine Erkältung haben
심한 감기에 걸리다 eine starke Erkältung bekommen
감기에 걸리다 sich erkälten
감사 der Dank
편지 대단히 감사합니다. Vielen Dank für Ihren Brief.
감자 die Kartoffel
감자를 즐겨 먹다 Kartoffeln mögen/gern essen
감자를 삶다 Kartoffeln kochen
갑자기 plötzlich, auf einmal
감자 칩 die Kartoffelchips
감자 칩을 좋아하다 Kartoffelchips mögen
감자 샐러드 der Kartoffelsalat
감자 샐러드를 만들다 einen Kartoffelsalat machen
값을 치르다 bezahlen
책값을 치르다 das Buch bezahlen
값이 ...이다 kosten
이것은 얼마입니까? Wie viel kostet das?
강림절 (크리스마스 전 4주일) der Advent
강림절 기간 die Adventszeit
강림절 노래 das Adventslied
강림절 달력 der Adventskalender
강림절 장식환 der Adventskranz
강한 stark
강한 바람 ein starker Wind
강한 바람이 분다. Es weht ein starker Wind.
강변화 동사 starke Verben
개 der Hund
큰 개를 가지고 있다 einen großen Hund haben
개선하다 verbessern

자기 영어 실력을 개선하다 sein Englisch verbessern

개월/달 der Monat

3개월 후에 그가 돌아온다. Er kommt in drei Monaten zurück.

개인적인 persönlich

개인적인 질문이 있습니다. Ich habe eine persönliche Frage.

거기에 dort

거실 das Wohnzimmer

거실을 재배치하다 das Wohnzimmer umräumen

누구의 거실이 크다/큰 거실을 가지고 있다 ein großes Wohnzimmer haben

거실에서 커피를 마시다 im Wohnzimmer Kaffee trinken

거실 테이블 der Wohnzimmertisch

새 거실 테이블을 사다 einen neuen Wohnzimmertisch kaufen

거실 테이블을 가운데에 놓다 den Wohnzimmertisch in die Mitte stellen

거의 fast

거의 …만큼 중요한 fast so wichtig wie ...

거절 die Absage

거절하다 ablehnen

초대를 거절하다 eine Einladung ablehnen

거주지 der Wohnort

건강 die Gesundheit

건강을 유지하다 die Gesundheit erhalten/ gesund bleiben

건강한 gesund

다시 건강해지다 wieder gesund werden

건강을 유지하다 gesund bleiben

걷다 laufen, gehen

나는 더는 걸을 수가 없다 Ich kann nicht mehr laufen/gehen.

1살이면 아이가 걸을 수 있다. Mit einem Jahr kann ein Kind laufen/gehen.

걸다 hängen

그림을 소파 위에 걸다 das Bild über das Sofa hängen

사진을 벽에 걸다 das Foto an die Wand hängen

외투를 (옷)장 속에 걸다 den Mantel in den Schrank hängen

걸려있다 hängen

벽이 큰 포스터들이 걸려있다. An der Wand hängen große Poster.

블라우스가 (옷)장 속에 걸려있다. Die Bluse hängt im Schrank.

걸어가다 zu Fuß gehen

나는 학교에 걸어간다. Ich gehe zu Fuß zur Schule.

검은 schwarz

검은 머리카락/눈 schwarze Haare/Augen

검은 스웨터 ein schwarzer Pullover

것 die Sache

나는 오래된 것을 좋아하지 않는다. Ich mag keine alten Sachen.

(누구의) 것이다 gehören (3격 목적어)

이 시계는 우리 할머니 것이다. Diese Uhr

gehört meiner Oma.

이 안락의자는 우리 할아버지 것이었다. Der Sessel gehörte meinem Großvater.

겉옷 상의 die Jacke

겉옷 상의를 입다 eine Jacke anziehen

두꺼운 겉옷 상의를 입고 있다 eine dicke Jacke tragen

게으른 faul

게으른 학생 ein fauler Schüler

게으름을 피우다 faulenzen

방학에 게으름을 피우다 in den Ferien faulenzen

게임 das Spiel

겨우 nur

그녀는 키가 겨우 150cm이다. Sie ist nur 1,50m groß.

나는 오늘 겨우 1시간 공부했다. Heute habe ich nur eine Stunde gelernt.

겨울 der Winter

겨울방학 die Winterferien

겨울 날씨 das Winterwetter

추운/따뜻한 겨울 ein kalter/warmer Winter

결코/전혀/절대로 … 안 nie

그녀는 결코/절대로 결혼하려고 하지 않는다. Sie will nie heiraten.

결석계 der Entschuldigungsbrief

선생님께 결석계를 쓰다 einen Entschuldigungs-brief an den Lehrer schreiben

결혼 die Heirat

결혼식 die Hochzeit

결혼식을 하다 Hochzeit feiern

너희들 언제 결혼식을 하니? Wann feiert ihr Hochzeit?

결혼 전 성(姓) der Geburtsname

결혼하다 heiraten

독일 사람과 결혼하다 einen Deutschen/eine Deutsche heiraten

결혼했다 verheiratet sein

결혼한/기혼의 verheiratet

결혼한/기혼 남자 ein verheirateter Mann

경찰관 der Polizist

경축일 der Feiertag

계절 die Jahreszeit

4계절 die vier Jahreszeiten

가장 아름다운 계절 die schönste Jahreszeit

계좌 das Konto

계좌를 개설하다 ein Konto eröffnen

고기 das Fleisch

고기를 먹다/굽다 Fleisch essen/braten

고기를 좋아하다 Fleisch mögen/Fleisch gern essen

고대하다 sich auf et./jn. freuen

방학/손님을 고대하다 sich auf die Ferien/die Gäste freuen

고령 das hohe Alter

그는 고령에 죽었다. Er ist im hohen Alter gestorben.

고맙다 danke

대단히 고맙습니다. Danke sehr/schön

고마움 der Dank

대단히 고맙습니다. Vielen Dank!

고마움을 표하다

선물 고맙다. Ich danke dir für das Geschenk.

고모 die Tante

고모부 der Onkel

고양이 die Katze

고양이를 가지다 eine Katze haben

고양이를 싫어하다 keine Katzen mögen

곧 bald

곧 또 보자 Bis bald!

곳 (장소) der Ort

공간 der Platz

우리 집에는 공간이 많다. Bei uns gibt es viel Platz.

나는 이제 내 방에 공간이 더 많다. Ich habe jetzt mehr Platz in meinem Zimmer.

거실에는 장을 들여놓을 공간이 없다. Im Wohnzimmer gibt es keinen Platz für den Schrank.

공간배치를 바꾸다 umräumen

방의/거실의/집 전체의 공간배치를 바꾸다 sein Zimmer/das Wohnzimmer/die ganze Wohnung umräumen

공기 die Luft

찬/깨끗한 공기 kalte/saubere Luft

공무원 der Beamte, die Beamtin

친절한 공무원 ein freundlicher Beamter

공부하다 lernen

종일 공부하다 den ganzen Tag lernen

시험을 위해서 공부하다 für einen Test/eine Prüfung lernen

공손한 höflich

공손한 사람 ein höflicher Mensch

공원 der Park

공원에서 산책하다 im Park spazieren gehen

공주 die Prinzessin

아름다운/부유한 공주 eine schöne/reiche Prinzessin

공주와 결혼하다 eine Prinzessin heiraten

공책 das Heft

얇은/두꺼운 공책 ein dünnes/dickes Heft

공책을 사다 ein Heft kaufen

공책에 낱말을 적다 die Vokabeln/die Wörter ins Heft schreiben

과 die Lektion

제1과 Lektion 1

지난/마지막 과/단원 die letzte Lektion

과거 die Vergangenheit

과거를 기억하다 sich an die Vergangenheit erinnern

과거시제 das Präteritum

과거(시제)형 die Präteritumform

과목 das Fach

쉬운/재미있는 과목 ein leichtes/interessantes Fach

가장 좋아하는 과목 das Lieblingsfach

과외 der Nachhilfeunterricht

과외를 하다 Nachhilfeunterricht geben

나는 고등학생 수학 과외를 한다. Ich gebe einem Oberschüler Nachhilfeunterricht

in Mathematik.
과외를 받다 Nachhilfeunterricht bekommen
나는 독일어 과외를 받는다. Ich bekomme Nachhilfeunterricht in Deutsch.
과일 das Obst
신선한 과일 frisches Obst
과일을 사다 Obst kaufen
과일가게 der Obstladen
과일 샐러드 der Obstsalat
맛있는 과일 샐러드 ein leckerer Obstsalat
과일 샐러드를 만들다 einen Obstsalat machen
과제 die Aufgabe
쉬운/어려운 과제 eine leichte/schwierige Aufgabe
과제를 주다 jm. eine Aufgabe geben
과제를 풀다/해결하다 eine Aufgabe lösen/erledigen
곽/팩 die Packung
우유 한 곽 eine Packung Milch
관람하다 besichtigen
박물관/도시/성을 관람하다 das Museum/die Stadt/das Schloss besichtigen
광천수 das Mineralwasser
광천수를 마시다 Mineralwasser trinken
광천수 1잔 ein Glas Mineralwasser
교사 der Lehrer, die Lehrerin
독일어 교사 der Deutschlehrer
체육 교사 der Sportlehrer
역사 교사 der Geschichtslehrer
따분한/엄격한/인기 있는 선생 ein langweiliger/strenger/beliebter Lehrer
교수 der Professor, 여교수 die Professorin
물리 교수 der Physikprofessor
유명한 교수 ein berühmter Professor
교시 die Stunde
3교시에 in der dritten Stunde
교환학생 der Austauschstudent
교회 die Kirche
교회에 가다/다니다 in die Kirche gehen
구름이 낀 wolkig, bedeckt
하늘에 구름이 끼었다. Der Himmel ist bedeckt.
오늘은 구름이 끼었다. Heute ist es wolkig.
구식의 altmodisch
구식 자동차 ein altmodischer Wagen
구식 가구 altmodische Möbel
구식 사고를 하는 사람 ein altmodischer Mensch
구입하다 einkaufen
과일을 구입하다 Obst einkaufen
국 die Suppe
국가 das Land
어느 국가에서 오셨습니까? Aus welchem Land kommen Sie?
유럽의 한 국가에서 오다 aus einem europäischen Land kommen
유럽의 한 국가에서 공부하다 in einem europäischen Land studieren
여러 나라에서 온 대학생들 Studenten aus

vielen/verschiedenen Ländern

국수 die Nudeln <복수형>

국수를 삶다/먹다 Nudeln kochen/essen

국수를 싫어하다 keine Nudeln mögen/ Nudeln nicht mögen

국수를 즐겨 먹(지 않)다 (nicht) gern Nudeln essen

국수 샐러드 der Nudelsalat

굵은 dick

굵은 목 ein dicker Hals

굽다 backen

빵/케이크를 굽다 Brot/Kuchen backen

크리스마스 쿠키를 굽다 Weihnachtsplätzchen backen

규칙적인 regelmäßig

규칙적으로 운동하다 regelmäßig Sport treiben

귀 das Ohr

오른쪽/왼쪽 귀 das rechte/linke Ohr

누구의 귀가 크다 jd. hat große Ohren/js. Ohren sind groß

누구의 귀가 예쁘다 jd. hat schöne Ohren/ js. Ohren sind schön

귀의 통증 die Ohrenschmerzen

귀여운 süß

귀여운 개 ein süßer Hund

귀여운 강아지 ein süßes Hündchen

귀여운 소녀/아이 ein süßes Mädchen/ Kind

귀엽게 süß

귀엽게 미소 짓다 süß lächeln

귀엽게 생기다 süß aussehen

귤나무 der Mandarinenbaum

그다음에 danach

그것 das

그것과 관련해서 da

그것과 관련해서 나는 아무 것도 할 수 없다. Da kann ich nichts machen.

그냥 einfach

그것을 그냥 잊어버렸다. Ich habe es einfach vergessen.

그때 da

그때 전화벨이 울렸다. Da klingelte das Telefon.

그래 na

그래 좋다! Na gut! (약간 체념하는 어투로 인정하면서) 그래 Naja

그래서 deshalb, daher

나는 병이 났다. 그래서 학교에 가지 않는다. Ich bin krank. Deshalb/Daher gehe ich nicht in die Schule.

그램 das Gramm

독일에서는 500그램이 1푼트(Pfund)이다. In Deutschland sind 500 Gramm ein Pfund.

그러나 aber

그러니까 also

나는 아직 점심을 안 먹었다. 그러니까 배가 매우 고프다. Ich habe noch nicht zu Mittag gegessen. Also, ich habe großen Hunger.

그렇게 so

그룹 die Gruppe

우리 그룹의 학생들 die Schüler in meiner/unserer Gruppe

그러고 나서 danach, dann

나는 우선 공부를 하고, 그러고 나서 점심을 먹는다. Zuerst lerne ich, danach/dann esse ich zu Mittag.

(...에 그림을) 그리다 bemalen

달걀에 (장식으로) 그림을 그리다 ein Ei bemalen

그리다(연필 따위로 스케치하다) zeichnen

방을 그리시오! Zeichnen Sie das Zimmer!

그리다(색을 칠하여) malen

그림을 그리다 ein Bild malen

그림을 잘 그리다 gut malen

벽에 그림을 그리다 ein Bild auf die Wand malen

그림 das Bild

그림을 그리다 ein Bild malen

그림을 벽에 걸다 ein Bild an die Wand hängen

그림엽서 die Ansichtskarte

그 위에 darauf <da(r) + auf>

그의 sein-

근무를 하지 않는

근무를 하지 않는 날 ein freier Tag

근무가 없다 freihaben

나는 토요일에는 근무가 없다. Ich habe am Samstag frei.

근처 die Nähe

대학 근처에 in der Nähe der Universität

금발의 blond

금발의 여자 eine blonde Frau

금발의 머리카락 blonde Haare

금빛의 golden

금빛의 머리카락 goldene Haare

금요일 der Freitag

금요일에/금요일마다 freitags

금의 golden 금시계 eine goldene Uhr

기꺼이 gern

기다리다 warten

5분 동안 기다리다 5 Minuten warten

자기 친구를 오랫동안 기다리다 lange auf seinen Freund warten

방학을 기다리다 auf die Ferien warten

기독교 신자 der Christ, die Christin

기분 die Laune

기분이 좋다 gute Laune haben/sich wohl fühlen

좋은 기분을 가지고 오다 gute Laune mitbringen

기분 기분이 좋다 sich wohl fühlen

기분이 나쁘다 sich nicht wohl fühlen/keine gute Laune haben/schlechte Laune haben

기뻐하(며 기다리)다 sich auf et. freuen

방학을 기뻐하며 기다리다 sich auf die Ferien freuen

답장을 기뻐하며 기다리다 sich auf die Antwort freuen

기뻐하다 sich über et. freuen

선물을 받고 기뻐하다 sich über das Geschenk freuen

방문을 받고 기뻐하다 sich über den Besuch freuen

당신이 방문해 주셔서 기쁩니다. Ich freue mich sehr über Ihren Besuch.

기쁜 froh

기쁜 성탄절 Frohe Weihnachten!

나는 기쁘다. Ich bin froh./Ich freue mich.

기원하다 wünschen

누구에게 무엇을 기원하다 jm. et. wünschen 나는 너의 생일에 모든 좋은 일을 기원한다. Ich wünsche dir alles Gute zum Geburtstag.

자신에게 무엇이 생기기를 원하다 sich et. wünschen 너는 생일에 무엇을 원하니? Was wünschst du dir zum Geburtstag?

기침 der Husten

심한 기침을 하다 einen schlimmen Husten haben

긴 lang

긴 머리카락 lange Haare

긴 다리를 가지다 lange Beine haben

긴장시키는 spannend

사람을 긴장시키는 영화 ein spannender Film

길 die Straße/der Weg

길에서 auf der Straße

길을 묻다 jn. nach dem Weg fragen

첫 번째 길에서 오른쪽으로 가다 die erste Straße rechts nehmen

길쭉한 lang

길쭉한 코 eine lange Nase

김나지움 das Gymnasium

김나지움에 다니다/진학하다 aufs Gymnasium gehen

깡통 die Dose

맥주 깡통 die Bierdose

맥주 1깡통 eine Dose Bier

파인애플 1깡통 eine Dose Ananas

옥수수 1깡통 eine Dose Mais

꽃 die Blume

누구에게 꽃을 선물하다 jm. Blumen schenken

꽃이 핀다. Die Blumen blühen.

꽉 조이는 eng

꽉 조이는 바지/블라우스 eine enge Hose/Bluse

꽉 조이는 치마/티셔츠 ein enger Rock/ein enges T-Shirt

꽤 ganz

그는 벌써 독일어를 꽤 잘한다. Er spricht schon ganz gut Deutsch.

꽤 ziemlich

꽤 비싼 자동차 ein ziemlich teures Auto

그녀는 꽤 부지런하다. Sie ist ziemlich fleißig.

꿀 der Honig

꿀을 탄 차 Tee mit Honig

꿀처럼 단 so süß wie Honig

끓이다 kochen

물/차를 끓이다 Wasser/Tee kochen

끔찍하게 schrecklich

끔찍하게 더운 schrecklich heiß 8월은 끔찍하게 덥다. Im August ist es schrecklich heiß.

끔찍한 schrecklich, schlimm

끔찍한 사고 ein schrecklicher/schlimmer Unfall

끝 das Ende

파티의 끝 das Ende der Party

그 이야기의 끝 das Ende der Geschichte

끝나다 enden

무엇이 ...시에 끝나다 et. endet um ... 수업은 13시에 끝난다. Der Unterricht endet um 13 Uhr.

끝내주는 super, toll, spitze

끝내주는 파티/아이디어 eine super/tolle/spitze Party/Idee

끝맺음 der Schluss

끝내다 Schluss machen 오늘은 여기서 끝냅니다. Heute machen wir hier Schluss.

나라 das Land

학생들은 여러 나라에서 왔다. Die Studenten kommen aus verschiedenen Ländern.

어느 나라에서 오셨습니까? Aus welchem Land kommen Sie?

나뭇잎 das Blatt

가을에는 나뭇잎에 단풍이 든다. Im Herbst werden die Blätter bunt.

나쁜 schlecht

나쁜 사람 ein schlechter Mensch

나쁜 날씨 schlechtes Wetter 오늘은 날씨가 나쁘다. Heute ist das Wetter schlecht./ Heute haben wir schlechtes Wetter.

(성적이) 나쁜 학생 ein schlechter Schüler

나의 mein-

나이 das Alter

누구의 나이를 알다 js. Alter kennen

너 그의 나이를 아니? Kennst du sein Alter?

나이 든 alt

나이 든 신사 ein alter Herr

나이트 테이블 der Nachttisch

침대 옆에 작은 나이트 테이블이 있다. Neben dem Bett steht ein kleiner Nachttisch.

낚시하다 angeln

낚시하러 가다 angeln gehen

난방 die Heizung

난방을 켜다/끄다 die Heizung anschalten/ausschalten

날 der Tag

좋은 날 ein schöner Tag

날씨 das Wetter

오늘 날씨가 어떻습니까? Wie ist das Wetter heute?

가을 날씨 das Herbstwetter

비가 오는 날씨 regnerisches Wetter

좋은 날씨 schönes/gutes Wetter 오늘은 날씨가 좋다. Heute ist das Wetter gut./ Heute haben wir schönes Wetter.

날씬한 schlank

날짜 das Datum
오늘 날짜가 어떻게 되지? Welches Datum haben wir heute?/Der wievielte ist heute?
남동생 der (jüngere/kleine) Bruder
남아있다 bleiben
혼자 집에 남아있다 allein zu Hause bleiben
남을 잘 도와주는 hilfsbereit
남을 잘 도와주는 사람 ein hilfsbereiter Mensch
남자 der Mann
호감이 가는 남자 ein sympathischer Mann
힘이 센/키 큰 남자 ein starker/großer Mann
남자친구 der Freund
그녀에게는 벌써 남자친구가 있다. Sie hat schon einen Freund.
남쪽 der Süden
이탈리아는 유럽의 남쪽(남부)에 있다. Italien liegt im Süden Europas.
낮 (하루) der Tag
밤낮으로 공부만 하다 Tag und Nacht nur lernen
낮에 mittags, tagsüber
나는 낮 12시에 온다. Ich komme um 12 Uhr mittags.
그는 밤에 일하고, 낮에는 잠을 잔다. Er arbeitet nachts/in der Nacht, tagsüber schläft er.
낱말 das Wort
한 낱말을 모르다 ein Wort nicht kennen
한 낱말을 이해하지 못하다 ein Wort nicht verstehen
낱말의 의미 die Bedeutung des Wortes
내년 nächstes Jahr
내일 morgen
내일 아침/오전/오후/저녁 morgen früh/Vormittag/Nachmittag/Abend
냄새 der Geruch
좋은/나쁜 냄새 ein guter/schlechter Geruch 맛있는 냄새가 난다. Es riecht gut. 역겨운 냄새가 난다. Es riecht übel./Es stinkt.
쿠키 냄새 der Geruch von Plätzchen
냄새가 나다 riechen
좋은 냄새가 난다. Es riecht gut.
나쁜 냄새가 난다. Es riecht schlecht.
냄새를 맡다 riechen
냄새를 맡아봐! Riech mal!
너의 dein-
너희들의 euer/eure
널 die Wippe
넓은 breit
넓은 길 eine breite Straße
넓은 입 ein breiter Mund
넓은 어깨 breite Schultern
넘어지다 hinfallen
길에서/계단에서 넘어지다 auf der Straße/auf der Treppe hinfallen
바닥으로 넘어지다 auf den Boden fallen

네모난 eckig
네모난 얼굴 ein eckiges Gesicht
넥타이 die Krawatte
알록달록한 색의 넥타이 eine bunte Krawatte
넥타이를 매다 die Krawatte binden
넥타이를 차고 있다 eine Krawatte tragen
년 das Jahr
3년 drei Jahre
5년 전에 vor fünf Jahren
10년 후에 in zehn Jahren/zehn Jahre später
작년 letztes Jahr
내년 nächstes Jahr
노란 gelb
노란 꽃 eine gelbe Blume
노란 손수건 ein gelbes Taschentuch
노래 das Lied
노래 한 곡을 부르다 ein Lied singen
크리스마스 노래 das Weihnachtslied
인기 있는 노래 ein beliebtes Lied
가장 좋아하는 노래 das Lieblingslied
노래를 잘 부르다 (ein Lied) gut singen (können)
독일/한국 전통 노래를 부르다 ein deutsches/traditionelles koreanisches Lied singen
노래하다/노래 부르다 singen
함께 큰 소리를 노래하다 zusammen laut singen
녹음 die Aufnahme
음악 녹음 die Musikaufnahme
노래 녹음 die Liederaufnahme
녹화 die Aufnahme
녹화하다 eine Aufnahme machen
텔레비전 녹화 die Fernsehaufnahme
텔레비전 녹화/라디오 녹화를 하다 eine Fernsehaufnahme/Radioaufnahme machen
놀다 spielen
그 아이들은 항상 함께 논다. Die Kinder spielen immer zusammen.
놀라게 할 수 있는 것 die Überraschung
누구를 놀라게 할 수 있는 것을 가지다 eine Überraschung für jn. haben
놀라운 일 die Überraschung
매우 놀라운 일 eine große Überraschung
놀이 das Spiel
재미있는/지루한/위험한 놀이 ein interessantes/langweiliges/gefährliches Spiel
놀이공원 der Vergnügungspark
놀이공원에 가다 in den Vergnügungspark gehen
높은 hoch
높은 산 ein hoher Berg
누가 열이 높다 jd. hat hohes Fieber
놓다 legen
베개를 소파 위에 놓아라. Leg die Kissen aufs Sofa.
놓여있다 liegen
무엇이 ... 아래에 놓여있다 et. liegt unter

... 선물들이 크리스마스트리 아래에 놓여 있다. Die Geschenke liegen unter dem Weihnachtsbaum.

무엇이 ...위에 놓여있다 et. liegt auf ... 그 사전은 테이블 위에 있다. Das Wörterbuch liegt auf dem Tisch.

누가 wer

누나 die (ältere) Schwester

누워있다 liegen

침대에 누워있다 im Bett liegen

눈 das Auge

검은 눈/아름다운 schwarze/schöne Augen

누구의 눈이 맑다 jd. hat klare Augen

눈 der Schnee

하얀 눈 weißer Schnee

첫눈 der erste Schnee

눈이 내린다. Es schneit.

길에 눈이 많이 쌓여있다. Auf den Straßen liegt viel Schnee.

눈송이 die Schneeflocke

눈의 색 die Augenfarbe

늦게 spät

너무 늦게 오다 zu spät kommen

나는 오늘 학교에 지각했다 Heute bin ich zu spät in die Schule gekommen.

밤늦게 spät in der Nacht

늦은 spät

벌써 늦었다. Es ist schon spät.

늦은 오후/저녁에 am späten Nachmittag/Abend

다른 ander-

우리 반의 다른 남자아이들 die anderen Jungs aus unserer Klasse

다리 das Bein

오른쪽 다리 das rechte Bein

그녀는 다리가 길다. Sie hat lange Beine.

다시 wieder

다시 집에 오다 wieder nach Hause kommen 너 언제 다시 집에 오니? Wann kommst du wieder nach Hause? Ich komme schon nächste Woche wieder nach Hause.

다음 nächst-

다채로운 색의 bunt

다채로운 색의 부활절 달걀 bunte Ostereier

다채로운 색의 셔츠 ein buntes Hemd

닦다 putzen

이를 닦다 sich die Zähne putzen

방을 닦다 das Zimmer putzen

단 süß

단 음식을 좋아하다 süße Gerichte mögen

이 음식이 너무 달다. Das Essen/Dieses Gericht ist zu süß.

단지/오로지 nur

오늘 나는 수업이 단지 2시간뿐이다. Heute habe ich nur zwei Stunden Unterricht.

달 der Monat

그녀는 이 달 중순에 생일을 맞이한다. Sie hat Mitte dieses Monats Geburtstag.

달걀 das Ei

부활절 달걀 das Osterei

달걀을 삶다 Eier kochen

달걀에 그림을 그리다 Eier bemalen

담배 die Zigarette

담배 1갑/벌 eine Packung/Stange Zigaretten

담배를 피우다 rauchen

사무실에서는 담배를 피우면 안 된다. Im Büro darf man nicht rauchen.

담요 die Decke

나는 항상 얇은 담요를 덮고 잔다. Ich schlafe immer mit einer dünnen Decke zugedeckt.

침대 위에 따뜻한 담요가 있다. Auf dem Bett liegt eine warme Decke.

담임 선생님 der Klassenlehrer, die Klassenlehrerin

답장 der Antwortbrief

답장을 쓰다 einen Antwortbrief schreiben

답장을 기다리다 auf einen Antwortbrief warten

(...)당/매 ... pro ...

주당 20시간의 수업이 있다. Ich habe 20 Stunden Unterricht pro Woche.

당연히 natürlich

당연히 네 파티에 가마. Natürlich komme ich zu deiner Party.

대개 meistens

나는 대개 11시에 잠자리에 든다. Meistens gehe ich um 11 Uhr ins Bett.

대답 die Antwort

대답을 고대하고 있다 sich auf eine Antwort freuen 나는 너의 대답을 고대하고 있다. Ich freue mich auf deine Antwort.

대답하다 antworten

질문에 대답하다 auf eine Frage antworten

그녀는 내 질문에 대답하지 않는다. Sie antwortet nicht auf meine Frage.

대략 ungefähr, um

서울에서 부산까지 자동차로 대략 4시간 걸린다. Von Seoul bis Busan dauert es mit dem Auto ungefähr vier Stunden.

내 집의 크기는 대략 30평방미터이다. Meine Wohnung ist um die 30 m² groß.

대문자로 쓰다 großschreiben

이름과 명사는 대문자로 쓴다. Namen und Substantive schreibt man groß.

대부분의 die meisten

대부분의 사람들은 일요일에 일하지 않는다. Die meisten Leute arbeiten sonntags nicht.

대부분의 여성은 아름다운 옷을 좋아한다. Die meisten Frauen mögen schöne Kleider.

대학 die Universität

대학에서의 학업 das Studium

대학에 다니다/진학하다 auf die Universität gehen

대학에서 공부하다 an der Universität

studieren
대학을 졸업하다 die Universität abschließen

대학 근처 die Universitätsnähe, die Uninähe
대학 근처에서 방을 구하다 ein Zimmer in Uninähe suchen

대학생 der Student; die Studentin
내년에 나는 대학생이다. Nächstes Jahr bin ich Student.

대학생 기숙사 das Studentenwohnheim

대학생 (후생복지)지원처 das Studentenwerk

대학행정(부) die Universitätsverwaltung

더블침대 das Doppelbett

더운 heiß
더운 날씨 heißes Wetter
오늘은 (날씨가) 너무 덥다. Heute ist es zu heiß!

더위 die Hitze
이 더위에 요리하고 싶은 생각이 없다. Ich habe keine Lust, bei dieser Hitze zu kochen.

더해지다 hinzukommen
부대비용이 더해진다. Die Nebenkosten kommen hinzu.

데려오다 mitbringen
친구를 데려오다 einen Freund mitbringen

도 auch
나도 서울에 산다. Ich wohne auch in Seoul.

도 der Grad
영상 10도 10 Grad (über Null)
영하 5도 5 Grad unter Null 오늘은 영하 3도이다. Heute haben wir 3 Grad unter Null./Es sind 3 Grad unter Null.
그 아이는 체온/열이 39도이다. Das Kind hat 39 Grad Fieber.

도보여행 die Wanderung
도보여행을 하다 eine Wanderung machen 우리는 설악산에서 도보여행을 했다. Wir haben eine Wanderung im Seorak-Gebirge gemacht.

도보여행을 하다 wandern (gehen)
우리는 일요일마다 도보여행을 한다. Wir gehen jeden Sonntag wandern.

도시 die Stadt
큰/오래된/현대적인/유명한 도시 eine große/alte/moderne/berühmte Stadt
도시에서 살다 in der Stadt wohnen/leben

도시생활 das Stadtleben

도와주다 helfen
좀 도와주시겠습니까? Können Sie mir bitte helfen?
누가 ...하는 것을 도와주다 jm. bei et. helfen 내가 숙제하는 것을 도와줄 수 있니? Kannst du mir bitte bei den Hausaufgaben helfen?

도입 die Einleitung

도착 die Ankunft
도착은 17시이다. (Die) Ankunft ist um 17.00 Uhr.

도착시간 die Ankunftszeit

도착하다 ankommen

너는 몇 시에 서울에 도착하니? Um wieviel Uhr kommst du in Seoul an?

도처에 überall

도처에 사람이 많이 있다. Überall gibt es viele Leute.

도톰한 dick

그는 코가 도톰하다. Er hat eine dicke Nase./Seine Nase ist dick.

독일 Deutschland

독일어 <교과> Deutsch

독일어는 일주일에 2시간이다. Wir haben zwei Stunden Deutsch in der Woche.

독일어 Deutsch

독일어를 배우다 Deutsch lernen

독일어를 말하다 Deutsch sprechen

독일어를 잘 이해하다 Deutsch gut verstehen

독일어 교사 der Deutschlehrer, die Deutschlehrerin

독일어 지식/실력 die Deutschkenntnisse

독일어 실력을 향상하다 seine Deutschkenntnisse verbessern

독일어 테스트 der Deutschtest

어려운 독일어 테스트 ein schwerer Deutschtest

우리는 목요일에 독일어 테스트(쪽지시험)를 본다. Wir schreiben am Donnerstag einen Deutschtest.

독일어의 deutsch

독일어 사전 ein deutsches Wörterbuch

독일의 deutsch

나는 독일 펜팔이 있다. Ich habe einen deutschen Brieffreund.

돈 das Geld

누구에게 돈을 주다 jm. Geld geben

돈이 없다 kein Geld haben

돈을 많이 벌다 viel Geld verdienen

돈 선물 das Geldgeschenk

누구에게 돈 선물을 하다 jm. ein Geldgeschenk machen 설날에는 돈 선물을 한다. An Seolnal macht man Geldgeschenke.

돌아가다 zurückfahren

(차를 타고) 일찍 집으로 돌아가다 früh nach Hause zurückfahren

돌아가야 하다 zurückmüssen

나는 9시에 집에 돌아가야 한다. Ich muss um 9 Uhr nach Hause zurück.

동물 das Tier

동물을 좋아하다 Tiere mögen

애완동물 das Heimtier, das Haustier (가축)

동사 das Verb

동의한 einverstanden

나의 부모님께서 동의하셨다. Meine Eltern sind einverstanden.

동쪽 Osten

동쪽으로 가다 nach Osten gehen ...(내)의 동부(동쪽)에 있다 im Osten von ... sein/liegen 설악산은 한국(내)의 동쪽에 있다. Das Seorak-Gebirge liegt im Osten

Koreas.
동쪽의 östlich
...의 동쪽에 있다 östlich von ... liegen/sein
일본은 한국의 동쪽에 있다. Japan liegt östlich von Korea.
돼지 das Schwein
돼지고기 das Schweinefleisch
되다 werden
나는 교사가 되고 싶다 Ich möchte Lehrer werden.
...살이 되다 ... Jahre alt werden 나는 내년에 18살이 된다. Ich werde nächstes Jahr 18 (Jahre alt).
두 (모두) beid-
두 공휴일 모두 die beiden Feiertage
나는 두 옷 모두 예쁘다고 생각한다. Ich finde beide Kleider schön.
두꺼운 dick
두꺼운 책 ein dickes Buch
두꺼운 코드/스웨터 ein dicker Mantel/Pullover
두꺼운 스웨터를 입다 einen dicken Pullover anziehen
두다 (...에 놓아) legen
신문을 테이블 위에 두다 die Zeitung auf den Tisch legen
담요를 소파 위에 두다 die Decke aufs Sofa legen
두다 (...에 세워) stellen
책을 서가에 두다 die Bücher ins Regal stellen
스탠드를 테이블 위에 두다 die Lampe auf den Tisch stellen
두통 die Kopfschmerzen
가벼운/심한 두통 leichte/starke Kopfschmerzen: 나는 두통이 심하다. Ich habe starke Kopfschmerzen.
두통약 ein Medikament gegen Kopfschmerzen
둘러보다 (...을 알아내기 위해서) sich nach et. umschauen
둥근 rund
둥근/각진 얼굴 ein rundes/eckiges Gesicht
둥근 테이블 ein runder Tisch
드럼 das Schlagzeug
드럼을 연주하다 Schlagzeug spielen
드물게 selten
그는 토요일에는 드물게 일한다. Samstags/Am Samstag arbeitet er selten.
듣다 hören
음악을 듣다 Musik hören
누구의 소식을 듣다 et. von jm. hören 나는 오랫동안 그녀로부터 아무 소식도 듣지 못했다. Ich habe lange nichts von ihr gehört.
등 der Rücken
등의 통증 die Rückenschmerzen
나는 등이 아프다. Mir tut der Rücken weh./Mein Rücken tut weh./Ich habe Rückenschmerzen.
디스코 장 die Diskothek

디스코 장에 가다 in die Disko gehen

디스코 장에서 춤을 추다 in der Disko tanzen

따뜻한 warm

따뜻한 물 warmes Wasser

따뜻한 날씨 warmes Wetter

따분한 langweilig

따분한 선생 ein langweiliger Lehrer

딸 die Tochter

내게는 예쁜 딸이 둘 있다. Ich habe zwei hübsche Töchter.

떡 der Reiskuchen

떡을 만들다 Reiskuchen machen

떨어져있는 entfernt

독일은 한국에서 멀리 떨어져있다.

Deutschland ist weit entfernt von Korea.

또는 oder

식사 후에 나는 커피 또는 차를 마신다.

Nach dem Essen trinke ich Kaffee oder Tee.

또한 auch

나는 또한 독일어도 배운다. Ich lerne auch Deutsch.

뚱뚱한 dick

뚱뚱한/마른/날씬한 여자 eine dicke/dünne/schlanke Frau

뛰다 laufen

빨리 뛰다 schnell laufen 그렇게 빨리 뛰지 마라! Lauf nicht so schnell!

뜨거운 heiß

뜨거운 물 heißes Wasser 물이 너무 뜨겁다. Das Wasser ist zu heiß.

...라고 하다 (이름, 명칭 따위가 ...) heißen

그것은 독일어로 무엇이라고 하니? Wie heißt das auf Deutsch?

음력 설날은 한국어로 '설'이라고 한다.

Neujahr nach Mondkalender heißt auf Koreanisch 'Seol'.

라디오 das Radio

라디오를 듣다 Radio hören

서가 위에 내 오래된 라디오가 있다. Auf dem Regal steht mein altes Radio.

레모네이드 die Limonade (Limo)

레몬 die Zitrone

...로/가 die Straße

리터 der Liter

우유 1리터 ein Liter Milch

마련하다 sorgen (für)

음료수를 마련하다 für die Getränke sorgen

마른 dünn, mager

그는 말랐다. Er ist dünn.

마시다 trinken

커피를 즐겨 마시다 gern Kaffee trinken

마음 놓고/편하게 ruhig

마음 편히 집에 가다 ruhig nach Hause gehen 너는 마음 편히 집에 가도 된다. Du kannst ruhig nach Hause gehen.

마음 놓고 잠을 자다 ruhig schlafen 마음 놓고 자러가! Geh ruhig schlafen!

마음에 들다 gefallen

이 선물이 네 마음에 드니? Gefällt dir das

Geschenk?

이 바지가 마음에 드니? Gefällt dir die Hose? (또는: Wie gefällt dir die Hose?)

마음이 편한 wohl

너의 집에 오면 나는 마음이 편하다. Ich fühle mich bei dir (zu Hause) wohl.

마지막의 letzt-

방학 전 마지막 영어시간 die letzte Englischstunde vor den Ferien

마침내 endlich

마침내 방학이다! Endlich sind Ferien! (Endlich haben wir Ferien!)

만나다 treffen

친구들을 만나다 Freunde treffen

(약속하여) 누구와 만나다 sich mit jm. treffen 오늘 나는 옛 학교 동창들을 만난다. Heute treffe ich mich mit meinen alten Schulkameraden.

만들다 machen; backen; bilden

샐러드를 만들다 einen Salat machen

케이크를 만들다 Kuchen backen

한 문장을 만들다 einen Satz bilden

많은 viel

여기에는 문제가 많다. Hier gibt es viele Probleme.

말 das Ende

주말 Ende der Woche/das Wochenende

월말 Ende des Monats/das Monatsende

연말 Ende des Jahres/das Jahresende

말하다 sprechen, sagen, erklären

영어를 말하다 Englisch sprechen

빨리/천천히 말하다 schnell/langsam sprechen

그 아이는 벌써 말을 할 수 있다. Das Baby kann schon sprechen.

무엇을 말하다 et. sagen 그는 자기 어머니가 편찮으시다고 말한다. Er sagt, dass seine Mutter krank ist.

대통령은 세금을 인하하겠다고 말했다. Der Präsident erklärte, dass er die Steuern senken will.

맛있는 lecker

맛있는 음식 leckeres Essen: 파티에는 맛있는 음식이 있었다. Es gab leckeres Essen auf der Party.

맛있는 과자 leckere Süßigkeiten 나는 동생에게 맛있는 과자를 사준다. Ich kaufe meinem kleinen Bruder leckere Süßigkeiten.

맛있다 (gut) schmecken

그 음식이 맛있니? Schmeckt (dir) das Essen?

그 음식은 맛이 어떠니? Wie schmeckt (dir) das Essen?

그 음식이 맛있다. Das Essen schmeckt gut.

맞다 passen

이 바지가 내게 잘 맞는다. Die Hose passt mir gut.

그 하얀 블라우스가 더 이상 내게 맞지 않는다. Die weiße Bluse passt mir nicht mehr.

매- jed-

매일 jeden Tag

매주 jede Woche

매월 jeden Monat

매너가 좋은 nett

그는 매너가 좋은 사람이다. Er ist ein netter Mann.

매우 sehr

매우 비싼/좋은 sehr teuer/gut

맥주 das Bier

맥주 한 잔/병을 마시다 ein Glas/eine Flasche Bier trinken

매트리스 die Matratze

매트리스 위해서 자다 auf einer Matratze schlafen

벽에 매트리스를 세워두다 die Matratze an die Wand stellen

맥주 캔/깡통 die Bierdose

맥주 캔을 모으다 Bierdosen sammeln

맨 먼저 zuerst

맨 먼저 저녁을 먹고, 그 다음에 음악을 듣는다. Zuerst esse ich zu Abend, dann höre ich Musik.

머리 der Kopf

(내) 머리가 아프다. Der Kopf tut mir weh.

그는 머리가 좋다. Er ist klug./Er ist ein kluger Kopf.

그는 머리가 나쁘다. Er ist dumm./Er ist ein Dummkopf.

머리카락 das Haar

내 머리카락은 검다. Meine Haare sind schwarz./Ich habe schwarze Haare.

머리카락 색 die Haarfarbe

머물다 bleiben

집에 머물다 zu Hause bleiben

2주간 영국에 머물다 zwei Wochen in England bleiben

일요일까지 머물다 bis Sonntag bleiben

먹다 essen

나는 아직 점심을 먹지 않았다. Ich habe noch nicht zu Mittag gegessen

아침을 먹다 frühstücken

점심/저녁을 먹다 zu Mittag/Abend essen

먼 weit <공간>, 먼 <시간> weit

학교는 집에서 멀지 않다. Die Schule ist nicht weit (entfernt) von zu Haus.

여름이 멀지 않다. Der Sommer ist nicht weit.

멈춰서다 anhalten

나는 멈춰 설 수가 없었다. Ich konnte nicht anhalten.

멋지게 schick

그 여자는 항상 멋지게 보인다. Die Frau sieht immer schick aus.

멋진 schick

멋진 안경/블라우스/바지/가방/여자 eine schicke Brille/Bluse/Hose/Tasche/Frau

멋진 schön

멋진 파티 eine schöne Party

멋진 herrlich

멋진 전경 ein herrlicher Blick/eine

herrliche Aussicht 여기에서는 도시의 멋진 전경을 볼 수 있다. Von hier aus hat man einen herrlichen Blick auf die Stadt.

휴가가 참 멋졌다. Der Urlaub war herrlich.

멍청한 blöd

멍청한/날카로운 질문 eine blöde/scharfsinnige Frage

멍청한 선생 ein blöder Lehrer

며칠 der Wievielte

오늘이 며칠이지? Der Wievielte ist heute?

면 die Nudeln <복수형>

면 음식 das Nudelgericht

명령형 der Imperativ

명함 die Visitenkarte

몇 wie viel

지금 몇 시입니까? Wie viel Uhr ist es?

몇몇의 ein paar/einig-

며칠 동안 ein paar/einige Tage

친구 몇 명을 초대하다 ein paar/einige Freunde einladen

며칠간 집에 머무르다 ein paar/einige Tage zu Hause bleiben

모두 alle

모두 와라! Kommt alle!

모든 all-

우리 반의 모든 여학생 alle Mädchen aus unserer Klasse

모든 학생이 그 선생님을 좋아한다. Alle Schüler mögen den Lehrer.

모든 것 alles

나는 그에 관한 모든 것을 안다. Ich weiß alles über ihn.

모르다 nicht wissen; keine Ahnung haben

나는 그것을 모른다. Ich weiß es nicht./Das weiß ich nicht.

몰라! Keine Ahnung!

모으다 sammeln

우표를 모으다 Briefmarken sammeln

모자 der Hut

그녀는 모자를 즐겨 쓴다. Sie trägt gern Hüte.

목 der Hals

그녀는 목이 길고 가늘다. Sie hat einen langen, schlanken Hals.

목요일 der Donnerstag

목요일에/목요일마다 donnerstags

목욕하다 baden

나는 일주일에 한 번씩 목욕한다. Ich bade einmal in der Woche.

목의 통증 die Halsschmerzen

목의 통증을 심하게 느끼다 starke Halsschmerzen haben

못생긴 hässlich

못생긴 남자 ein hässlicher Mann

못생긴 여자 eine hässliche Frau

묘사하다 beschreiben

자기 방/고향도시/친구를 묘사하다 sein Zimmer/seine Heimatstadt/seinen Freund beschreiben

무거운 schwer

무거운 책가방 eine schwere Schultasche

무료입장권 die Freikarte

나는 연주회의 무료입장권 두 장이 있다. Ich habe zwei Freikarten für das Konzert.

무릎 das Knie

내 오른쪽 무릎이 아프다. Mein rechtes Knie tut weh.

무엇 etwas

나는 그에게 무엇인가를 선물하고 싶다. Ich möchte ihm etwas schenken.

무엇 was

너는 아침식사 때 무엇을 먹니? Was isst du zum Frühstück?

묵다 übernachten

친구 집/호텔에서 묵다 bei einem Freund/ im Hotel übernachten

문 die Tür

문을 열다/닫다 die Tür öffnen/schließen

문제 das Problem

작은/큰 문제 ein kleines/großes Problem

문제 die Frage

쉬운/어려운 문제 eine leichte/schwierige Frage

문제 1-5번까지 대답하시오. Antworten Sie auf die Fragen 1 bis 5.

물 das Wasser

따뜻한 물/차가운/맑은/탁한/더러운 물 warmes/kaltes/klares/trübes/schmutziges Wasser

물을 많이 마시다 viel Wasser trinken

물고기 der Fisch

물놀이하다 baden

강/바다에서 물놀이하다 im Fluss/Meer baden

물리 <교과> die Physik

물리수업 der Physikunterricht

물리교사 der Physiklehrer

물리학자 der Physiker

미니스커트 der Minirock

미니스커트를 입다 einen Minirock anziehen

검은 미니스커트를 입고 있다 einen schwarzen Minirock tragen

미래 die Zukunft

미래에 in (der) Zukunft

미래의 행운을 빈다! Alles Gute für die Zukunft!

미소 짓다 lächeln

귀엽게 미소짓다 süß lächeln

미술 die Kunst

미술은 내가 제일 좋아하는 과목이다. Kunst ist mein Lieblingsfach.

미친 verrückt

미친 사람 ein verrückter Mensch

미터 der Meter

그는 키가 1미터 80센티이다. Er ist 1,80m (einen Meter achtzig) groß.

민간 방, 민박 das Privatzimmer

믿다 glauben

누구를 믿다 jm. glauben 너는 나를 믿어도 된다. Du kannst mir glauben.

신을 믿다 an Gott glauben

바나나 die Banane
바다 das Meer
바다로 가다 ans Meer fahren
바람 der Wind
강한/시원한 바람 ein starker/frischer Wind
시원한 바람이 분다. Es weht ein frischer Wind.
바람이 부는 windig
오늘은 바람이 많이 분다. Heute ist es sehr windig.
바로 direkt
학교 바로 옆에 박물관이 있다. Direkt neben der Schule gibt es ein Museum.
바지 die Hose
반바지 eine kurze Hose
긴 바지를 입다 eine lange Hose anziehen
박물관 das Museum
박물관을 관람하다 ein Museum besichtigen
반 die Klasse
우리 반의 학생들 die Schüler aus unserer Klasse
큰 반 eine große Klasse
반 halb
반 시간(30분) eine halbe Stunde
4시 반 halb fünf
연주회는 7시 반에 시작한다. Das Konzert beginnt um halb acht.
반장 der Klassensprecher
반 친구 der Klassenkamerad
반 친구를 만나다 einen Klassenkameraden treffen
반 친구들을 모두 집으로 초대하다 alle Klassenkameraden nach Hause einladen
그녀는 우리 반 친구이다. Sie ist meine Klassenkameradin.
받다 bekommen
친구로부터 편지를 한 장 받다 einen Brief von einem Freund bekommen
영어에서 수를 받다 eine Eins in Englisch bekommen
발 der Fuß
밝은 hell
밝은 방 ein helles Zimmer
밝은 색 eine helle Farbe
밝은 색 코트 ein heller Mantel
밤 die Nacht
어두운/긴 밤 eine dunkle/lange Nacht
고요한/거룩한 밤 eine stille/heilige Nacht
밤늦게까지 공부하다 bis spät in die Nacht arbeiten
밤에 nachts
밤에 일하다 nachts arbeiten
밥 der Reis
밥 한 공기 eine Schüssel Reis
방 das Zimmer
큰 방 ein großes Zimmer
조용한 방 ein ruhiges Zimmer
잘 정돈된/깨끗한 방 ein ordentliches/sauberes Zimmer
욕실이 딸린 방 ein Zimmer mit Bad

방을 정리하다/청소하다 das Zimmer aufräumen/putzen

방문하다 besuchen

할머니 할아버지를 방문하다 die Großeltern besuchen

방학 die Ferien

여름방학 die Sommerferien

방학을 고대하다 sich auf die Ferien freuen

방학을 시골에서 보내다 die Ferien auf dem Land verbringen

방학 잘 보내라! Schöne Ferien!

나는 지금 방학이다. Ich habe jetzt Ferien.

내일부터 방학이다. Ab morgen sind Ferien./Morgen beginnen die Ferien.

곧 방학이 끝난다. Bald gehen die Ferien zu Ende.

배 der Bauch

내 배가 아프다. Mein Bauch tut weh.

배가 고프다 Hunger haben

배가 많이 고프다 großen Hunger haben

배가 고프지 않다 keinen Hunger haben

배고픔 der Hunger

배드민턴 das Badminton

배드민턴을 치다 Badminton spielen

나는 배드민턴을 배운다. Ich lerne Badminton spielen.

배우다 lernen

독일어/수영을 배우다 Deutsch/Schwimmen lernen

피아노를 배우다 Klavier spielen lernen

배터리 die Batterie

배터리가 다 되었다. Die Batterie ist leer.

백사장 der weiße Strand

백설 공주 Schneewittchen

백화점 das Kaufhaus

백화점에 가다 ins Kaufhaus gehen

백화점에서 쇼핑하다 im Kaufhaus einkaufen

밸런타인데이 der Valentinstag

2월 14일은 밸런타인데이이다. Der 14. Februar ist Valentinstag.

버스 der Bus

버스를 기다리다 auf den Bus warten

버스를 타다 den Bus nehmen

버스를 타고 가다 mit dem Bus fahren

버스 운전사 der Busfahrer

버터 die Butter

버터를 빵에 바르다 die Butter aufs Brot schmieren

번 das Mal

이번 dieses Mal

지난 번 letztes Mal

다음 번 nächstes Mal

번역하다 übersetzen

한 문장을 독일어로 번역하다 einen Satz ins Deutsche übersetzen

벌다 verdienen

돈을 (적게/많이) 벌다 (wenig/viel) Geld verdienen

벌써 schon

나의 누나는 벌써 19살이다. Meine

Schwester ist schon 19 Jahre alt.
너는 벌써 대학생이니 아니면 아직 고등학생이니? Bist du schon Student oder noch Schüler?
너 벌써 영국에 가본 적 있니? Warst du schon mal in England?

베개 das Kissen, das Kopfkissen

벨이 울리다 klingeln
7시에 자명종이 울린다. Um sieben klingelt der Wecker.

벽 die Wand
오른쪽 벽에 an der rechten Wand
벽 왼쪽에 links an der Wand
그림을 벽에 걸다 ein Bild an die Wand hängen

변호사 der Rechtsanwalt, die Rechts-an-wäl-tin

별 der Stern
별을 관찰하다 die Sterne beobachten

별로 없는 wenig, wenig-
길에는 자동차가 적다. Auf der Straße gibt es wenig Autos.
나는 돈이 별로 없다. Ich habe wenig Geld.
이번 주에는 내가 시간이 별로 없다. In dieser Woche habe ich wenig Zeit.
숙제를 한 학생이 별로 없었다. Nur wenige Schüler haben die Hausaufgaben gemacht.

병 die Flasche
우유 두 병 zwei Flaschen Milch

병든 krank
그 병든 아이 das kranke Kind

보기 흉한 hässlich
보기 흉한 동물/집 ein hässliches Tier/Haus

보내는 사람 der Absender (Abs.)

보내다 (물건을) schicken
누구에게 편지/소포를 보내다 jm. einen Brief/ein Paket schicken

보내다 (시간을) verbringen
주말을 제주도에서 보내다 das Wochenende auf der Jeju-Insel verbringen

보다 sehen
누구를 보다 jn. sehen 페터 보았니? Hast du Peter gesehen?
영화를 보다 einen Film sehen, sich einen Film ansehen

... 보다 (더 ...) als ...
그는 나보다 더 크다. Er ist größer als ich.

보름달 der Vollmond
오늘은 보름이다/보름달이 뜬다. Heute ist Vollmond.

보이다 aussehen
이 안경을 쓰면 너는 멋있어 보인다. Mit dieser Brille siehst du schick aus.

보충하다 ergänzen
텍스트를 보충하시오. Ergänzen Sie den Text.

복 das Glück
복 많이 받으세요. Viel Glück!

복을 가져오다 Glück bringen 네 잎 클로버는 복을 가져온다. Ein Kleeblatt mit vier Blättern bringt Glück.

복통 die Bauchschmerzen

본론 der Hauptteil

봄 der Frühling

부활절은 봄에 있다. Ostern ist im Frühling.

봄에 피는 꽃 die Frühlingsblume

봉지 die Packung

커피 한 봉지 eine Packung Kaffee

부대비용 die Nebenkosten

부록 der Anhang

부르다 rufen

의사를 부르다 einen Arzt rufen

택시를 부르다 ein Taxi rufen

부모 die Eltern

부모님께 가다 zu den Eltern gehen/fahren

부부 das Ehepaar

자녀가 있는/없는 부부 ein Ehepaar mit Kindern/ohne Kinder

부엌 테이블 der Küchentisch

부엌 테이블에 앉아서 식사하다 am Küchentisch essen

부은 dick, geschwollen

부은 무릎 ein dickes/geschwollenes Knie

내 오른쪽 무릎이 붓고 멍들었다. Mein rechtes Knie ist dick und blau.

부인 (성인 여성에 대한 호칭) Frau

마이어 부인 Frau Meyer

부자인 reich

그는 더 이상 부자가 아니다. Er ist nicht mehr reich.

부지런한 fleißig

부지런한 학생 ein fleißiger Schüler

부탁하다 (누구에게 무엇을) (jn. um et.) bitten 나는 그에게 설명을 부탁했다. Ich habe ihn um eine Erklärung gebeten.

누구에게 ...하도록 부탁하다 jn. bitten, ... zu ... 나는 그에게 도와달라고 부탁했다. Ich habe ihn gebeten, mir zu helfen.

부활절 (das) Ostern

너 부활절에 뭐 하니? Was machst du an Ostern?

즐거운 부활절을 보내세요! Frohe Ostern!

부활절 달걀 das Osterei

부활절 산책 der Osterspaziergang

부활절 아침 der Ostermorgen

부활절 월요일 der Ostermontag

부활절 인사 der Ostergruß

부활절 일요일 der Ostersonntag

부활절 직전의 한 주, 성(聖) 주간 die Karwoche

부활절 축제 das Osterfest

부활절 축제일 der Osterfeiertag

부활절 카드 die Osterkarte

부활절 케이크 der Osterkuchen

부활절 토끼 der Osterhase

분(시간의 단위) die Minute

몇 분간 기다리다 ein paar Minuten

warten

분/분량 die Portion

밥 2인분 zwei Portion Reis

아이스크림 큰 것(분량) eine große Portion Eis

분명히 sicher, bestimmt

그는 분명히 온다. Er kommt sicher/bestimmt.

그 선물이 분명히 그의 마음에 들 것이다. Das Geschenk gefällt ihm sicher/bestimmt.

분홍색의 rosa

분홍색 티셔츠 eine rosa T-Shirt.

불다 wehen

바람이 분다. Der Wind weht./Es ist windig.

불꽃놀이 das Feuerwerk

다채로운 불꽃놀이 ein buntes Feuerwerk

불빛 das Licht

초의 불빛 das Licht der Kerze/das Kerzenlicht

불손한 unhöflich

불손한 학생 ein unhöflicher Schüler

불을 붙이다 anzünden

초에 불을 붙이다 eine Kerze anzünden

불친절한 unfreundlich

불친절한 사람 ein unfreundlicher Mensch

불친절한 말 unfreundliche Worte

그 사람은 (나에게) 불친절하다. Er ist unfreundlich (zu mir).

블라우스 die Bluse

하얀 블라우스를 입고 있다 eine weiße Bluse tragen

비 der Regen

비가 내리는 regnerisch

비가 내리는 날 ein regnerischer Tag

비가 내리는 날씨 ein regnerisches Wetter/das Regenwetter

비가 내리다 regnen

비가 세게 내린다. Es regnet stark.

여름에는 비가 자주/많이 내린다. Im Sommer regnet es oft/viel.

비교하다 vergleichen

한국과 독일을 비교하시오. Vergleichen Sie Korea mit Deutschland.

비싼 teuer, (물가가) 비싼 hoch

비싼 책 ein teures Buch

이 차는 매우 비싸다. Dieser Wagen ist sehr teuer.

물가가 매우 비싸다. Die Preise sind sehr hoch.

비자 das Visum

비자를 신청하다 ein Visum beantragen, einen Antrag auf ein Visum stellen

비참한 elend

비참한 심정이다 sich elend fühlen

비참한 miserabel

비참한 심정이다 sich miserabel fühlen

비치다 scheinen

해가 비친다. Die Sonne scheint.

비행 der Flug

마드리드로의 비행 der Flug nach Madrid
편안한 비행 ein angenehmer Flug
비행기 das Flugzeug, die Maschine
하늘에 비행기 한 대가 날아간다. Am Himmel fliegt ein Flugzeug.
빈 leer, frei
교실이 비어있다. Das Klassenzimmer ist leer.
빈 병/가방 eine leere Flasche/Tasche
빈 말 leere Worte
빈손으로 오다 mit leeren Händen kommen
빈 택시 ein freies Taxi
화장실이 비어있다. Die Toilette ist frei.
빠른 schnell
빠른 음악 schnelle Musik
빠른 자동차 ein schnelles Auto
빨간 rot
빨간 입술/머리카락 rote Lippen/Haare
빨리 schnell
빨리 집에 가다 schnell nach Hause gehen
빨리 숙제를 하다 schnell die Hausaufgaben machen
빨리 점심을 먹다 schnell zu Mittag essen
빵 das Brot
나는 아침에는 빵을 먹는다. Ich esse morgens Brot.
빵을 굽다 Brot backen
빵집 die Bäckerei
제과점에서 빵과 케이크를 사다 in der Bäckerei Brot und Kuchen kaufen
제과점에 가다 zur Bäckerei gehen
빼빼 마른 dünn, mager
그는 빼빼 말랐다. Er ist dünn/mager.
...뿐만 아니라, ...도 또한 nicht nur ..., sondern auch ...
그는 영리할 뿐만 아니라, 성품도 좋다. Er ist nicht nur klug, sondern auch nett.
사고 der Unfall
사고를 겪다 einen Unfall haben
사과 der Apfel
빨간/맛있는 사과 ein roter/leckerer Apfel
사과를 깎다 einen Apfel schälen
사과주스 der Apfelsaft
사과주스를 한 잔 마시다 ein Glas Apfelsaft trinken
사귀다 kennenlernen
나는 그 남자를 더 가까이 사귀고 싶다. Ich möchte ihn näher kennenlernen.
사다 kaufen
음료수를 사다 Getränke kaufen
새로운 컴퓨터 게임을 사다 ein neues Computerspiel kaufen
새 차를 사다 ein neues Auto kaufen
사람 der Mensch, die Person
좋은 사람 ein netter Mensch
서울에는 사람들이 많이 살고 있다. In Seoul wohnen viele Menschen.
3 사람을 위한 테이블을 예약하다 einen Tisch für drei Personen reservieren
사람들 die Leute
해변 가에는 사람들이 많이 있었다. Am

Strand gab es viele Leute.

사랑 die Liebe

참된 사랑 eine wahre Liebe

사랑스러운 lieb

사랑스러운 아이 ein liebes Kind

사랑하는 lieb

사랑하는 친구들에게! Liebe Freunde!

사랑하다 lieben

나는 내 여자 친구를 사랑하기 때문에 그녀와 결혼하고 싶다. Ich möchte meine Freundin heiraten, weil ich sie liebe.

사무실 das Büro

사무실에 가다 ins Büro gehen

누구에게 사무실로 전화하다 jn. im Büro anrufen

사실(은) eigentlich

사실 그 케이크는 맛이 있다. Eigentlich schmeckt der Kuchen gut.

사업 das Geschäft

그의 사업이 잘 되고 있다. Sein Geschäft läuft gut.

사이에 zwischen <3격 요구 전치사>

소파와 장롱 사이에 (낮은) 서랍장이 있다. Zwischen dem Sessel und dem Schrank steht eine Kommode.

사적인 privat

사전 das Wörterbuch

사전에서 낱말을 찾다 ein Wort im Wörterbuch suchen/nachschlagen

사진 das Bild

사진을 찍다 ein Bild machen

친구들 사진을 찍다 ein Bild von den Freunden machen

사진 das Foto

내 여자 친구의 사진 ein Foto von meiner Freundin

사진을 찍다 ein Foto machen

단체사진을 찍다 ein Gruppenfoto machen

누구에게 결혼사진을 보여주다 jm. die Hochzeitsfotos zeigen

사진기 die Kamera

사진기를 가져오다/가져가다 eine Kamera mitbringen/mitnehmen

사진 찍다 fotografieren

박물관을 사진 찍다 das Museum fotografieren

산 der Berg

높은 산 ein hoher Berg

한국에서 가장 높은 산 der höchste Berg in Korea

산맥 das Gebirge

금강산 여행 eine Reise ins Geumgang-Gebirge

산 속의 시냇물 der Bergbach

산책하다 einen Spaziergang machen, spazieren gehen

산타클로스 der Weihnachtsmann

12월 24일 산타클로스가 온다. Am 24. 12./am 24. Dezember kommt der Weihnachtsmann.

산타클로스가 어린이들에게 선물을 준

다. Der Weihnachtsmann bringt den Kindern Geschenke.

살다 leben, wohnen

행복하게 살다 glücklich leben

오래 살다 lange leben

부모님과 함께 살다 mit den Eltern zusammenleben

미국에서/도시에서/시골에서 살다 in Amerika/in der Stadt/auf dem Land leben/wohnen.

작은 아파트에서/큰 주택에서 살다 in einer kleinen Wohnung/in einem großen Haus leben/wohnen

친구 집에서 살다 bei einem Freund wohnen

(...)살인 alt

이 아이는 몇 살입니까? Wie alt ist das Kind?

그 애는 9살입니다. Das Kind ist neun Jahre alt.

삶 das Leben

한국에서의 삶 das Leben in Korea

행복한 삶을 영유하다 ein glückliches Leben führen

삶다 kochen

달걀을 삶다 Eier kochen

삼(3)격 der Dativ

삼촌 der Onkel

상 der Tisch

여자들이 조상을 위해서 상을 차린다. Die Frauen bereiten den Tisch für die Ahnen vor.

상기시키다 erinnern

그 사진은 내게 나의 아버지를 상기시킨다. Das Foto erinnert mich an meinen Vater.

이 그림은 우리에게 미국시절을 상기시킨다. Dieses Bild erinnert uns an unsere Zeit in Amerika.

상당히 schön

상당히 따듯하다. Es ist schön warm.

상상하다 sich (et.) vorstellen

상상해 봐! Stell dir vor!

나는 그것을 잘 상상할 수 있어(안 봐도 잘 알 수 있어/훤하다)! Das kann ich mir gut vorstellen!

상점 das Geschäft, der Laden

상점을 가지고 있다 ein Geschäft/einen Laden haben

가게를 운영하다 einen Laden führen/betreiben

새 neu

새 신 neue Schuhe

새 안경 eine neue Brille

새로 neu

그는 이 반에 새로 왔다. Er ist neu in der Klasse.

새장 der Käfig

새가 새장에 있다. Der Vogel ist im Käfig.

새해 das neue Jahr

새해를 잘 맞이하세요! Einen guten Rutsch ins neue Jahr!

새해 복 많이 받으세요! Alles Gute fürs Neue Jahr!

즐거운 크리스마스와 좋은 새해를 기원합니다. Frohe Weihnachten und ein gutes Neues Jahr.

새해 첫날/설날 das Neujahr

새해 첫날을 위하여! Prost Neujahr!

색 die Farbe

밝은 색 eine helle Farbe

어두운 색 eine dunkle Farbe

색연필 der Farbstift

색연필로 그리다 mit Farbstiften malen

샐러드 der Salat

과일 샐러드 der Obstsalat

샐러드를 만들다 einen Salat machen

샐러드를 좋아하다 Salat mögen

생각하다 denken, glauben

나는 그렇게 생각하지 않는다. Ich denke nicht so.

나는 자주 너를 생각한다. Ich denke oft an dich.

나는 그가 부지런한 학생이라고 생각한다. Ich glaube, dass er ein fleißiger Schüler ist.

나는 그가 우리에게 오리라고 생각하지 않는다. Ich glaube nicht, dass er zu uns kommt.

생각하다 (jn./et. irgendwie) finden

나는 그 사람이 따분하다고 생각한다. Ich finde ihn langweilig.

이 책이 어떻다고 생각하니? Wie findest du dieses Buch?

생각하다 (깊이 잘) sich (et.) überlegen

나는 그것을 다시 한번 잘 생각해 봐야 한다. Ich muss mir die Sache noch einmal überlegen

생기다 aussehen

그 남자는 잘 생겼다. Er sieht gut aus.

생년월일 das Geburtsdatum

나는 그의 생년월일을 잊어버렸다. Ich habe sein Geburtsdatum vergessen.

그의 생년월일을 아니? Kennst du sein Geburtsdatum?

생물 <교과> die Biologie

3교시에 우리는 생물이 있다. In der dritten Stunde haben wir Biologie.

생물시험 der Biotest

내일 우리는 생물시험을 본다. Morgen schreiben wir einen Biotest.

생선 der Fisch

생선을 굽다 Fisch braten

생선을 좋아하지 않다 keinen Fisch mögen

생수 das Mineralwasser

생수 한 병을 사다 eine Flasche Mineralwasser kaufen

생일 der Geburtstag

50회 생일 der 50. Geburtstag

너는 생일이 언제이니? Wann hast du Geburtstag?

그는 자기 생일 파티를 하지 않으려고 한다. Er will seinen Geburtstag nicht feiern.

생일선물 das Geburtstagsgeschenk
누구에게 생일선물을 하다 jm. ein Geburtstagsgeschenk machen
누구의 생일선물을 사다 für jn. ein Geburtstagsgeschenk kaufen/besorgen
생일잔치 die Geburtstagsfeier
누구를 자기 생일잔치에 초대하다 jn. zu seiner Geburtstagsfeier einladen
생일잔치를 열다 eine Geburtstagsfeier machen
생일축하 카드 die Geburtstagskarte
누구에게 생일축하 카드를 보내다 jm. eine Geburtstagskarte schicken
생일케이크 der Geburtstagskuchen
생일케이크를 자르다 den Geburtstagskuchen anschneiden
생일파티 die Geburtstagsparty
생일파티를 열다 eine Geburtstagsparty machen
생활 das Leben
한국에서의 생활 das Leben in Korea
서가 das Bücherregal
밝은 색 나무로 만든 서가 ein Bücherregal aus hellem Holz
책을 서가에 꽂다 die Bücher ins Bücherregal stellen
서랍장 die Kommode
양말을 서랍장에 넣다 die Socken in die Kommode legen
서로에게 voreinander, einander
사람들은 서로에게 절하다 Die Leute verbeugen sich voreinander.
사람들이 서로에게 손을 흔든다. Die Leute winken einander zu.
서론 die Einleitung
서명 die Unterschrift
선물 das Geschenk
누구에게 선물을 주다/사주다 jm. ein Geschenk geben/kaufen
선물을 받다 ein Geschenk bekommen
선물을 희망하다 sich ein Geschenk wünschen
선물을 받고 기뻐하다 sich über ein Geschenk freuen
생일선물 das Geburtstagsgeschenk
졸업선물 das Geschenk zum Schulabschluss/Universitätsabschluss
결혼선물 das Hochzeitsgeschenk
크리스마스 선물 das Weihnachtsgeschenk
작별선물 das Abschiedsgeschenk
선물하다 (…에게 …을) schenken,
크리스마스에 누구에게 무엇을 선물을 하다 jm. et. zu Weihnachten schenken
나는 그에게 생일 때 책을 한 권 선물했다. Ich habe ihm ein Buch zum Geburtstag geschenkt.
선물하다 (…을) verschenken
나는 내 오래된 라디오를 팔고 싶지 않고, 그냥 선물한다. Ich möchte mein altes Radio nicht verkaufen, sondern verschenken.

설날 das Neujahr

한국에서는 설날을 어떻게 경축합니까? Wie feiert man in Korea Neujahr?

양력 설날 Neujahr nach Sonnenkalender

음력 설날 Neujahr nach Mondkalender

설날 음식 das Neujahrsessen

설명하다 erklären

이 낱말을 설명해 주세요. Erklären Sie mir bitte dieses Wort.

설사 der Durchfall

설사하다 Durchfall haben

설사병에 걸리다 Durchfall bekommen

설사약 ein Medikament gegen Durchfall

섬 die Insel

섬에서 휴가를 보내다 den Urlaub auf einer Insel verbringen

성(城) das Schloss

성을 짓다 ein Schloss bauen

성을 관람하다 ein Schloss besichtigen

성(姓) der Nachname/der Familienname

우리는 성이 같다. Wir haben den gleichen Nachnamen.

흔한/드문 성 ein häufiger/seltener Nachname/Fami-lien-name

성(聖) 금요일 der Karfreitag

성(聖) 주간 die Karwoche

성격 der Charakter

그녀는 성격이 어떻습니까? Was für einen Charakter hat sie?

그 여자는 성격이 좋다. Sie hat einen guten Charakter.

그녀의 성격이 내 마음에 들지 않습니다. Ihr Charakter gefällt mir nicht.

성인 der/die Erwachsene

성인 영화 ein Film für Erwachsene

성적 die Note

성탄절 미사 die Weihnachtsmesse

성탄절 미사에 가다 in die Weihnachtsmesse gehen

세게 stark

비가 세게 내린다. Es regnet stark.

바람이 세게 분다. Der Wind weht stark./ Es weht ein starker Wind.

세계 die Welt

전 세계에서 온 학생들 Studenten aus aller Welt

세계에서 가장 영향력 있는 인물 die einflussreichste Person der Welt

세계여행 die Weltreise

세다 zählen

1부터 10까지 세다 von eins bis zehn zählen

세련된 schick

세련된 안경/색 eine schicke Brille/Farbe

세련된 여자 eine schicke Frau

세수하다 sich waschen

나는 아침 식사 전에 세수한다. Ich wasche mich vor dem Frühstück.

센 stark

센 바람 ein starker Wind

그 사람은 힘이 세다. Er ist stark.

소고기/쇠고기 das Rindfleisch

소녀 das Mädchen
귀여운 소녀 ein süßes Mädchen
소년 der Junge
어린 소년 ein kleiner Junge
소년 소녀 Jungen und Mädchen
소문자로 쓰다 kleinschreiben
동사는 소문자로 쓴다. Verben schreibt man klein.
소시지 die Wurst
소시지 100g을 사다 100 Gramm Wurst kaufen
소파 das Sofa
오래되었지만, 편안한 소파 ein altes, aber bequemes Sofa
흰 가죽으로 만든 현대식 소파 ein modernes Sofa aus weißem Leder
소파 위에 앉다 sich aufs Sofa setzen
소풍 der Ausflug
소풍가다 einen Ausflug machen
산으로 소풍을 가다 einen Ausflug in die Berge/ins Gebirge machen
야외로 소풍을 가다 einen Ausflug ins Grüne machen
속하다 (...에/에게) → (...의) 것이다 gehören <+ 3격 목적어>
이 안락의자는 전에 나의 할머니에게 속했다. Der Sessel hat früher meiner Oma gehört.
이 책이 누구 것이지? Wem gehört das Buch?
손 die Hand
손을 씻다 sich die Hände waschen
오른손 die rechte Hand
왼손으로 글을 쓰다 mit der linken Hand schreiben
손녀 die Enkeltochter
그에게는 세 명의 손녀가 있다. Er hat drei Enkeltöchter.
손자 der Enkelsohn
그녀는 손자가 많다. Sie hat viele Enkelsöhne.
쇼핑하다 einkaufen
쇼핑하러 가다 einkaufen gehen
나는 오후에 파티를 위해서 쇼핑해야 한다. Ich muss am Nachmittag für die Party einkaufen.
수업 der Unterricht
수업은 9시에 시작해서 11시에 끝난다. Der Unterricht beginnt um neun Uhr und endet um elf Uhr.
독일어수업 der Deutschunterricht
과외수업 der Nachhilfeunterricht
수업이 없는 frei, unterrichtsfrei
수업이 없는 날 ein freier Tag
수업이 없다 freihaben, keinen Unterricht haben
나는 토요일에는 수업이 없다. Ich habe am Samstag keinen Unterricht./Ich habe am Samstag frei.
수영장 das Schwimmbad
수영장에 가다 ins Schwimmbad gehen
실내 수영장 das Hallenbad

야외 수영장 das Freibad
수영하다 schwimmen
매일 한 시간씩 수영하다 jeden Tag eine Stunde schwimmen
친구들과 함께 수영하러 가다 mit den Freunden schwimmen gehen
수요일 der Mittwoch
수요일마다/수요일에 mittwochs
수의사 der Tierarzt, die Tierärztin
그녀는 수의사가 되고 싶어 한다. Sie möchte Tierärztin werden.
수정하다 korrigieren
텍스트를 수정하시오. Korrigieren Sie den Text.
수줍어하는 schüchtern
수줍어하는 소년 ein schüchterner Junge
수프 die Suppe
수프를 끓이다 eine Suppe kochen
수학 <교과> die Mathematik
수학을 좋아하다/싫어하다 Mathematik mögen/nicht mögen
수학교사 der Mathematiklehrer
친절한/엄격한/노련한/인내심이 있는 수학교사 ein freundlicher/strenger/erfahrener/ geduldiger Mathematiklehrer
수학자 der Mathematiker
위대한 수학자ein großer Mathematiker
숙박하다 übernachten
호텔/유스호스텔에서 숙박하다 im Hotel/in einer Jugendherberge übernachten
숙제 die Hausaufgabe
숙제를 하다 die Hausaufgaben machen
나는 오늘 숙제가 많다. Ich habe heute viele Hausaufgaben auf.
술 der Alkohol
숨기다 verstecken
부활절 달걀을 정원에 숨기다 Ostereier im Garten verstecken
숱이 적은 dünn
숱이 적은 머리 dünne Haare
쉬는 시간 die Pause
쉬는 시간에 빵을 먹다 in der Pause ein Brot essen
쉬는 시간은 10시에 시작한다. Die Pause beginnt um 10 Uhr.
쉬운 einfach, leicht
쉬운 시험 ein einfacher Test
쉬운 시험 eine leichte Prüfung/ein leichter Test
슈퍼마켓 der Supermarkt
슈퍼마켓에서 쇼핑하다 im Supermarkt einkaufen
스노보드 der Snowboard
스노보드 강좌 der Snowboardkurs
스노보드 타기 Snowboarden
스웨터 der Pullover
두꺼운 스웨터 ein dicker Pullover
스웨터를 입다 einen Pullover anziehen
스웨터를 벗다 den Pullover ausziehen
스케치북 der Zeichenblock, der Malblock
빈 스케치북 ein leerer Zeichenblock/Malblock

스케치북과 색연필 Malblock und Farbstifte
스키 활강장 die Piste
스탠드 die Lampe
스탠드를 켜다/끄다 die Lampe anmachen/ausmachen
스탠드를 나이트 테이블에 올려놓다 die Lampe auf den Nachttisch stellen
스테레오 음향기기 die Stereoanlage
현대적인 스테레오 음향기기 eine moderne Stereoanlage
스테레오 음향기기를 켜다/끄다 die Stereoanlage anmachen/ausmachen
스포츠 der Sport
스포츠를 즐기다 gern Sport treiben
스포츠맨 der Sportler
훌륭한 스포츠맨 ein guter Sportler
스포티하게 sportlich
그녀는 항상 스포티하게 옷을 입는다. Sie zieht sich immer sportlich an.
스포티한 sportlich
그녀는 매우 스포티하고 스포티한 옷만 좋아한다. Sie ist sehr sportlich und mag nur sportliche Kleider.
슬로프 die Piste
승낙 die Zusage
시 (수량단위: 시간) Uhr
11시에 um elf Uhr
3시부터 5시까지 von drei bis fünf Uhr
시간 die Stunde
첫 시간에 in der ersten Stunde
2시간 동안 누구를 기다리다 zwei Stunden auf jn. warten
시간 die Zeit
시간이 없다 keine Zeit haben
시간이 많다 viel Zeit haben
시간을 잊어버리다 die Zeit vergessen
시간을 잘 지키는 pünktlich
그는 시간을 잘 지키는 사람이다. Er ist ein pünktlicher Mensch.
시간을 잘 지키지 않는 unpünktlich
시간을 잘 지키지 않는 사람 ein unpünktlicher Mensch
시간표 der Stundenplan
빡빡한 시간표 ein voller Stundenplan
시계 die Uhr
금시계 eine goldene Uhr
시계를 보다 auf die Uhr sehen/schauen
시골 das Land
시골에서 오다 vom Land kommen
시골로 가다 aufs Land gehen/fahren
시골에서 살다 auf dem Land leben
방학/어린 시절을 시골에서 보내다 die Ferien/seine Kindheit auf dem Land verbringen
시골생활을 좋아하다 das Landleben mögen
시소 die Wippe
시작 der Beginn
방학 시작 der Beginn der Ferien/der Ferienbeginn
시작하다 beginnen, anfangen

수업은 9시에 시작한다. Der Unterricht beginnt um neun Uhr.
정시에 시작하다 pünktlich beginnen
비가 내리기 시작한다. Es fängt an, zu regnen.

시험 die Prüfung
어려운/쉬운/간단한 시험 eine schwere/leichte/einfache Prüfung
시험을 치르다 eine Prüfung machen
시험에 합격하다 die Prüfung bestehen
시험에 떨어지다 in der Prüfung durchfallen

시험공부를 하다 für einen Test/eine Prüfung lernen

식구 die Familie, das Familien-mitglied
우리 식구는 다섯 명이다. Unsere Familie besteht aus fünf Personen.
우리 식구 중에서 우리 형이 제일 키가 크다. In unserer Familie ist mein älterer Bruder am größten.
식구들이 서로에게 절을 한다. Die Familienmitglieder verbeugen sich voreinander.

식당 das Restaurant
좋은 식당 ein gutes Restaurant
누구를 식당으로 초대하다 jn. ins Restaurant einladen

식탁 der Esstisch
원형 나무 식탁 ein runder Esstisch aus Holz
식탁을 중앙에 놓다 den Esstisch in die Mitte stellen
식탁에 앉다 sich an den Esstisch setzen

신(발) der Schuh
신을 신다 Schuhe anziehen
신을 벗어라. Zieh die Schuhe aus.
나는 볼이 넓은 신을 즐겨 신는다. Ich trage gern weite Schuhe.

신고 있다 tragen
빨간 신을 신고 있다 rote Schuhe tragen

신다 anziehen
신을 신다 Schuhe anziehen

신어보다 anprobieren
신을 신어보다 Schuhe anprobieren

신청(서) der Antrag
무엇을 신청하다 einen Antrag auf et. stellen

신청하다 et. beantragen
비자를 신청하다 ein Visum beantragen

실습 das Praktikum

실습생 der Praktikant, die Praktikantin

실용적인 praktisch
실용적인 옷 praktische Kleidung
실용적인 힌트 praktische Tipps
컴퓨터는 이제 책상 위 오른쪽에 있다. 이것이 더 실용적이다. Der Computer steht jetzt rechts auf dem Schreibtisch. Das ist praktischer.

실제의 wahr
실제 이야기 eine wahre Geschichte

심한 schlimm
심한 감기 eine schlimme Erkältung

심한 통증 schlimme Schmerzen

심한 stark

심한 목의 통증 starke Halsschmerzen

쌀 der Reis

쌀 20㎏을 사다 20㎏ Reis kaufen

써보다 anprobieren

eine Brille anprobieren

쓰고 있다 tragen

안경/모자를 쓰고 있다 eine Brille/einen Hut tragen

쓰다 schreiben

부모님께 편지를 쓰다 einen Brief an die Eltern schreiben/den Eltern einen Brief schreiben

매일 일기를 쓰다 jeden Tag Tagebuch schreiben

씨 <성인 남성> Herr, <성인 여성> die Frau

마이어 씨 Herr Meyer

베커 씨 (부인) Frau Becker

씻다 waschen

손을 씻다 sich die Hände waschen

얼굴을 씻어라. Wasch dein Gesicht./Wasch dir das Gesicht.

아기예수 das Christkind

아늑한 gemütlich

아늑한 방 ein gemütliches Zimmer

아는 바 die Ahnung

나는 아는 바가 없다. Ich habe keine Ahnung.

아니(오) nein

아니/안 nicht

아니면 oder

너 5시에 올래, 아니면 6시에 올래? Willst du um fünf Uhr oder um sechs Uhr kommen?

아들 der Sohn

그에게는 3명의 아들이 있다. Er hat drei Söhne.

큰아들 der älteste Sohn

작은아들 der mittlere Sohn/der jüngste Sohn

막내아들 der jüngste Sohn

아래에 unten

아래에 있는 방을 묘사하시오! Beschreiben Sie das Zimmer unten!

아르바이트하다 jobben

방학에 슈퍼마켓에서 일하다 in den Ferien im Supermarkt jobben

아름다운 schön

아름다운 도시 eine schöne Stadt

아름다운 노래 ein schönes Lied

아리따운 hübsch

아리따운 아가씨 eine hübsche junge Frau

아마도 vielleicht

아마도 그가 내일 올 것이다. Vielleicht kommt er morgen.

아무 것도 (안) nichts

나는 아무 것도 들은 바가 없다. Ich habe nichts gehört.

아무도 안 niemand

아무도 전화하지 않았다. Niemand hat angerufen.

아무도 내 여자 친구만큼 노래를 잘 부르지 못한다. Niemand kann so gut singen wie meine Freundin.

아무튼 <어찌 되었든> auf jeden Fall, <무조건> einfach, unbedingt

내 파티는 아무튼 아름다워야 해. Meine Party muss einfach schön werden.

아버지 der Vater

아비투어 das Abitur

아비투어 시험을 치르다 das Abitur machen

아비투어를 '수'로 통과하다 das Abitur mit "sehr gut" bestehen

아이 das Kind

나는 아이들을 좋아한다. Ich mag Kinder.

아이를 얻다 ein Kind bekommen

귀여운 아이 ein süßes Kind

순한/착한 아이 ein braves Kind

아이디어 die Idee

좋은 아이디어를 가지다 eine gute Idee haben

아이스크림 das Eis

아이스크림을 먹다 Eis essen

초콜릿 아이스크림 das Schokoladeneis

아주 ganz/sehr/äußerst

그녀는 아주 친절하다. Sie ist ganz freundlich.

그 수업은 아주 지루하다. Der Unterricht ist ganz langweilig.

아주 좋은 super, toll, spitze

그 호텔은 아주 좋다. Das Hotel ist super/toll/spitze.

아주 훌륭한 super, toll, spitze

그의 수업은 아주 훌륭하다. Sein Unterricht ist super.

아직(도) noch

그는 아직도 자고 있다. Er schläft noch.

그는 아직도 집에 있다. Er ist noch zu Hause.

아침 der Morgen

안녕하세요! Guten Morgen! <아침인사>

너 월요일 아침에 시간 있니? Hast du Montagmorgen Zeit?

아침마다/아침에 morgens

나는 아침마다 수영을 하고, 저녁마다 음악을 듣는다. Morgens gehe ich schwimmen und abends höre ich Musik.

나는 아침에는 항상 피곤하다. Morgens bin ich immer müde.

아침식사를 하다 frühstücken

벌써 아침식사를 하셨습니까? Haben Sie schon gefrühstückt?

아침에 früh

내일 아침에 너에게 전화하마. Ich rufe dich morgen früh an.

오늘 아침에 나는 병원에 갔었다. Heute früh bin ich zum Arzt gegangen./Heute früh war ich beim Arzt.

아파트 die Wohnung

우리 아파트는 작다. Unsere Wohnung ist klein.

우리 아파트는 방이 3개이다. Unsere

Wohnung hat drei Zimmer.

아프다 wehtun

나는 눈이 아프다. Meine Augen tun weh.

나는 목이 아프다. Mein Hals tut weh.

아픈 krank

그는 벌써 한 달 동안 아프다. Er ist schon einen Monat krank.

알려주다 (누구에게 관련 사항을) jm. Bescheid sagen/geben

안개 der Nebel

안개가 끼었을 때는 조심해서 운전해야 한다. Bei Nebel muss man vorsichtig fahren.

안개가 낀 neblig

어제는 안개가 자욱 끼었다. Gestern war es stark neblig./Gestern herrschte starker/dichter Nebel.

안과의사 der Augenarzt, die Augenärztin

안녕 <만났을 때 인사> Hallo! Guten Morgen/Tag/Abend!

안녕 <편지 끝에> Alles Liebe/Alles Gute/Viele Grüße/Herzliche Grüße

안락의자 der Sessel

편안한/부드러운 안락의자 ein bequemer/weicher Sessel

현대적인 안락의자 ein moderner Sessel

안락의자에 앉다 sich in den Sessel setzen

안락의자에 앉아있다 im Sessel sitzen

안심하고 ruhig

안심하고 집에 있다 ruhig zu Hause bleiben 안심하고 집에 있어라! Bleib ruhig zu Hause!

앉아있다 sitzen

소파 위에 앉아 있다 auf dem Sofa sitzen

모여 앉아있다 zusammensitzen

우리 오후 내내 편하게 모여 앉아있었다. Wir haben den ganzen Nachmittag gemütlich zusammengesessen

알다 kennen

누구를 알다 jn. kennen

어떤 도시를 잘 알다 eine Stadt gut kennen

알다 wissen

나는 그녀가 어제 집에 없었다는 것을 안다. Ich weiß, dass sie gestern nicht zu Hause war.

알아보다 sich erkundigen, (주변에 문의하여 무엇을) 알아보다 sich nach et. umschauen

알아맞히다 raten

알아맞혀봐! Rate mal!

너는 올바로 알아맞혔다. Du hast richtig geraten.

알파벳 das Alphabet

야간 도보 die Nachtwanderung

야채 das Gemüse

나는 야채를 좋아하지 않는다. Ich mag kein Gemüse.

약 das Medikament

약을 먹다 Medikamente nehmen/einnehmen

두통 약 ein Medikament gegen

Kopfschmerzen

약 etwa

그는 약 30세이다. Er ist etwa 30 Jahre alt.

약간 etwas, ein bisschen

그의 방은 약간 어질어져 있다. Sein Zimmer ist etwas unordentlich.

그는 항상 약간 늦게 온다. Er kommt immer etwas/ein bisschen zu spät.

약속 <공식적인> der Termin, <일반적인, 사적인> die Verabredung

약속이 있다/없다 einen Termin/keinen Termin haben: 나는 내일 병원에 약속이 있다. Ich habe morgen einen Termin beim Arzt. 나는 아직 변호사와 약속이 없다. Ich habe noch keinen Termin beim Rechtsanwalt.

누구와 약속이 있다 mit jm. eine Verabredung haben 나는 내 남자친구와 약속이 있다. Ich habe eine Verabredung mit meinem Freund.

약품 das Medikament

약품을 판매하다 Medikamente verkaufen

얇은 dünn

얇은 코트 ein dünner Mantel

얇은 책 ein dünnes Buch

양 <성적> die Vier

나는 물리에서 양을 받았다. Ich habe eine Vier in Physik.

양(자 모두) beid-

양자 모두 옳다. Beide haben Recht.

양력 der Sonnenkalender

설을 양력으로 경축하다 Neujahr nach Sonnenkalender feiern

양복 der Anzug

멋있는 양복 ein schicker Anzug

양복을 입고 있다 einen Anzug tragen

양탄자 der Teppich

파란 줄무늬가 있는 둥근 양탄자 ein runder Teppich mit blauen Streifen

크고, 부드러운 양탄자 ein großer, weicher Teppich

양탄자를 방 가운데에 깔다 den Teppich in die Mitte des Zimmers legen

어두운 dunkel

어두운 색 eine dunkle Farbe

어두운 색 양복 ein dunkler Anzug

어두운 밤 eine dunkle Nacht

어디 wo

어디에서 사십니까? Wo wohnen Sie?

어디로 wohin

어디로 가십니까? Wohin gehen Sie?

어떻게 wie

성함이 어떻게 됩니까? Wie heißen Sie?

어떻게 지내십니까? Wie geht es Ihnen?

어려운 schwierig 어려운, schwer

어려운 질문 eine schwierige/schwere Frage

어려운 언어 eine schwierige/schwere Sprache

어리석은 dumm

어리석은 질문 eine dumme Frage

어리석은 사람 ein dummer Mensch

어린 jung
너는 이 운동을 하기에 아직 너무 어리다. Du bist noch zu jung für diesen Sport.
어린 양 das Lamm
어린이 das Kind
6세 이하의 어린이는 학교에 다니지 않아도 된다. Kinder unter 6 Jahren müssen nicht in die Schule gehen.
어린이 공원 der Kinderpark
어린이 공원에 가다 in den Kinderpark gehen
어린이날 der Kindertag
어린이날은 5월 5일이다. Der Kindertag ist am 5. Mai.
어린이침대 das Kinderbett
어린이 침대에서 자다 im Kinderbett schlafen
어머니 die Mutter
우리 어머니는 55세이시다. Meine Mutter ist 55 Jahre alt.
어울리다 <et. steht jm.> stehen
이 모자가 내게 어울리니? Steht mir dieser Hut?/Wie steht mir dieser Hut?
그 모자가 네게 잘 어울린다. Der Hut steht dir gut.
어제 gestern
어질러진 unordentlich
어질러진 방 ein unordentliches Zimmer
어질러진 책상 ein unordentlicher Schreibtisch
내 장롱은 항상 어질러져 있다. Mein Schrank ist immer unordentlich.
어쩌면 vielleicht
어쩌면 내일 눈이 내릴 것이다. Vielleicht schneit es morgen.
어학강좌/어학코스 der Sprachkurs
영국에서 어학강좌를 이수하다 einen Sprachkurs in England machen
어학코스에 다니다 einen Sprachkurs machen/besuchen, an einem Sprachkurs teilnehmen
어휘 die Vokabel
새로운 어휘를 익히다 die neuen Vokabeln lernen
언니 die (ältere) Schwester
언어 die Sprache
언제 wann
생일이 언제입니까? Wann haben Sie Geburtstag?
얼굴 das Gesicht
둥근/각진 얼굴 ein rundes/eckiges Gesicht
누구의 얼굴을 보다 jm. ins Gesicht sehen
엄격한 streng
엄격한 선생님 ein strenger Lehrer
엄격한 부모 strenge Eltern
엄격한 교육을 받다 eine strenge Erziehung bekommen/erhalten
없다 es gibt nicht ...; es gibt kein- ...
그럴 리가 없다! Das gibt es nicht!
빵이 없다. Es gibt kein Brot (mehr).
엉뚱한 verrückt

엉뚱한 생각 eine verrückte Idee

에어컨 die Klimaanlage

엔지니어 der Ingenieur; die Ingenieurin

여기 hier

여동생 die (jüngere) Schwester

여러 번 mehrmals

여름 der Sommer

무더운/비가 많이 오는 여름 ein heißer/regnerischer Sommer

여름을 해외에서 보내다 den Sommer im Ausland verbringen

여름방학 die Sommerferien

여름방학에 여행을 하다 in den Sommerferien eine Reise machen

여름방학을 바닷가에서 보내다 die Sommerferien am Meer verbringen

여성의 결혼 전 성 der Mädchenname

여왕 die Königin

여자 사촌 die Cousine

여자 형제 die Schwester

여자친구 die Freundin

그에게 새 여자 친구가 생겼다. Er hat eine neue Freundin.

그에게는 벌써 여자 친구가 있다. Er hat schon eine Freundin.

여학생 die Schülerin

여행 die Reise

여행을 하다 eine Reise machen

해외여행 die Auslandsreise

신혼여행 die Hochzeitsreise

수학여행 die Klassenfahrt/Klassenreise

여행목적지 das Reiseziel

여행목적지에 관해서 토의하다 über das Reiseziel diskutieren

여행하다 eine Reise machen

여행하다 reisen

누구와 함께 독일로 여행하다 mit jm. nach Deutschland reisen

역 der Bahnhof

역으로 가다 zum Bahnhof gehen/fahren

누구에게 역으로 가는 길을 알려주다 jm. den Weg zum Bahnhof erklären/zeigen

역사 die Geschichte

한국역사 die koreanische Geschichte

세계사 die Weltgeschichte

역사수업 der Geschichtsunterricht

역사가 der Historiker

연 der Drache

연을 (하나) 날리다 (einen) Drachen steigen lassen 어제 우리는 한강에서 연을 (하나) 날렸다. Gestern haben wir am Han-Fluss (einen) Drachen steigen lassen.

연결하다 verbinden

두 문장을 연결하시오. Verbinden Sie die beiden Sätze.

연극공연 die Theateraufführung

연극공연을 하다 eine Theateraufführung machen

연극공연을 관람하다 eine Theateraufführung besuchen

연로한 alt

연습 die Übung
연습하다 üben
많이 연습하다 viel üben
나는 매일 피아노를 연습한다. Ich übe jeden Tag Klavier.
연주회 das Konzert
연주회에 가다 ins Konzert gehen
연주회를 열다 ein Konzert geben
열 das Fieber
열이 높다 hohes Fieber haben
내 아들이 열이 조금 있다. Mein Sohn hat leichtes Fieber.
열다 öffnen
문/창문을 열다 die Tür/das Fenster öffnen
열쇠고리 der Schlüsselanhänger
열심히 fleißig
열심히 공부하다 fleißig lernen
열어보다 (인터넷의 여러 사이트를) surfen
나는 매일 저녁 한두 시간씩 인터넷에서 여러 사이트를 열어본다(인터넷 여행을 한다). Ich surfe jeden Abend ein, zwei Stunden im Internet.
엽서 die Karte
그림엽서 die Ansichtskarte
우편엽서 die Postkarte
영 die Null
오늘 아침은 영하 7도였다. Heute Morgen war es sieben Grad unter Null.
영국의 englisch
내게는 영국 펜팔이 있다. Ich habe einen englischen Brieffreund.
영리한 intelligent, klug
영리한 사람 ein intelligenter Mensch
영리한 질문 eine intelligente Frage
영리한 아이 ein kluges Kind
영리한 개 ein kluger Hund
영어 <교과> Englisch
영어는 내가 가장 좋아하는 과목이다. Englisch ist mein Lieblingsfach.
영어 Englisch
영어를 잘 하다 gut Englisch sprechen/können
영어로 편지를 쓰다 einen Brief auf Englisch schreiben
영어교사 der Englischlehrer
영어의 englisch
영한사전 ein englisch-koreanisches Wörter--buch
영화 der Film
재미있는 영화 ein interessanter Film
영화관 das Kino
영화관에 가다 ins Kino gehen
누구를 영화관으로 초대하다 jn. ins Kino einladen
옆에 neben <3격 요구 전치사>
문 오른쪽 옆에 rechts neben der Tür
옆으로 neben <4격 요구 전치사>
창문 왼쪽 옆으로 links neben das Fenster
예 ja
예를 들면 zum Beispiel (= z.B.)
예쁜 schön, hübsch

예쁜 눈 schöne Augen

예쁜 소녀/원피스 ein schönes Mädchen/Kleid

예술 die Kunst

예술가 der Künstler, die Künstlerin

옛 alt

옛 사진 alte Fotos

옛날(옛적)에 es war einmal

옛날에 한 예쁜 공주가 살았다. Es war einmal eine schöne Prinzessin.

오늘 heute

오늘은 1월 30일이다. Heute ist der 30. Januar.

오늘의 heutig

오늘 생일을 축하합니다! Alles Gute zum heutigen Geburtstag!

오다 kommen

집에 오다 nach Hause kommen

한국에서 오다 aus Korea kommen

오래/오랫동안 lange

오래 사십시오! Leben Sie lange!/Ich wünsche Ihnen ein langes Leben.

우리는 오랫동안 서로 못 봤습니다. Wir haben uns lange nicht gesehen.

오래된 alt

오래된 책 ein altes Buch

오래된 친구 ein alter Freund

오렌지주스 der Orangensaft

오렌지주스 한 잔을 마시다 ein Glas Orangensaft trinken

오르다 steigen

산에 오르다 auf den Berg steigen

오른(쪽의) recht-

오른 팔 der rechte Arm

오른쪽에 rechts

장롱 오른쪽 옆에 rechts neben dem Schrank

오빠 der (ältere) Bruder

오전 der Vormittag

나는 오전에 쇼핑을 간다. Am Vormittag gehe ich einkaufen.

오전에 vormittags

나는 오전에는 8시부터 12시까지 수업이 있다. Vormittags habe ich von 8 bis 12 Uhr Unterricht.

오직 nur

내 친구에게는 형이 둘 있는데, 내게는 오직 한 명뿐이다. Mein Freund hat zwei Brüder, aber ich habe nur einen Bruder.

오케이 okay

오후 der Nachmittag

매일 오후에 나는 테니스를 친다. Jeden Nachmittag spiele ich Tennis.

오후에 nachmittags

너는 오후에 뭐하니? Was machst du nachmittags?

온도 die Temperatur

올해 dieses Jahr

옳은 richtig

옳은 답을 하다 eine richtige Antwort geben

옷 die Kleider

백화점에서는 옷이 비싸다. Im Kaufhaus sind die Kleider teuer.

옷가지 das Kleidungsstück

옷을 입다 sich anziehen

나는 옷을 따뜻하게 입는다. Ich ziehe mich warm an.

옷장 der Kleiderschrank

가득 찬 옷장 ein voller Kleiderschrank

외투를 옷장에 걸다 den Mantel in den Kleiderschrank hängen

와이셔츠 das Hemd

와이셔츠를 빨다 das Hemd waschen

그는 티셔츠보다 와이셔츠를 더 즐겨 입는다. Er trägt lieber Hemden als T-Shirts.

와인 der Wein

누구에게 와인을 한 병 선물하다 jm. eine Flasche Wein schenken

백포도주 한 잔을 마시다 ein Glas Weißwein trinken

적포도주 한 병을 사다 eine Flasche Rotwein kaufen

왕 der König; 여왕 die Königin

왕자 der Prinz

그 왕자는 왕이 되었다. Der Prinz wurde König.

왜 warum

너 왜 이렇게 늦게 오니? Warum kommst du so spät?

왜냐하면 denn <대등접속사>, weil, da <종속접속사>

나는 독일어를 배우려고 한다. 왜냐하면 독일에서 대학공부를 하고 싶기 때문이다. Ich will Deutsch lernen, denn ich möchte in Deutschland studieren/weil ich in Deutschland studieren möchte.

왜냐하면 ...거든/니까 nämlich

침대에는 베개와 천으로 만든 동물인형들이 많이 있다. 왜냐하면 내가 베개와 천으로 만든 동물인형을 모으거든. Auf dem Bett liegen viele Kissen und Stofftiere. Ich sammle nämlich Kissen und Stofftiere.

외숙모 die Tante

외치다 rufen

친구들이 모두 큰 소리로 "생일 축하해!"라고 외쳤다 Alle Freunde riefen laut: „Herzlichen Glückwunsch zum Geburtstag!"

왼(쪽의) link-

나는 왼팔이 아프다. Mein linker Arm tut weh.

요리하다 kochen

그는 요리를 잘 하고 즐겨 한다. Er kocht gut und gern.

손님을 위해서 요리하다 für die Gäste kochen

욕실 das Bad

욕실이 딸린 큰 방 ein großes Zimmer mit Bad

용서 die Entschuldigung

용서해주십시오. Ich bitte Sie um Entschuldigung.

우리의 unser-

우선 zuerst/erst

우선 물건을 사고, 그 다음에 요리하자. Zuerst/Erst kaufen wir ein, dann kochen wir.

우선 .... 그러고 나서 zuerst ..., dann

나는 우선 공부를 하고, 그러고 나서 점심을 먹는다. Zuerst lerne ich, dann esse ich zu Mittag.

우스꽝스럽게 생긴 lustig

책상에는 필기구가 많이 들어있는 우스꽝스럽게 생긴 컵이 있다. Auf dem Schreibtisch steht eine lustige Tasse mit vielen Stiften.

우스운 lustig

우스운 이야기를 하다 eine lustige Geschichte erzählen

우아한 elegant

우아한 시계 eine elegante Uhr

우아한 원피스 ein elegantes Kleid

우아한 여성 eine elegante Dame

우유 die Milch

따뜻한 우유를 한 잔 마시다 ein Glas warme Milch trinken

우편엽서 die Postkarte

나는 그에게 우편엽서 한 장을 보냈다. Ich habe ihm eine Postkarte geschickt.

운동 der Sport

운동을 싫어하다 keinen Sport mögen

주말에 운동을 하다 am Wochenende Sport treiben

운동신경이 좋은 sportlich

그 사람은 운동신경이 매우 좋다. Er ist sehr sportlich.

운동을 잘하는 sportlich

운동을 잘하는 사람 ein sportlicher Mensch

그녀는 운동을 잘한다. Sie ist sportlich.

운동을 잘하지 못하는 unsportlich

운동장 der Sportplatz

방과 후에 우리는 운동장에서 축구를 했다. Nach der Schule haben wir auf dem Sportplatz Fußball gespielt.

운동하다 Sport treiben

나는 운동을 많이 한다. Ich treibe viel Sport.

울긋불긋하게 bunt

나뭇잎이 울긋불긋하게 단풍이 든다. Die Blätter werden bunt.

울긋불긋한 bunt

울긋불긋한 나뭇잎들 bunte Blätter

웃다 lachen

큰 소리로 웃다 laut lachen

웃지 마! Lach nicht!

원래는 eigentlich

원래는 영화관에 가려고 하지 않았다. Eigentlich wollte ich nicht ins Kino gehen.

원룸아파트 die Einzimmerwohnung

원룸아파트에 살다 in einer Einzimmerwohnung wohnen

원룸아파트를 임대하다 eine Einzimmerwohnung mieten

원피스 das Kleid
빨간 원피스 ein rotes Kleid
그녀는 원피스를 즐겨 입는다. Sie trägt gern Kleider.
월 der Monat
우리는 매월 만난다. Wir treffen uns jeden Monat.
1월 der Januar, 2월 der Februar, 3월 der März, 4월 der April, 5월 der Mai, 6월 der Juni, 7월 der Juli, 8월 der August, 9월 der September, 10월 der Oktober, 11월 der November, 12월 der Dezember
월요일 der Montag
월요일마다/월요일에 montags
위치하다 liegen
울릉도는 한국의 동부에 있다 Die Insel Ulleung-do liegt im Osten Koreas.
일본은 한국의 동쪽에 위치해 있다. Japan liegt östlich von Korea.
위험한 gefährlich
위험한 장난/게임 ein gefährliches Spiel
위험한(무서운) 개 ein gefährlicher Hund
위험한 거리 ein gefährlicher Weg
유감스러운 schade
네가 올 수 없다는 것이 유감스럽다. Es ist schade, dass du nicht kommen kannst.
유감스럽게도 leider
유감스럽게도 나는 너를 도와줄 수가 없다. Leider kann ich dir nicht helfen.
유감스럽게도 나는 시간이 없다. Leider habe ich keine Zeit.
유년시절 die Kindheit
유년시절을 시골에서 보내다 seine Kindheit auf dem Land verbringen
유럽 (das) Europa
유럽으로 여행하다 nach Europa reisen
유로화의 단위 der Euro
유명한 berühmt
유명한 박물관 ein berühmtes Museum
유명한 교수 ein berühmter Professor
유행에 맞는/어울리는 modisch
그녀는 항상 유행에 맞는 옷을 입고 다닌다. Sie trägt immer modische Kleider.
유행이 지난 altmodisch
유행이 지난 블라우스 eine altmodische Bluse
위 oben
그림 가운데 가장 위에 ganz oben in der Mitte des Bildes
은행 die Bank
은행에서 일하다 bei einer Bank arbeiten
은행계좌 das Bankkonto, das Konto
은행계좌를 개설하다 ein Bankkonto eröffnen
음력 der Mondkalender
설을 음력에 따라서 경축하다 Neujahr nach Mondkalender feiern
음료수 das Getränk
파티를 위해서 음료수를 사다 Getränke für die Party kaufen
음료수 좀 드릴까요? Möchten Sie etwas trinken?/Darf ich Ihnen etwas zu trinken

anbieten?

음식 das Essen, die Speise

찬/따뜻한 음식 ein kaltes/warmes Essen

음식을 요리하다 das Essen kochen

찬/따뜻한 음식 eine kalte/warme Speise

조상에게 음식을 바치다 den Ahnen Speisen darbringen

음악 <교과> Musik

음악 die Musik

음악을 듣다 Musik hören

바흐의 음악을 연주하다 Musik von Bach spielen

음악가 der Musiker

음악에 소질이 없는 unmusikalisch

음악에 소질이 있는 musikalisch

그는 음악에 소질이 있다. Er ist musikalisch.

음악을 연주하다 Musik machen

응 ja

의복 die Kleidung

백화점 의복은 비싸다. Die Kleidung im Kaufhaus ist teuer.

신사복 die Herrenkleidung

여성복 die Damenkleidung

아동복 die Kinderkleidung

의사 der Arzt, die Ärztin

의사(병원)에게 가다 zum Arzt gehen

의사를 부르다 einen Arzt rufen

의자 der Stuhl

편안한/불편한 의자 ein bequemer/unbequemer Stuhl

의자에 앉다 sich auf den Stuhl setzen

이 der Zahn

이를 닦다 sich die Zähne putzen

나는 이가 아프다. Meine Zähne tun weh./Ich habe Zahnschmerzen.

이 dies-

이 책은 매우 재미있다. Dieses Buch ist sehr interessant.

이것 dies-

이기적인 egoistisch

이기적인 사람 ein egoistischer Mensch

이다 sein

나는 학생이다 Ich bin Schüler.

너도 학생이냐? Bist du auch Schüler?

이 사람은 누구냐? Wer ist das?

이따금씩 manchmal, ab und zu

이따금씩 나는 인터넷 카페에 가서 컴퓨터 게임을 한다. Manchmal gehe ich ins Internet-Café und mache Computerspiele.

우리는 이따금씩 학교에서 만난다. Wir treffen uns ab und zu in der Schule.

이름 der Name

너 이 이름 아니? Kennst du diesen Namen?

이름(성을 제외한) der Vorname

성과 이름 der Vor- und Nachname

이름 이름이 ...이다/라고 하다 heißen

새 선생님 이름이 무엇이지? Wie heißt der neue Lehrer?

이메일 die E-Mail

누구에게 이메일을 보내다 jm. eine E-Mail schicken
누구로부터 이메일을 받다 eine E-Mail von jm. bekommen

이메일 주소 die E-Mail-Adresse
너 이메일 주소 가지고 있니? Hast du eine E-Mail-Adresse?
너 그녀의 이메일 주소 알고 있니? Kennst du ihre E-Mail-Adresse?

이모 die Tante

이모부 der Onkel

이미 schon
그 영화는 이미 끝났다. Der Film ist schon zu Ende.

이불 die Decke
따뜻한/가벼운/두터운 이불 eine warme/leichte/dicke Decke
이불을 침대에 놓다 die Decke auf das Bett legen
누구에게 이불을 덮어주다 jn. mit einer Decke zudecken

이사 der Umzug

이사 나가다 ausziehen
그녀는 자기 부모 집에서 이사 나왔다. Sie ist bei ihren Eltern ausgezogen.

이사 들어오다 einziehen
그는 지난달에 우리 집으로 이사 들어왔다. Er ist letzten Monat bei uns eingezogen.

이사하다 umziehen
나는 부산에서 서울로 이사했다. Ich bin von Busan nach Seoul umgezogen.

이야기 die Geschichte
재미있는 이야기 eine interessante Geschichte
실제 이야기 eine wahre Geschichte

이야기하다 reden, sprechen, erzählen,
날씨/학교에 관해서 이야기하다 über das Wetter/die Schule reden/sprechen
문제점들에 대해서 이야기하다 über die Probleme reden/sprechen
누구에게 누구/무엇에 관해서 이야기하다 jm. viel über jn./et. erzählen 그가 나에게 너에 관해서 많이 이야기했다. Er hat mir viel über dich erzählt. 그는 나에게 자기 가족에 대해서 많은 이야기를 했다. Er hat mir viele Geschichten über seine Familie erzählt.

이웃 der Nachbar, die Nachbarin

이제 jetzt
너 이제 뭐할 거니? Was machst du jetzt?
이제 너는 집에 가도 된다. Jetzt kannst du nach Hause gehen.

이층침대 das Etagenbett
내 동생과 나는 이층침대에서 잔다. 나는 위에서, 그는 아래에서 잔다. Mein Bruder und ich schlafen in einem Etagenbett. Ich schlafe oben und er unten.

이해하다 verstehen
자기 부모를 이해하다 seine Eltern verstehen
내 말을 잘 좀 이해해라! Verstehe mich

bitte richtig!

인간 der Mensch

인간은 동물과 다르다. Der Mensch ist anders als das Tier.

인간은 언어 능력을 갖춘 동물이다. Der Mensch ist ein sprachbegabtes Tier.

인사 der Gruß

새해인사 der Neujahrsgruß

인생 das Leben

내 인생에서 처음으로 zum ersten Mal in meinem Leben

인쇄체 die Druckschrift

...인지 아닌지/일지 아닐지 ob... (oder nicht)

그가 파티에 올지 안 올지 나는 모른다. Ich weiß nicht, ob er zu der Party kommt (oder nicht).

인터넷 das Internet

인터넷 여행을 하다 im Internet surfen

인터넷 접속 der Internetanschluss

인터넷에 접속되어 있는 컴퓨터 ein Computer mit Internetanschluss

인터넷 카페 das Internet-Café

인후통 die Halsschmerzen <복수형>

심한 인후통을 느끼다 starke Halsschmerzen haben

입술 die Lippe

내 입술이 파래졌다. Meine Lippen wurden blau.

일 der Tag

그가 5일 후에 돌아온다. Er kommt in fünf Tagen zurück.

일기 das Tagebuch

일기를 쓰다 Tagebuch schreiben

일기장 das Tagebuch

일까 ... ob

내일 비가 올까? Ob es morgen regnet?

그가 나를 사랑할까? Ob er mich liebt?

일부의 manch-

일부 사람들은 일요일에도 일한다. Manche Leute arbeiten auch am Sonntag.

일어나다 aufstehen

나는 일요일에 늦게 일어난다. Sonntags stehe ich spät auf.

일요일 der Sonntag

너 다음 주 일요일에 뭐하니? Was machst du nächsten Sonntag?

일요일마다/일요일에 sonntags

일요일마다 나는 교회에 간다. Sonntags gehe ich in die Kirche.

나는 일요일에 친구들을 만난다. Ich treffe sonntags meine Freunde.

일이 없는 frei

일이 없는 날 ein freier Tag

내일 나는 일이 없다. Morgen habe ich frei.

일찍 früh

나는 집에 일찍 가야 한다. Ich muss früh nach Hause gehen.

일하다 arbeiten

너의 아버지께서는 어디에서 일하시니? Wo arbeitet dein Vater?

읽다 lesen

책/신문을 읽다 ein Buch/die Zeitung lesen

편지/이메일을 읽다 einen Brief/eine E-Mail lesen

입 der Mund

그는 입이 크다. Er hat einen großen/breiten Mund.

입고 있다 tragen

그는 새 양복을 입고 있다. Er trägt einen neuen Anzug.

입다 anziehen

바지를 입다 eine Hose anziehen

두꺼운 코트를 입다 einen dicken Mantel anziehen

입어보다 anprobieren

원피스를 입어보다 ein Kleid anprobieren

... 있다 (존재하다) es gibt ...

5월에는 공휴일이 많이 있다. Im Mai gibt es viele Feiertage.

서울에는 백화점이 많이 있다. In Seoul gibt es viele Kaufhäuser.

크리스마스에는 선물이 있다. An Weihnachten gibt es Geschenke.

해변에는 사람들이 많이 있다. Am Strand gibt es viele Leute.

있다 (무엇이 어디에 위치하고) sein, liegen

역이 어디에 있지? Wo ist der Bahnhof?

설악산은 바다 가까이에 있다. Das Seorak-Gebirge liegt nah am Meer.

있다 (세워져 놓여) stehen

문 오른쪽 옆에 옷장이 있다. Rechts neben der Tür steht der Kleiderschrank.

잊다 vergessen

나는 그 사람 전화번호를 잊어버렸다. Ich habe seine Telefonnummer vergessen.

잎 das Blatt

나뭇잎 das Baumblatt

가을에는 나뭇잎이 떨어진다. Im Herbst fallen die Blätter.

클로버 잎 das Kleeblatt

자다 schlafen

나는 일요일에는 다른 날 보다 더 오래 잔다. Am Sonntag schlafe ich länger als an anderen Tagen.

나는 어젯밤 겨우 5시간밖에 잠을 못 잤다. Ich habe letzte Nacht nur fünf Stunden geschlafen.

자동차 das Auto, der Wagen

자동차를 타고 가다 mit dem Auto/Wagen fahren

자리 der Platz

이 자리는 비어있다. Dieser Platz ist frei.

자명종 der Wecker

자명종은 아침 7시에 울린다. Der Wecker klingelt morgens um sieben Uhr.

자전거 das Fahrrad

자전거를 타고 학교에 가다 mit dem Fahrrad zur Schule fahren

자정 die Mitternacht

그 영화는 자정에 시작한다. Der Film beginnt um Mitternacht.

자주 oft

너 자주 수영하러 가니? Gehst du oft schwimmen?
작년 letztes Jahr
작별 der Abschied
작별파티 die Abschiedsparty
누구에게 작별 기념으로 무엇을 선물하다 jm. et. zum Abschied schenken
작은 klein
작은 도시 eine kleine Stadt
작은 선물 ein kleines Geschenk
작은 학급 eine kleine Klasse
작은 문 das Türchen
작은 불빛 das Lichtlein
작은아버지 der Onkel
작은어머니 die Tante
잔 das Glas, die Tasse
와인 두 잔을 마시다 zwei Gläser Wein trinken
커피 한 잔을 마시다 eine Tasse Kaffee trinken
잔치하다 feiern
언제 네 생일잔치를 하니? Wann feierst du deinen Geburtstag?
환갑을 잔치하다/환갑 잔치를 벌이다 den 60. Geburtstag feiern
잘 gut (besser, best), schön
나는 잘 지낸다. Mir geht es gut.
독일어를 잘 말하다 gut Deutsch sprechen
테니스를 잘 치다 gut Tennis spielen
누구를 잘 알다 jn. gut kennen
방학 잘 보내라! Schöne Ferien!
방학 잘 보냈니? Hattest du schöne Ferien?
잠들다 einschlafen
나는 금방 잠들었다. Ich bin gleich eingeschlafen.
잠자리 das Bett
잠자리에 들다 ins Bett gehen
잡지 die Zeitschrift
컴퓨터 잡지 die Computerzeitschrift
테이블 위에 잡지가 많이 놓여있다. Auf dem Tisch liegen viele Zeitschriften.
나는 그 광고를 한 잡지에서 보았다. Ich habe die Anzeige in einer Zeitschrift gesehen.
장 <단위: 종이> das Blatt
종이 5장 fünf Blatt Papier
장롱 문 die Schranktür
포스터를 장롱 문에 붙이다 ein Poster an die Schranktür kleben
장마철 die Regenzeit
장미 die Rose
나는 내 여자 친구에게 생일 때 빨간 장미 100송이를 선물했다. Ich habe meiner Freundin 100 rote Rosen zum Geburtstag geschenkt.
장소 der Ort
장식하다 schmücken
크리스마스트리를 장식하다 den Weihnachtsbaum schmücken
집을 전나무 가지로 장식하다 die Wohnung mit Tannenzweigen

schmücken

장학금 das Stipendium

장학금을 신청하다 ein Stipendium beantragen

장학금을 받다 ein Stipendium bekommen/erhalten

재미 der Spaß

재미있게 보내라! Viel Spaß!

그것은 참 재미있다. Das macht viel Spaß.

재미없는 uninteressant

재미없는 이야기 eine uninteressante Geschichte

재미있는 interessant

그 사람은 수업을 재미있게 한다. Er macht interessanten Unterricht.

그 사람 수업은 재미있다. Sein Unterricht ist interessant.

재미있는 lustig

그는 재미있는 사람이다. Er ist ein lustiger Mensch.

재미있다 Spaß machen

수영은 재미있다. Schwimmen macht Spaß.

재수 없는 일 das Pech

재수 없다 Pech haben 휴가 때 우리는 호텔과 관련해서 재수가 없었다. Im Urlaub hatten wir Pech mit dem Hotel.

날씨와 관련해서 재수가 없다 Pech mit dem Wetter haben

저기 da

저기 버스가 온다. Da kommt der Bus.

저녁 der Abend

오늘 저녁 heute Abend

저녁식사 das Abendessen

누구를 저녁식사에 초대하다 jn. zum Abendessen einladen.

저녁식사를 준비하다 das Abendessen vorbereiten

저녁에 abends

나는 저녁에는 텔레비전을 본다. Abends sehe ich fern.

적다 aufschreiben

너 그 사람 전화번호를 적었니? Hast du seine Telefonnummer aufgeschrieben?

적은 wenig; wenig-

길에는 자동차가 적다. Auf der Straße gibt es wenig Autos.

전기 der Strom

전나무 der Tannenbaum

전나무를 장식하다 den Tannenbaum schmücken

전나무 가지 der Tannenzweig

크리스마스 때는 전나무 가지로 집을 장식한다. An Weihnachten schmückt man die Wohnung mit Tannenzweigen.

전등 das Licht

전등을 켜다/끄다 das Licht anmachen/ausmachen

전에 früher

전에는 그가 돈이 별로 없었고, 시간은 많았다. Früher hatte er wenig Geld, aber viel Zeit.

전통적인 traditionell
전통적인 의상 die traditionelle Kleidung
떡국은 전통적인 설날음식이다. Tteokguk ist das traditionelle Neujahrsessen.
전혀 ... 아닌 überhaupt nicht
그녀는 장미를 전혀 좋아하지 않는다. Sie mag Rosen überhaupt nicht.
전화번호 die Telefonnummer
누구에게 전화번호를 묻다 jn. nach der Telefonnummer fragen
전화하다 anrufen, 누구와 전화하다 mit jm. telefonieren
누구에게 전화하다 jn. anrufen
그가 오늘 나에게 전화를 하였다. Er hat mich heute angerufen.
누구와 전화하다 mit jm. telefonieren: 나는 어제 내 여자친구와 1시간 동안 전화를 하였다. Ich habe gestern mit meiner Freundin eine Stunde telefoniert.
절반 halb
학급의 절반이 숙제를 잊어버렸다. Die halbe Klasse hat die Hausaufgaben vergesssen.
젊은 jung
젊은 사람들 junge Leute
젊은 남자 ein junger Mann
젊은 여자 eine junge Frau
점심 zu Mittag
점심을 먹다 zu Mittag essen: 너는 몇 시에 점심을 먹니? Wann isst du zu Mittag?
정류장 die Haltestelle
정류장은 박물관 건너편에 있다. Die Haltestelle ist gegenüber dem Museum.
정류장에서 만나자! Treffen wir uns an der Haltestelle!
정리·정돈이 잘 된/잘 안된 ordentlich/unordentlich
정리·정돈이 잘 된 책상 ein ordentlicher Schreibtisch
정리·정돈을 잘하는/잘하지 못하는 ordentlich/unordentlich
정리·정돈을 잘하지 못하는 사람 ein unordentlicher Mensch
나는 정리·정돈을 잘 하는 사람이 아니다. Ich bin kein ordentlicher Mensch.
그는 정리·정돈을 잘하지 못한다. Er ist unordentlich.
정리·정돈하다 aufräumen
방을 정리·정돈하다 das Zimmer aufräumen
책상을 정리해라! Räum den Schreibtisch auf!
정말로 wirklich, richtig, ja
우리 할머니는 정말로 요리를 잘 하신다. Meine Oma kocht wirklich gut.
그것은 정말로 재미있다. Das macht richtig Spaß.
너는 정말로 흥미로운 취미를 가지고 있구나! Du hast ja interessante Hobbys!
정오 der Mittag
정오경에 gegen Mittag
정원 der Garten

정원에서 놀다 im Garten spielen

정지하다 anhalten

나는 정지할 수가 없었다. Ich konnte nicht anhalten.

정치 <교과> Politik

내가 제일 좋아하는 과목은 정치이다. Mein Lieblingsfach ist Politik.

정확히 pünktlich

그는 정확히 2시에 왔다. Er kam pünktlich um zwei Uhr.

젖은 nass

젖은 옷/머리 nasse Kleider/Haare

제과점 die Bäckerei

제과점에서 빵을 사다 in der Bäckerei Brot kaufen

제대로 richtig

생일을 제대로 잔치하다 seinen Geburtstag richtig feiern

제대로 휴식을 취하다 sich richtig erholen

나는 주말에 제대로 휴식을 취하고 싶다. Ich möchte mich am Wochen-ende richtig erholen.

제안 das Angebot

조각 <수량 단위> (얇게 썬) die Scheibe, das Stück

(얇게 썬) 빵/소시지 한 조각 eine Scheibe Brot/Wurst

케이크 한 조각 ein Stück Kuchen

피자 두 조각 zwei Stück Pizza

조금 ein bisschen

나는 조금 피곤하다. Ich bin ein bisschen müde.

조모 die Großmutter

조부 der Großvater

조부모 die Großeltern

나의 조부모님께서는 아직 살아 계신다. Meine Großeltern leben noch.

조상 der Ahn (보통 복수: die Ahnen)

조상에게 절하다 sich vor den Ahnen verbeugen

조심 die Vorsicht

조심해! Vorsicht!

조심스러운 vorsichtig

조심해라! Sei vorsichtig!

조심스럽게 vorsichtig

조심스럽게 운전하다 vorsichtig fahren

존경하는 <편지 서두에> sehr geehrt-

존경하는 Klein씨께 Sehr geehrter Herr Klein!

조언하다 (누구에게 무엇을 하도록) jm. et. raten, jm. raten, et. zu tun

그는 내게 독일에서 어학코스를 다니라고 조언했다. Er hat mir geraten, einen Sprachkurs in Deutschland zu machen.

졸업 der Abschluss, der Schulabschluss

누구에게 졸업 기념으로 무엇을 선물하다 jm. zum Schulabschluss et. schenken

졸업 파티 die Abschlussfeier

졸업파티를 하다 eine Abschlussfeier machen

누구를 졸업파티에 초대하다 jn. zur Abschlussfeier einladen

좀 ...(해) doch <어조사: 권유·재촉의 의미>

전화 좀 해! Ruf doch mal an!

좀 bitte <어조사: 부탁>

문 좀 닫아주세요 Machen Sie bitte die Tür zu.

좀 ... 해봐 <동사 명령형> + mal <어조사: 권유·제안>

너의 학교에 관해서 좀 적어봐. Schreib mal über deine Schule.

알아 맞춰봐! Rate mal!

이 청바지 좀 입어봐. Probier mal diese Jeans an.

좁은 eng

좁은 길 eine enge Straße

종교 <교과> Religion

나는 종교 과목을 싫어한다. Ich mag Religion nicht.

종종 oft

나는 토요일에 종종 친구들을 만난다. Ich treffe samstags oft Freunde.

좋다 (기분/컨디션이) sich wohl fühlen

좋은 (성품이) gut (besser, best-), nett

좋은 와인 ein guter Wein

좋은 책 ein gutes Buch

좋은 친구/사람 ein guter Freund/Mensch

좋은 wohl

나는 오늘 컨디션이 좋지 않다. Ich fühle mich heute nicht wohl.

좌석 der Platz

이 좌석이 아직 비어있습니까? Ist dieser Platz noch frei?

주 die Woche

우리는 3주간 방학이다. Wir haben drei Wochen Ferien.

주초 Anfang der Woche

주거공동체 die Wohngemeinschaft (= die WG)

주거지 der Wohnort

주년 (기념) das Jubiläum

10주년을 기념하다 das 10. Jubiläum feiern

주말 das Wochenende

너 주말에 뭐하니? Was machst du am Wochenende?

주부 die Hausfrau

주소 die Adresse

주소가 어떻게 됩니까? Wie ist/lautet Ihre Adresse?

그 사람 주소를 아니? Kennst du seine Adresse?

주스 der Saft

주스 한 잔을 마시다 ein Glas Saft trinken

오렌지 주스 der Orangensaft

사과 주스 der Apfelsaft

주의하다 aufpassen

주의해! Pass auf!

주의할 것! Aufgepasst!

주제 das Thema

우리는 오늘 매우 중요한 테마에 관해서 토의합니다. Wir diskutieren heute über ein sehr wichtiges Thema.

주택 das Haus

큰 주택에서 살다 in einem großen Haus wohnen

준비하다 vorbereiten

저녁식사/파티를 준비하다 das Abendessen/die Party vorbereiten

중간 (월, 주 따위의) Mitte

주 중간 Mitte der Woche

월의 중간 Mitte des Monats

일 년의 중간 Mitte des Jahres

일월 중순 Mitte Januar

중심의 zentral

그 집은 중심에 있다. Die Wohnung liegt zentral.

중요한 wichtig

중요한 약속 ein wichtiger Termin/eine wichtige Verabredung

즉시 sofort

나는 그의 편지에 즉시 답장했다. Ich habe sofort auf seinen Brief geantwortet.

그는 즉시 의사를 불렀다. Er hat sofort einen Arzt gerufen.

즐거운 froh

즐거운 성탄절 (크리스마스 잘 보내세요!) Frohe/Fröhliche Weihnachten!

즐거운 부활절 (부활절 잘 보내세요!) Frohe/Fröhliche Ostern!

즐거워하다 fröhlich sein

사람들이 즐거워하고 있다. Die Leute sind fröhlich.

지금 jetzt

나는 지금 숙제한다. Ich mache jetzt Hausaufgaben.

지나가다 vergehen

1년은 빨리 지나간다. Ein Jahr vergeht schnell.

지난 letzt-

지난주 letzte Woche

지난달 letzten Monat

지난해 letztes Jahr

지내다 (...하게) es geht jm. ...

어떻게 지내십니까? Wie geht es Ihnen?

지루한 langweilig

지루한 오후 ein langweiliger Nachmittag

지루한 일정 ein langweiliger Tagesablauf

지리 <교과> Geographie/Geografie

지불하다 bezahlen

계산서를 지불하다 die Rechnung bezahlen

지하철 die U-Bahn

지하철을 타다 die U-Bahn nehmen

지하철을 타고 가다 mit der U-Bahn fahren

직업 der Beruf

직업이 무엇입니까? Was sind Sie von Beruf?

직접 selbst, persönlich

직접 요리하다 selbst kochen

누구를 직접 방문하다 jn. persönlich besuchen

진 바지 die Jeans, die Jeanshose

진 바지를 즐겨 입다 gerne Jeans tragen

진심으로 herzlich

나는 내 생일파티에 너희들을 진심으로 초대하고 싶다. Ich möchte euch zu meiner Geburtstagsparty herzlich einladen.

생일을 진심으로 축하합니다! Herzlichen Glückwunsch zum Geburtstag!

진심의/어린 herzlich

진심의/어린 인사 herzliche Grüße

진정한 wahr

진정한 친구 ein wahrer Freund

진정한 우정 eine wahre Freundschaft

진찰하다 untersuchen

의사가 나를 진찰했다. Der Arzt hat mich untersucht.

질문 die Frage

질문 있습니까? Haben Sie Fragen?

누구 질문 있습니까? Hat jemand eine Frage?

질문이 있습니다. Ich habe eine Frage.

질문에 대답하다 auf eine Frage antworten

누구에게 질문하다 jm. eine Frage stellen

질문하다 (jn. nach et.) fragen

누구에게 주소를 묻다 jn. nach seiner Adresse fragen

집 das Haus

집에 가다 nach Hause gehen/fahren

집에 머무르다 zu Hause bleiben

집세 die Miete

짧은 kurz

그녀는 머리가 짧다. Sie hat kurze Haare

누구에게 짧은 이야기를 들려주다 jm. eine kurze Geschichte erzählen

잼 die Marmelade

나는 잼을 좋아하지 않는다. Ich mag keine Marmelade.

쪽 die Seite

11쪽의 문제를 푸세요. Machen Sie die Aufgabe auf Seite 11.

차 der Tee

차를 즐겨 마시다 gern Tee trinken

차가운 kühl

가을에는 종종 날씨가 차갑다. Im Herbst ist es oft kühl.

찬 kalt

찬 음식 ein kaltes Essen

찬물 한잔을 마시다 ein Glas kaltes Wasser trinken

참여하다 teilnehmen

수업에 참여하다 am Unterricht teilnehmen

창(문) das Fenster

창문을 활짝 열다 das Fenster weit öffnen

창밖을 보다 aus dem Fenster sehen

찾다 (무엇이 어디에 있는지) suchen

나는 내 사전을 찾고 있다. Ich suche mein Wörterbuch.

찾다 (발견하다) finden

나는 열쇠를 못 찾았다. Ich habe meinen Schlüssel nicht gefunden.

책 das Buch

재미있는/어려운 책을 읽다 ein interessantes/schwieriges Buch lesen

책가방 die Schultasche

생일 선물로 새 책가방을 원하다 sich zum Geburtstag eine neue Schultasche wünschen

책상 der Schreibtisch

큰 철제 책상 ein großer Schreibtisch aus Metall

튼튼한 나무 책상 ein stabiler Schreibtisch aus Holz

천둥벼락 das Gewitter

여름에는 이따금씩 천둥벼락이 친다. Im Sommer gibt es manchmal Gewitter.

천만다행으로 Gott sei Dank

천사 der Engel

천으로 만든 동물 인형 das Stofftier

천으로 만든 동물 인형을 모으다 Stofftiere sammeln

천천히 langsam

눈·비가 올 때는 천천히 운전해야 한다. Bei Schnee und Regen muss man langsam fahren.

첨부 (파일) der Anhang

첨부 파일에 사진이 있습니다. Die Fotos sind im Anhang./Im Anhang finden Sie die Fotos.

청룡열차 die Achterbahn

청룡열차를 타다 Achterbahn fahren

체류하다 sich aufhalten

독일에 체류하다 sich in Deutschland aufhalten

체육 <교과> Sport

3교시는 체육시간이다. Die dritte Stunde ist Sport./In der dritten Stunde haben wir Sport.

체육교사 der Sportlehrer

초 der Anfang

주초 Anfang der Woche

월초 Anfang des Monats

방학 초 Anfang der Ferien

초 die Kerze

초에 불을 붙이다 die Kerze anzünden

초대 die Einladung

저녁식사에 초대를 받다 eine Einladung zum Abendessen bekommen

초대에 응하다 eine Einladung annehmen

초대를 거절하다 eine Einladung ablehnen/absagen

초대하다 einladen

누구를 저녁식사에 초대하다 jn. zum Abendessen einladen

초록색의 grün

초청 die Einladung

초청하다 einladen

누구를 결혼식에 초청하다 jn. zur Hochzeit einladen

초콜릿 die Schokolade

초콜릿 한 판 eine Tafel Schokolade

초콜릿 한 조각 ein Stück Schokolade

초콜릿(으로 만든) 달걀 das Schokoladenei

초콜릿아이스크림 das Schokoladeneis

초콜릿케이크 der Schokoladenkuchen

추가되다 hinzukommen

부대비용이 추가된다. Die Nebenkosten kommen hinzu.

추석 das koreanische Erntedankfest

추수감사절 das Erntedankfest

추신 PS

추운 kalt

독일은 겨울에 매우 춥니? Ist es in Deutschland im Winter sehr kalt?

추한 hässlich

추한 여자 eine hässliche Frau

축구 der Fußball

축구하다 Fußball spielen

축제 das Fest

축제를 경축하다 ein Fest feiern

축하 der Glückwunsch

진심으로 축하합니다! Herzlichen Glückwunsch!

생일 축하해! Alles Liebe zum Geburtstag!

축하카드 die Glückwunschkarte

누구에게 축하카드를 쓰다/보내다 jm. eine Glückwunschkarte schreiben/schicken

축하하다 gratulieren

누구에게 졸업을 축하하다 jm. zum Abschluss gratulieren

출발 die Abfahrt

출발은 10시이다. Die Abfahrt ist um 10 Uhr.

출발하다 (차를 타고) abfahren

우리는 5분 후에 출발한다. Wir fahren in fünf Minuten ab.

출생지 der Geburtsort

춤추다 tanzen

그녀는 춤을 잘 춘다. Sie tanzt gut.

충분한 genug

나는 돈이 충분하지 않다. Ich habe nicht genug Geld.

충실한 treu

충실한 개 ein treuer Hund

취미 das Hobby

취미를 많이 가지고 있다 viele Hobbys haben

치다 spielen

테니스/배드민턴을 치다 Tennis/Badminton spielen

드럼을/기타를 치다 Schlagzeug/Gitarre spielen

치마 der Rock

긴/짧은 치마 ein langer/kurzer Rock

치아 der Zahn

치아를 닦다 sich die Zähne putzen

치즈 der Käse

친구 der Freund, die Freundin

좋은/오래된 친구 ein guter/alter Freund

친밀한/개인적인 persönlich

이 선물은 너무 친밀하다. Dieses Geschenk ist zu persönlich.

친절한 freundlich

친절한 공무원 ein freundlicher Beamter, eine freundliche Beamtin

그 사람은 친절하다. Er ist freundlich.

친척 der/die Verwandte

친척이 많다 viele Verwandte haben

나는 독일에 친척이 없다. Ich habe keine Verwandten in Deutschland.

친히 persönlich

누구를 친히 축하하다 jm. persönlich gratulieren

침대 das Bett

침대에서 잠을 자다 im Bett schlafen

침대에 누워있다 im Bett liegen

카드 die Karte

누구에게 카드를 보내다 jm. eine Karte schicken

크리스마스에 카드를 많이 받다 zu Weihnachten viele Karten bekommen

카펫 → 양탄자 der Teppich

캔 die Dose

맥주 1캔 eine Dose Bier

캠핑장 der Campingplatz

캠핑장에서 텐트를 치고 야영을 하다 auf einem Campingplatz zelten

커튼 der Vorhang

커튼을 열다/닫다 die Vorhänge aufziehen/zuziehen

커튼을 열어라! 아주 어두워. Zieh die Vorhänge auf! Es ist so dunkel.

창문에는 흰색 줄무늬가 있는 파란 커튼이 걸려있다. Am Fenster hängen blaue Vorhänge mit weißen Streifen.

커피 der Kaffee

커피를 마시다 Kaffee trinken

커피숍 das Café

커피숍에 가다 ins Café gehen

켤레 das Paar

신발 한 켤레 ein Paar Schuhe

스타킹 한 켤레 ein Paar Strümpfe

컴퓨터 der Computer

새 컴퓨터를 사다 einen neuen Computer kaufen

컴퓨터게임 das Computerspiel

컴퓨터게임을 하다 ein Computerspiel machen/spielen

컵 das Glas

케이크 der Kuchen

케이크를 만들다 einen Kuchen backen

케이크 한 조각을 먹다 ein Stück Kuchen essen

생일케이크 der Geburtstagskuchen

켜다 anschalten

텔레비전/에어컨을 켜다 den Fernseher/die Klimaanlage anschalten

코 die Nase

서양 사람은 코가 크다. Die Westler haben lange Nasen.

코코아 der Kakao

코코아 한 잔을 마시다 eine Tasse Kakao trinken

코트 der Mantel

두꺼운 코트를 입다 einen dicken Mantel anziehen

콘퍼런스 die Konferenz

국제 콘퍼런스에 참여하다 an einer

internationalen Konferenz teilnehmen

콜라 die Cola

콜라 한 캔을 마시다 eine Dose Cola trinken

콜라 캔/깡통 die Coladose

콜라 캔/깡통을 모으다 Coladosen sammeln

쾌청한 heiter

비가 온 뒤에 날씨가 다시 쾌청해졌다. Nach dem Regen ist es wieder heiter geworden.

쿠키 das Plätzchen

크리스마스 때는 쿠키를 만든다. An Weihnachten backt man Plätzchen.

크기 die Größe

크리스마스 (das) Weihnachten

크리스마스 거위 die Weihnachtsgans

크리스마스 노래 das Weihnachtslied

크리스마스 선물 das Weihnachtsgeschenk

크리스마스 시기 die Weihnachtszeit

크리스마스 음식 das Weihnachtsessen

크리스마스 이브 der Heiligabend

크리스마스 축제 das Weihnachtsfest

크리스마스 축제일 der Weihnachtsfeiertag

크리스마스 카드 die Weihnachtskarte

크리스마스 쿠기 das Weihnachtsplätzchen

크리스마스트리 der Weihnachtsbaum

선물을 크리스마스 트리 아래에 놓다 die Geschenke unter den Weihnachtsbaum legen

큰 groß

그녀는 눈이 크다. Sie hat große Augen.

큰(소리가) laut

좀 더 큰 소리로 말하세요. Sprechen Sie bitte etwas lauter.

큰아버지 der Onkel

큰어머니 die Tante

클로버 (잎) das Kleeblatt

키가 ...인 ... groß

내 여동생은 키가 1미터 62센티미터이다. Meine Schwester ist 1,62m groß.

키가 작은 klein

그는 키가 작다. Er ist klein.

키가 큰 groß

그는 키가 크다. Er ist groß.

키스 der Kuss

누구에게 키스하다 jm. einen Kuss geben

킬로그램 das Kilogramm (= Kilo) (㎏)

우리는 매월 쌀 10킬로그램이 필요하다. Wir brauchen jeden Monat 10㎏ Reis.

타다 nehmen

버스/택시를 타다 den Bus/ein Taxi nehmen

타다 (불에) brennen

초가 탄다. Die Kerzen brennen.

태양 die Sonne

매일 태양이 비친다. Jeden Tag scheint die Sonne.

태양이 뜬/진다. Die Sonne geht auf/

unter.

태어나다 geboren sein

너는 언제 어디에서 태어났니? Wann und wo bist du geboren?

택시 das Taxi

나는 택시를 탔다. Ich habe ein Taxi genommen.

테니스 (das) Tennis

테니스를 치다 Tennis spielen

테니스장 der Tennisplatz

우리는 테니스장에서 만난다. Wir treffen uns auf dem Tennisplatz.

테스트 der Test

쉬운/간단한 시험 ein leichter/einfacher Test

내일 우리는 간단한 어휘시험을 본다. Morgen schreiben wir einen kleinen Vokabeltest.

테이블 der Tisch

이 테이블은 아직 비어있습니다. Dieser Tisch ist noch frei.

텍스트 der Text

텐트를 치(고 야영하)다 zelten

산에서 텐트를 치고 야영하다 in den Bergen zelten

텔레비전을 시청하다 fernsehen

나는 매일 2시간 정도 텔레비전을 시청한다. Ich sehe jeden Tag etwa zwei Stunden fern.

텔레비전 팀 das Fernsehteam

텔레비전 팀이 수업을 녹화한다. Ein Fernsehteam macht Aufnahmen vom Unterricht.

토끼 der Hase

토요일 der Samstag

토요일마다/토요일에 samstags

토의하다 diskutieren

여행 목적지에 대해서 토의하다 über das Reiseziel diskutieren

통닭 das Hähnchen

통닭 1마리 ein ganzes Hähnchen

통닭 반 마리 ein halbes Hähnchen

통닭을 좋아하다 Hähnchen mögen (gern Hähnchen essen)

통역사 der Dolmetscher, die Dolmetscherin

통역사가 통역을 잘 했다. Der Dolmetscher/Die Dolmetscherin hat gut gedolmetscht.

통화하다 telefonieren

나는 어제 그 남자와 통화했다. Ich habe gestern mit ihm telefoniert.

투피스 das Kostüm

멋진 투피스를 입고 있다 ein schickes Kostüm tragen

특히 besonders

아이들은 이 날 특히 흥분되어 있다. Die Kinder sind an diesem Tag besonders aufgeregt.

티셔츠 das T-Shirt

알록달록한 티셔츠 ein buntes T-Shirt

파란 blau

파란 하늘 der blaue Himmel

파티 die Party

파티에 가다 auf die Party/zur Party gehen

파티를 열다 eine Party feiern

누구를 파티에 초대하다 jn. zur Party einladen

파티를 열다 eine Party machen

판 <수량단위: 초콜릿> die Tafel

초콜릿 2판을 먹다 zwei Tafeln Schokolade essen

펜팔 der Brieffreund

나는 내 펜팔에게 이메일을 보낸다. Ich schicke meinem Brieffreund eine E-Mail.

편지 der Brief

누구에게 편지를 쓰다 jm. einen Brief schreiben/einen Brief an jn. schreiben

편지를 읽다 einen Brief lesen

평균 der Durchschnitt

평균적으로 durchschnittlich

25평방미터 정도의 집은 평균 월 300유로 한다. Eine Wohnung um die 25 m^2 kostet durchschnittlich 300 Euro pro Monat.

평방미터 der Quadratmeter (m^2)

내 집의 크기는 25평방미터이다. Meine Wohnung ist 25 m^2 groß.

포스터 das Poster

BTS 포스터 ein Poster von BTS

포스터를 벽에 걸다/붙이다 ein Poster an die Wand hängen/kleben

표현 der Ausdruck

낱말과 표현 Wörter und Ausdrücke

풀다 putzen

코를 풀다 sich die Nase putzen

프랑스 어 <교과> Französisch

프랑스 어 (das) Französisch

그녀는 프랑스어를 잘한다. Sie spricht gut Französisch

피곤한 müde

방과 후에 나는 피곤하다. Nach der Schule bin ich müde.

피부 die Haut

흰/하얀/검은 피부 eine weiße/helle/dunkle Haut

피자 die Pizza

피자 두 조각을 먹다 zwei Stück Pizza essen

필기구 der Stift

책상에는 필기구가 많이 들어있는 우스꽝스럽게 생긴 컵이 있다. Auf dem Schreibtisch steht eine lustige Tasse mit vielen Stiften.

필기체 die Schreibschrift

필름 der Film

필름 한 통을 사다 einen Film kaufen

필요하다 brauchen

나는 새 신발이 필요하다. Ich brauche neue Schuhe.

하게 하다... lassen

남자아이들이 연을 날린다(날게 한다). Die Jungen lassen Drachen steigen.

하나 전부 ganz-

통닭 한 마리 전부 ein ganzes Hähnchen

하늘 der Himmel

하늘에 구름이 끼었다. Der Himmel ist bedeckt.

하다 (놀이, 운동 따위를) spielen

축구하다 Fußball spielen

윷놀이를 하다 Yut spielen

하다 machen

너의 아버지께서는 무슨 일을 하시니? Was macht dein Vater?

너 일요일에 뭐 하니? Was machst du am Sonntag?

숙제를 하다 Hausaufgaben machen

파티를 하다 eine Party machen

컴퓨터게임을 하다 ein Computerspiel machen

하다 tun, machen

너는 오늘 또 무엇을 해야 하니? Was musst du heute noch tun/machen?

하드 롤 das Brötchen

치즈를 얹은 하드 롤 반 조각을 먹다 ein halbes Brötchen mit Käse essen

하루 der Tag

나는 그곳에 단 하루 동안 머무른다. Ich bleibe dort nur einen Tag.

추석이 지난 하루 후에 einen Tag nach dem Erntedankfest (Chuseok)

하루 일과/일정 der Tagesablauf

자기 하루 일과에 대해서 이야기하다 über seinen Tagesablauf erzählen

하루 종일 den ganzen Tag

그는 하루 종일 컴퓨터 앞에 앉아있다. Er sitzt den ganzen Tag am Computer/vor dem Computer.

하얀 weiß

눈처럼 하얀 weiß wie Schnee

하지만 물론 allerdings

학교 die Schule

학교에 가다 in die Schule gehen

너 벌써 학교에 다니니? Gehst du schon in die Schule?

학교 음악대 die Schulband

학교 음악대에서 연주하다 in der Schulband spielen

학교에 다니는 어린 아이 das Schulkind

학교에는 가는 날 der Schultag

나는 방학 후 학교에 가는 첫날을 좋아하지 않는다. Ich mag den ersten Schultag nach den Ferien nicht.

4일만 더 학교에 가면 일주일 동안 방학이다. Noch vier Schultage, dann habe ich eine Woche Ferien.

학교에서 사용하는 공책 das Schulheft

학기 das Semester

학년 die Klasse

나는 10학년이다 Ich bin in der 10. Klasse.

학생 der Schüler, die Schülerin

우리 반은 학생이 40명이다. In unserer Klasse sind 40 Schüler.

한 번 einmal

나는 독일에 한 번 간 적이 있다. Ich war schon einmal in Deutschland.

한국어 (das) Koreanisch

이것은 한국어로 뭐라고 하니? Wie heißt

das auf Koreanisch?

한국의 koreanisch

너는 한국 우표도 모으니? Sammelst du auch koreanische Briefmarken?

한국전쟁 der Koreakrieg

한번 ...해볼까? Soll ich ... mal...?

내가 그에게 좀 물어 볼까? Soll ich ihn mal fragen?

한 번도 ... 안 nie

한 번도 시간이 없다 nie Zeit haben 월요일에는 한 번도(항상) 시간이 없다. Montags hat er nie Zeit.

그는 내게 한 번도 편지를 하지 않았다. Er hat mir nie geschrieben.

할머니 die Oma, die Großmutter

할 수 있다 <능력> können

너 수영할 수 있니? Kannst du schwimmen?

할아버지 der Opa, der Großvater

함께 zusammen

교사들과 학생들이 함께 앉아서 여행 목적지에 대해서 이야기한다. Die Lehrer und Schüler sitzen zusammen und sprechen über das Reiseziel.

합격하다 bestehen

시험에 합격하다 die Prüfung bestehen

항상 immer

그는 내게 항상 긴 이메일을 보낸다. Er schickt mir immer lange E-Mails.

해 das Jahr

올해 dieses Jahr

지난해 letztes/vergangenes Jahr

다음해/내년 nächstes/kommendes Jahr

해 die Sonne

매일/아침에 태양이 비친다. Jeden Tag/ Morgens scheint die Sonne.

해가 비치는 sonnig

오늘은 해가 비친다. Heute ist es sonnig./ Heute scheint die Sonne.

해도 되다 <허락> dürfen, <가능> können

너는 영화관에 가도 된다. Du darfst ins Kino gehen.

너는 지금 집에 가도 된다. Du kannst jetzt nach Hause gehen.

해변 der Strand

해변에 누워있다 am Strand liegen

해변에서 산책하다 am Strand spazieren gehen

해변에 사람이 많이 있다. Am Strand sind viele Leute.

햄버거 der Hamburger

행복한 glücklich

행복한 삶 ein glückliches Leben

나는 너와 함께여서 행복하다. Ich bin glücklich mit dir.

행운 das Glück

네 잎 클로버는 행운을 가져온다. Ein Kleeblatt mit vier Blättern bringt Glück.

우리는 날씨 운이 아주 좋았다. Wir hatten viel Glück mit dem Wetter.

허가(서) die Zulassung

나는 한 독일 대학에서 입학허가서를 받

았다. Ich habe die Zulassung von einer deutschen Universität bekommen.

허리를 굽혀 인사하다 sich verbeugen

아이들이 부모님께 허리를 굽혀 인사한다. Die Kinder verbeugen sich vor den Eltern.

허리통이 큰

이 바지의 허리통이 너무 크다. Die Hose ist zu weit.

현재완료 das Perfekt

형 der (ältere) Bruder

형식 die Form

형제(자매) die Geschwister

형제가 몇입니까? Wie viele Geschwister haben Sie?

나는 형제가 없습니다. Ich habe keine Geschwister.

호감이 가는 sympathisch

호감이 가는 남자 ein sympathischer Mann

나는 그녀에게 호감이 간다. Ich finde sie sehr sympathisch.

호감이 가지 않는 unsympathisch

호칭 die Anrede

호텔 das Hotel

호텔에서 묵다 im Hotel übernachten

혼자 allein

혼자 살다 allein leben

화가 der Maler, die Malerin

피카소는 유명한 화가이다. Picasso ist ein berühmter Maler.

화간 난 ärgerlich, böse

어머니는 내가 집에 늦게 와서 화가 났다. Meine Mutter ist ärgerlich, weil ich spät nach Hause gekommen bin.

너 나한테 화났니? Bist du ärgerlich über mich/böse auf mich?

화요일 der Dienstag

화요일마다/화요일에 dienstags

화학 <교과> Chemie

화학자 der Chemiker, die Chemikerin

확실한 sicher

환상적인 fantastisch

환상적인 휴가 ein fantastischer Urlaub

그 음식은 환상적이었다. Das Essen war fantastisch.

회사 die Firma

나의 형은 큰 회사에서 일한다. Mein Bruder arbeitet bei einer großen Firma.

회색의 grau

회색 빛 하늘 ein grauer Himmel

후식 der Nachtisch

맛있는 후식 ein leckerer Nachtisch

후식을 마련하다 den Nachtisch zubereiten

후식으로는 아이스크림이 있다. Als Nachtisch gibt es Eis.

훌륭한 gut (besser, best-)

가장 훌륭한 파티 die beste Party

휴가 der Urlaub

휴가를 가다 in Urlaub fahren

휴가를 유럽에서 보내다 den Urlaub in

Europa verbringen

휴가를 보내다 Urlaub machen

일주일 휴가를 파리에서 보내다 eine Woche Urlaub in Paris machen

휴식 die Pause

휴식을 취하다 eine Pause machen

우리는 휴식 (시간) 없이 일했다. Wir haben ohne Pause gearbeitet.

휴식을 취하다 sich erholen

나는 이번 주말에는 휴식을 취하고 싶다. An diesem Wochenende möchte ich mich erholen.

흥미진진한 spannend

흥미진진한 책 ein spannendes Buch

흥분한 aufgeregt

명절 때는 아이들이 흥분한다. An den Feiertagen sind die Kinder aufgeregt.

면접 전에 그는 항상 매우 흥분했다. Vor einem Vorstellungsgespräch ist er immer sehr aufgeregt.

힌트 der Tipp

누구에게 힌트를 주다 jm. einen Tipp geben

힘든 anstrengend

힘든 일 eine anstrengende Arbeit

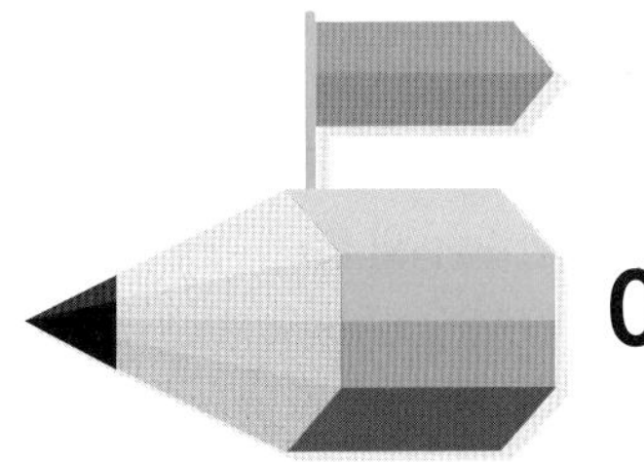

어휘표

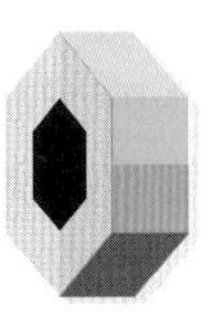

ab und zu 이따금씩 (9)

Abend, <der, -s, -e> 저녁 (4)

Abendessen, <das, -s, -> 저녁식사 (4)

abends 저녁에 (4)

aber 그러나 (1)

abfahren (차를 타고) 출발하다 (11)

Abfahrt, <die, -, -en> 출발 (11)

abgeben 제출하다 (5)

Abitur, <das, -s, -e> 아비투어 (5)

ablehnen 거절하다 (5)

Abs. -> der Absender의 약자, 보내는 사람 (3)

Absage, <die, -, -n> 거절 (12)

Abschied, <der, -(e)s, -e> 작별 (7)

Abschluss, <der, -es, -schlüsse> 졸업 (5), 종결, 끝맺음

Abschlussfeier, <die, -, -n> 학기말 파티 (5)

Abteilung, <die, -, -en> 학과, 부서 (7)

Abteilungsleiter <der, -s, -> 학과장 (7)

Abteilungstreffen <das, -s, -> 학과/부서 모임 (7)

Achterbahn, <die, -, -en> 청룡열차 (11)

Adresse, <die, -, -n> 주소 (1)

Advent, <der, -s, 항상 단수> (크리스마스 전 4 주일) 강림절 (8)

Adventskalender, <der, -s, -> 강림절 달력 (8)

Adventskranz, <der, -es, -kränze> 강림절 장식환 (8)

Adventslied, <das, -(e)s, -er> 강림절 노래 (8)

Adventszeit, <die, -, 항상 단수> 강림절 기간 (8)

Ahn, <der, -(e)s, -en> 조상 (8)

Ahnung, <die, -, -en> 앎, 아는 바 (7), 예감

akut 급성의 (11)

Alkohol, <der, -s, -e, 보통 단수> 술 (6)

alkoholfrei 알코올이 없는

all- 모든 (5)

alle 모두 (7)

allein 혼자 (11)

allerdings 하지만 (물론) (12)

alles 모든 것 (3)

Alltag <der, -(e)s, 항상 단수> 일상

Alphabet, <das, -(e)s, -e> 알파벳 (1)

als ... 보다 (6)

also 그러니까 (6)

alt 나이가 …살인 (1), 오래된, 나이 든

Alter, <das, -s, -> 나이 (2)

altmodisch 구식의 (7)

am ← an dem (1)

Amerika <(das), -s, 항상 단수> 미국; 아메리카 대륙

Amerikaner, <der, -s, -> 미국사람

Amtszeit <die, -, -en> 재임기간 (1)

an <3격 지배 전치사>

ander- 다른 (6)

Anfang, <der, -(e)s, -fänge> 시작, (월, 주 따위의) 초 (8)

anfangen 시작하다 (12)

Angebot, <das, -(e)s, -e> 제안 (12)

angeln 낚시하다 (9)

angestellt 고용된 -> der/die Angestellte 회사원 (3)

Anhang, <der, -(e)s, -hänge> 딸림, 부록 (12)

anhalten 멈춰서다 (11)

ankommen 도착하다 (11)

Ankunft, <die, -, Ankünfte> 도착 (11)

anprobieren 입어보다 (7)

Anrede, <die, -, -n> 호칭 (3)

anrufen 전화하다 (7)

anschalten (전원을) 켜다 (12)

anschließend 이어서 (4)

Ansichtskarte <die, -, -n> 그림엽서 (9)

Antrag, <der, -(e)s, -träge> 신청 (12)

anstrengend 힘든 (9)

Antwort, <die, -, -en> 대답 (4)

Antwortbrief, <der, -(e)s, -e> 답장 (3)

antworten 대답하다 (3)

anziehen (…을) 입다 (4)

anziehen (sich) 옷을 입다 (4)

Anzug, <der, -(e)s, -züge> 양복 (7)

anzünden 불을 붙이다 (8)

Apfel, <der, -s, Äpfel> 사과 (6)

Apfelsaft, <der, -(e)s, -säfte> 사과주스 (6)

April, <der, -(s), -e, 보통 단수> 4월 (5)

arbeiten 일하다 (1)

ärgerlich 화간 난 (11)

Arzt, <der, -es, Ärzte> 의사 (5)

Atomkraft, <die, -, 항상 단수> 핵에너지 (11)

Attest, <das, -(e)s, -e> 진단서 (11)

auch 도, 또한 (1)

auf <3, 4격 지배 전치사> (1)

Aufgabe, <die, -, -n> 과제 (11)

aufgepasst <Aufgepasst!> 주의할 것! (2)

aufgeregt 흥분한 (6)

Aufnahme, <die, -, -n> 녹화, 녹음 (11)

aufräumen 정리·정돈하다 (6)

Aufsatz <der, -es, -sätze> 작문 (4)

aufschreiben 적다 (6)

aufstehen 일어나다 (4)

Auge, <das, -s, -n> 눈 (2)

Augenarzt, <der, -es, -ärzte> 안과의사 (5)

Augenfarbe, <die, -, -n> 눈의 색 (2)

August, <der, -(e)s/-, -e, 보통 단수> 8월 (5)

aus ...로부터 (1)

Ausdruck, <der, -(e)s, -drücke> 표현 (4)

Ausflug, <der, -(e)s, Ausflüge> 소풍 (9)

ausgelassen (기분·행동이 긴장되지 않고) 풀어져 흥이 난 (7)

aussehen (상황·모습이) …하게 보이다 (4)

Austauschstudent, <der, -en, -en> 교환학생 (12)

Auto, <das, -s, -s> 자동차 (4)

backen (빵, 케이크 따위를) 굽다 (5)

Bäckerei, <die, -, -en> 빵집, 제과점 (10)

Bad <das, -(e)s, Bäder> 목욕, 욕실 (9)

baden 물놀이하다, 목욕하다 (9)

Badminton, <das, -s, 항상 단수> 배드민턴 (9)

Bahnhof <der, -(e)s, -höfe> 역 (5)

bald 곧 (3)

Banane <die, -, -n> 바나나 (6)

Bank <die, -, Banken> 은행 (1)

Batterie <die, -, -n> 배터리 (11)

Bauch <der, -(e), Bäuche> 배 (11)

Bauchschmerzen <die, 복수 형태> 복통 (11)

Beamte <der, -n, -n> 공무원 (5)

bedeckt 구름이 낀 (9)

Beginn <der, -s, 항상 단수> 시작 (5)

beginnen 시작하다 (5)

bei <3격 요구 전치사> (1)

beid- 두 (모두) (6)

Bein <das, -(e)s, -e> 다리 (11)

Beispiel <das, -s, -e> 예 (8)

bekommen 받다 (7)

beliebt 인기 있는 (1)

bemalen (장식을 위해) 그리다 (8)

Berg, <der, -(e)s, -e> 산 (9)

Bergbach, <der, -(e)s, -bäche> 산 속의 시냇물 (9)

Beruf <der, -(e)s, -e> 직업 (2)

berühmt 유명한 (9)

Bescheid <der, -(e)s, -e> (기대하는) 정보, Bescheid sagen (무엇에 관한 정보를) 알려주다 (12)

beschreiben 묘사하다 (10)

besichtigen 관람하다 (9)

besonders 특히 (8)

besuchen 방문하다 (5)

Bett <das, -(e)s, -en> 잠자리, 침대 (4)

bezahlen 값을 치르다, 지불하다 (11)

Bier <das, -(e)s, -e> 맥주 (6), Weißbier 백맥주, Dunkelbier 흑맥주 (6)

Bierdose <die, -, -n> 맥주 캔 (10)

Bild <das, -(e)s, -er> 그림, 사진 (7)

bilden 만들다 (4)

Biologie <die, -, 항상 단수> <교과목> 생물(학) (3)

Biologe <der, -n, -n> 생물학자 (3)

Birne <die, -, -n> 배 (6)

bis <4격 요구 전치사> (3)

bisschen <ein bisschen> 조금 (2)

bitte 좀 (5) 부디

bitten 부탁하다 (12)

Blatt <das, -(e)s, Blätter> (종이) 장, 나뭇잎 (5)

blau 파란 (2)

bleiben 머물다, 남아있다 (5), (어떤 상태로) 남아있다 (12)

blond 금발의 (2)

Bluse <die, -, -n> 블라우스 (7)

blöd 멍청한, 따분한 (3)

Blume <die, -, -n> 꽃 (10)

Boden <der, -s, Böden> 바닥 (10)

brauchen 필요하다 (6)

braun 갈색의 (2)

breit 넓은 (2)

brennen (불에) 타다 (8)

Brief <der, -(e)s, -e> 편지 (3)

Brieffreund <der, -(e)s, -e> 펜팔 (2)

Briefmarke <die, -, -n> 우표 (7)

Brille <die, -, -n> 안경 (7)

bringen 가져오다 (5)

Brot <das, -(e)s, -e> 빵 (5)

Brötchen <das, -s, -> 하드 롤 (1)

Bruder <der, -s, Brüder>형, 오빠, 남동생 (1)

brutal 잔인한 (7)

Buch <das, -(e)s, Bücher> 책 (1)

Buchstabe <der, -ns, -n> (알파벳의) 글자 (1)

bunt 다채로운, 울긋불긋한 (7)

Bücherregal, das 서가 (10)

Bundeskanzler <der, -s, -> 독일연방 수상 (1)

Büro <das, -s, -s> 사무실 (1)

Bus <der, -ses, Busse> 버스 (4)

Butter <die, -, 항상 단수> 버터 (6)

Café <das, -s, -s> 커피숍 (9)

Campingplatz <der, -es, -plätze>, der 캠핑 장 (9)

CD, die 컴팩트 디스크(CD) (7)

CD-Spieler <der, -s, -> 시디플레이어 (10)

Charakter <der, -s, -e> 성격 (2)

chatten 채팅하다 (4)

Chemie <die, -, 항상 단수> 화학 (3)

Chemiker <der, -s, -> 화학자 (3)

China <(das), -s, 항상 단수> 중국 (3)

Chinese <der, -n, -n> 중국사람 (3)

Christ <der, -en, -en> 기독교 신자 (8)

Christkind <das, -(e)s, 항상 단수> 아기예수 (8)

Cola <die, -, -s> 콜라 (6)

Coladose <die, -, -n> 콜라 캔 (10)

Computer <der, -s, -> 컴퓨터 (3)

Computerspiel <das, -(e)s, -e> 컴퓨터게임 (3)

Computerspiel-Halle <die, -, -n> pc방 (4)

Cousin <der, -s, -s> 남자 사촌 (11)

Cousine <die, -, -n> 여자 사촌 (11)

da 그것과 관련해서, 저기, 그때 (6)

dabei 거기에, 그 일에 (11), dabei sein 거기에 있다

daher 그래서 (12)

damit <종속접속사> ...하도록 (6)

danach 그 다음에 (4)

Dank <der, -(e)s, 항상 단수>der 감사 (3)

danke 고마움을 표시하는 말 (1)

dann 그리고, 그러면 (4)

darauf <da + auf> 그 위에 (10)

das 그것 (1)

dass <종속접속사> ... 것 (8)

Dativ <der, -s, -e> der 3격 (5)

Datum <das, -s, Daten> 날짜 (3)

dauern (시간이) ··· 걸리다 (4)

davor <da + vor> (10)

Decke <die, -, -n> 이불, 담요 (10)

dein- <2인칭 단수 소유대명사> 너의 (1)

Demonstration <die, -, -en> 데모 (11)

denken 생각하다 (11)

denn 왜냐하면 (6)

deshalb 그래서 (6)

der/die/das <정관사> (1)

Deutsch <das, (-s), 항상 단수> 독일어 (1)

deutsch 독일의 (1)

Deutschkenntnisse <항상 복수> 독일어 실력

Deutschland <(das), -s, 항상 단수> 독일 (1)

Deutschlehrer <der, -s, -> 독일어 교사 (3)

Deutschtest <der, (e)s, -s/-e) >der 독일어 테스트 (5)

Dezember <der, -s, -> 12월 (5)

dick 도톰한(2), 두꺼운(7), 부운(11) 뚱뚱한

Dienstag <der, -(e)s, -e> 화요일 (3)

dienstags 화요일에, 화요일마다 (4)

dies- 이, 이것 (7)

direkt 바로 (10)

Disco/Disko <die, -, -s> 디스코 (6)

diskutieren 토의하다 (9)

doch <어조사> 좀 (3), 좀 ...(해) (10)

Donnerstag <der, -(e)s, -e> 목요일 (3)

donnerstags 목요일에, 목요일마다 (4)

Doppelbett <das, -(e)s, -n> 더블침대 (10)

Doppelname <der, -ns, -n> 두 개의 성이 합쳐진 이름 (1)

Doppelpunkt <der, -(e)s, -e> 쌍점 (4)

dort 거기에 (9)

Dose <die, -, -n> 깡통 (6)

Drachen <der, -, -> 연 (8)

drei 3 (1)

Druckschrift <die, -, 항상 단수> 인쇄체 (1)

du <2인칭 단수 인칭대명사> 너(1)

dumm 어리석은 (7)

dunkel 어두운 (7)

dünn 빼빼 마른(2), 얇은(7), 가는 (10)

Durchfall <der, (e)s, -fälle, 보통 단수> 설사 (11)

durchschnittlich 평균의, 평균적으로 (12)

dürfen <화법조동사: 허락> ...해도 된다 (5)

Ecke <die, -, -n> 구석 (10)

eckig 각진, 네모난 (2)

egoistisch 이기적인 (7)

Ehepaar <das, -(e)s, -e> 부부 (8)

ehrlich 정직한 (8)

Ei <das, -(e)s, -er> 달걀 (6)

eigen- 자신의 (10)

eigentlich 사실은, 원래는 (6)

ein- <불특정관사> (1)

einfach 단순한 (6), 쉬운 (9), 그냥 (11)

Einführung <die, -, -en> 입문 (11)

einig- <불특정대명사> 몇몇의 (11)

einkaufen 구매하다 (3)

einladen 초대하다 (5)

Einladung <die, -, -en> 초대 (5)

Einleitung <die, -, -en> 도입, 서론 (3)

einmal 한번 (3)

ein paar 몇몇의 (11)

Eins <die, -, -en> 1, 일

einschlafen 잠들다 (6)

einverstanden 동의한 (5)

Einzimmerwohnung <die, -, -en>원룸 (12)

Eis <das, -es, 항상 단수 > 아이스크림 (6)

elegant 우아한 (7)

elend 비참한 (11)

Eltern <die, -, -> 부모 (1)

E-Mail <die, -, -s> 이메일 (1)

E-Mail-Adresse <die, -, -n> 이메일 주소(1)

Ende <das, -s, 항상 단수 >das 끝, (월, 주 따위의) 말 (5)

enden 끝나다 (5)

endlich 마침내 (4)

eng 꽉 조이는 (7)

Engel <der, -s, -> 천사 (8)

England <(das)> 영국

Engländer <der, -s, -> 영국사람

Englisch <(das), -en, 항상 단수> 영어 (3)

englisch 영국의, 영어의 (9)

Englischlehrer <der, -s, -> 영어교사 (3)

Enkelsohn <der, -(e)s, -söhne> 손자 (8)

Enkeltochter <die, -, -töchter> 손녀 (8)

Enkodierung <die, -, -en> 코딩 (4)

entfernt 떨어진 (5)

Entschuldigung <die, -, -en> 용서 (11)

Entschuldigungsbrief <der, -(e)s, -e> 결석계, 사죄편지 (11)

er <3인칭 남성 단수 인칭대명사> (1)

Erdbeere <die, -, -en> 딸기 (6)

ergänzen 보충하다 (2)

erholen (sich) 휴식을 취하다 (9), 회복하다

erinnern 상기시키다 (8)

erkälten (sich) 감기에 걸리다 (11)

Erkältung <die, -, -en> 감기 (11)

erklären 생각을 말하다 (11) 설명하다

erkundigen (sich nach jm./et.) (누구·무엇에 관ㄹ한 정보 따위를) 알아보다 (12)

erledigen 처리하다 (4)

Erntedankfest <das, -(e)s, -e> 추수감사절 (8)

eröffnen 개설하다 (12), ein Konto eröffnen 계좌를 개설하다

erst 우선 (8)

Erwachsene <der/die, -n, -n> 성인 (8)

erzählen 이야기하다 (9)

es <3인칭 중성 단수 인칭대명사> (1)

Essen <das, -s, -> 음식 (6)

essen 먹다 (1)

Esstisch <der, -(e)s, -e> 식탁 (10)

Etagenbett <das, -(e)s, -en> 이층침대 (10)

etwa 약 (9)

etwas 무엇 (7)

euch <인칭대명사> ihr의 3, 4격 (5)

euer/eure- <2인칭 복수 소유대명사> 너희들의 (5)

Euro <der, -(s), -(s)> 유로화의 단위 (6)

Europa <(das), -s, 항상 단수> 유럽 (9), europäisch 유럽의

Examen <das, -s, -/Examina> 졸업시험 (5)

Fach <das, -(e)s, Fächer> 과목 (4)

fahren (차량으로) 가다 (4)

Fahrt <die, -, -en> 운행, 차를 타고 감 (4)

Fahrrad <das, -(e)s, -räder> 자전거 (4)

Fahrradunfall <der, -(e)s, -unfälle> 자건거 사고 (4)

Fall <der, -(e)s, Fälle> 경우, auf jeden Fall 아무튼, 어쨌든 (12)

Familie <die, -, -n> 가족 (2)

Familienfest <das, -(e)s, -e> 가족 축제 (8)

Familienmitglied <das, -(e)s, -er> 식구 (8)

Familienname <der, -ns, -n> 성 (1)

fantastisch 환상적인 (9)

Farbe <die, -, -n> 색 (2), die Haarfarbe 머리카락 색

Farbstift <der, -(e)s, -e> 색연필 (10)

fast 거의 (8)

faul 게으른 (2)

faulenzen 게으름을 피우다 (9)

Fax <das, -es, -e> 팩스 (1)

Februar <der, -s, -e, 보통 단수> 2월 (5)

feiern 잔치하다 (5)

Feiertag <der, -(e)s, -e> 경축일 (5), 축제일

Fenster <das, -s, -> 창문 (10)

Ferien <die, -, 복수 명사> 방학 (8)

Ferienjob <der, -s, -s> 방학 중 아르바이트 (8)

fernsehen TV를 시청하다 (4)

Fernsehteam <das, -s, -s> TV팀 (11)

Fest <das, -(e)s, -e> 축제 (8)

Feuerwerk <das, -(e)s, -e> 불꽃놀이 (8)

Fieber <das, -s, -> 열 (11)

Film <der, -(e)s, -e> 영화 (7), 필름

Filterkaffee <der, -s, -s, 보통 단수> 필터 커피 (6)

finden (jn. irgendwie) (누가 어떻다고) 생각하다 (7), 발견하다, 구하다 (12)

Firma <die, -, Firmen> 회사 (1)

Fisch <der, -(e)s, -e> 물고기, 생선 (6)

Flasche <die, -, -n> 병 (6)

Fleisch <das, -(e)s, 항상 단수> 고기 (6)

fleißig 부지런한 (2)

Flug <der, -(e)s, Flüge> 비행 (9)

Flughafen <der, -s, -häfen> 비행장 (11)

Flugreise <die, -, -n> 비행기 여행 (6)

Flugzeug <das, -(e)s, -e> 비행기 (6)

Form <die, -, -en> 형식 (11)

Foto <das, -s, -s> 사진 (8)

fotografieren 사진을 찍다 (3)

Fotograf <der, -en, -en> 사진사, 사진작가 (3)

Frage <die, -, -n> 질문, 문제 (2)

fragen 질문하다 (7)

Frankreich <(das), -s, 항상 단수> 프랑스 (3)

Franzose <der, -n, -n> 프랑스 사람 (3)

Französin <die, -, -nen> 프랑스 여성 (3)

Französisch <(das), -/-s, 항상 단수> 프랑스어 (3)

Frau <die, -, -en> 여성, (성인 여성에 대한 호칭) 부인 (1)

frech 무례한, 버릇없는 (3)

frei 근무/수업이 없는 (7)

freihaben 수업/근무가 없다 (9)

Freikarte <die, -, -n> 무료입장권 (11)

Freitag <der, -(e)s, -e> 금요일 (3)

freitags 금요일에, 금요일마다 (4)

Fremdsprache <die, -, -n> 외국어 (4)

freuen (sich) 기뻐하다 (4)

Freund <der, -(e)s, -e> 남자친구 (1)

freundlich 친절한 (2)

froh 기쁜 (8)

fröhlich 즐거운 (8)

früh 일찍, 이른 (4) 아침에 (7)

früher 예전에 (9)

Frühling <der, -s, -e> 봄 (8)

Frühlingsblume <die, -, -n> 봄에 피는 꽃 (8)

frühstücken 아침식사를 하다 (4)

Fuß <der, -es, Füße> 발 (4), zu Fuß 걸어서 (12)

Fußball <der, Fußball(e)s, 항상 단수> 축구 (3)

Fußballspieler <der, -s, -> (3)

fühlen (sich) (기분, 컨디션 따위를) 느끼다 (11)

für <4격 요구 전치사> (4)

Gamer <der, -s, -> 게이머 (3)

ganz 아주, 꽤 (3)

ganz- 온전한 (6)

Garten <der, -s, Gärten> 정원 (8)

geben (es gibt ...) 있다 (8)

Gebirge <das, -s, -> 산맥 (9)

geboren 태어난 (1)

Geburtsdatum <das, -s, -daten> 생년월일 (1)

Geburtsname <der, -ns, -n> 결혼하기 전의 성 (1)

Geburtsort <der, -(e)s, -e> 출생지 (1)

Geburtstag <der, -(e)s, -e> 생일 (5)

Geburtstagsfeier <die, -, -n> 생일잔치 (5)

Geburtstagsgeschenk <das, -(e)s, -e> 생일선물 (5)

Geburtstagskarte <die, -, -n> 생일 축하 카드 (5)

Geburtstagskuchen <der, -, -> 생일케이크(5)

Geburtstagsparty <die, -, -s> 생일파티 (6)

geehrt 존경하는 (3)

gefährlich 위험한 (7)

gefallen 마음에 들다 (5)

gegen <4격 요구 전치사> (11)

gegenüber <3격 요구 전치사> (10)

gehen (걸어서) 가다 (1), es geht jm. ... 누가 ... 지내다

gehören (...의) 것이다 (10), (...에) 속하다

gelb 노란 (2)

Geld <das, -(e)s, -er> 돈 (8)

Geldgeschenk <das, -(e)s, -e> 돈 선물 (8)

Gemüse <das, -s, -e> 야채 (6)

gemütlich 아늑한 (10), 안락한

genug 충분한 (11)

Geographie/Geografie <die, -, 항상 단수> 지리 (3)

gern 기꺼이 (1)

Geruch <der, -(e)s, Gerüche> 냄새 (8)

Geschäft <das, -(e)s, -e> 사업, 가게 (8)

Geschenk <das, -(e)s, -e> 선물 (5)

Geschichte <die, -, 항상 단수> <교과목> 역사 (3), <die, -, -en> 이야기 (11)

Geschwister <die, -, 복수 명사> 형제자매 (1)

Gesellschaft <die, -, -en> 사회 (4)

Gesicht <das, -(e)s, -er> 얼굴 (2)

gestern 어제 (9)

gesund 건강한 (1)

Gesundheit <die, -, 항상 단수> 건강 (8)

Getränk <das, -(e)s, -e> 음료수 (6)

Gewitter <das, -s, -> 천둥 벼락이 치는 나쁜 날씨, 악천우 (9)

Glas <das, -es, Gläser> 잔 (6)

glauben 생각하다, 믿다 (7)

Glück <das, -(e)s, 항상 단수> 행운, 복 (5)

glücklich 행복한 (3)

Glückwunsch <der, -(e)s, -wünsche> 축하 (5)

Glückwunschkarte <die, -, -n> 축하카드 (5)

golden 금의, 금빛의 (8)

Gott sei Dank 천만다행으로 (7)

Grad <der, -(e)s, 항상 단수> (온도의 단위) 도 (9)

Gramm <das, -(e)s, 항상 단수> 그램 (6)

Grammatik <die, -, -en> 문법 (4)

gratulieren 축하하다 (5)

grau 회색의 (2)

groß 대문자로 (1), 큰 (1)

Großbritannien <(das), -s, 항상 단수> (웨일즈, 스콜틀랜드를 포함한) 영국 (3)

Großbuchstabe <der, -n, -n> 대문자 (1)

Größe <die, -, -n> 크기 (2)

Großeltern <die, -, 복수 명사> 조부모 (2)

Großmutter <die, -, -mütter> 할머니 (1)

Großvater <der, -s, -väter> 할아버지 (2)

grün 초록색의 (2)

Gruppe <die, -, -n> 그룹 (4)

Gruß <der, -es, Grüße> 인사, 안부 (2)

günstig (성능 대비 가격이) 저렴한 (12)

gut (besser, best-) 잘 (1), 좋은 (6)

Gymnasium <das, -s, Gymnasien> 김나지움 (3)

Haar <das, -(e)s, -e> 머리카락 (2)

Haarfarbe <die, -, -n> 머리카락 색 (2)

haben 가지고 있다 (1)

Hähnchen <das, -s, -> 통닭 (6)

halb 반, 절반의 (4)

Halbinsel <die, -, -n> 반도 (6)

hallo <감탄사> 안녕 (3)

Hals <der, -es, Hälse > 목 (11)

Halsschmerzen <die, -, 복수 명사> 목의 통증, 인후통 (11)

Haltestelle <die, -, -n> 정류장 (10)

Hamburger <der, -s, -> 햄버거 (6)

Hand <die, -, Hände> 손 (10)

Handynummer <die, -, -n> 핸드폰 번호 (1)

hängen 걸려있다(10), 걸다 (10)

Hase <der, -n, -n> 토끼 (8)

hässlich 못생긴 (2), 보기 흉한

Hauptteil <der, -(e)s, -e> der 본론 (3)

Haus <das, -es, Häuser> 집, 주택 (4), zu Hause 집에 (12)

Hausaufgabe <die, -, -n> 숙제 (3)

Hausfrau <die, -, -en> 주부 (2)

Haut <die, -, Häute> 피부 (8)

Heft <das, -(e)s, -e> 공책 (1)

Heiligabend <der, -s, -e> 크리스마스이브 (8)

heiraten 결혼하다 (11)

heiter 쾌청한 (9)

heiß 뜨거운, 더운 (9)

heißen (이름, 명칭 따위가) …라고 하다 (1)

Heizung <die, -, -en> 난방 (12)

helfen 도와주다 (7)

hell 밝은 (7)

Hemd <das, -(e)s, -en> 와이셔츠 (7)

her-, -her (1)

Herbst <der, -(e)s, -e> 가을 (8)

Herbstwetter <das, -s, 항상 단수> 가을 날씨 (9)

Herr <der, -n, -en> 신사, (성인 남성에 대한

호칭) 씨 (1)

herrlich 멋진 (9)

herzlich 진심의 (5)

heute 오늘 (5)

heutig 오늘의 (5)

hier 여기 (4)

hilfsbereit 남을 잘 도와주는 (7)

Himmel <der, -s, -> 하늘 (8)

hin, hin-, -hin (4)

hinfallen 넘어지다 (11)

hinzukommen (무엇이 또) 추가되다, …이 더 해지다 (12)

Historiker <der, -s, -> 역사가 (3)

Hitze <die, -, 항상 단수> 더위 (12)

Hobby <das, -s, -s> 취미 (1)

hoch 높은 (11), (가격이) 높은 (12)

Hochzeit <die, -, -en> 결혼식 (5)

höflich 공손한 (7)

Honig <der, -s, -e> 꿀 (6)

hören 듣다 (3)

Hose <die, -, -n> 바지 (7)

Hotel <das, -s, -s> 호텔 (4)

hübsch 예쁜, 아리따운 (6)

Hund <der, -(e)s, Hunde> 개 (3)

Hunger <der, -s, 항상 단수> 배고픔 (9)

Husten <der, -s, 항상 단수> 기침 (11)

Hut <der, -(e)s, Hüte> 모자 (7)

ich <1인칭 단수 인칭대명사> 나 (1)

Idee <die, -, -n> 아이디어 (7)

Ihr- <2인칭 단·복수 소유대명사> 당신의 (1)

ihr <2인칭 복수 인칭대명사> 너희들 (5)

ihr- <3인칭 복수 소유대명사> 그녀의, 그들의 (5)

immer 항상 (1)

Imperativ <der, -(e)s, -e> 명령형 (5)

in <3·4격 요구 전치사> …안에, …안으로(1)

Informatik <die, -, 항상 단수> 전산학

Information <die, -, -en> 정보 (12)

Ingenieur <der, -s, -e> 엔지니어 (1)

Insel <die, -, -n> 섬 (9)

Instantkaffee <der, -s, -s, 보통 단수> 인스턴트 커피 (6)

Institut <das, -(e)s, -e> 연구기관, 연구소 (1)

intelligent 영리한 (7)

interessant 재미있는 (4)

Internet <das, -s, 항상 단수> 인터넷 (3)

Internetcafé <das, -s, -s> 인터넷 카페 (4)

Internetanschluss <der, -es, -anschlüsse> 인터넷 접속 (7)

Italien <(das), -s, 항상 단수> 이탈리아 (3)

ja 정말로 <>정말이지 (4)

Jacke <die, -, -n> 겉옷 상의 (7)

Jahr <das, -(e)s, -e> 년, 해 (1)

Jahreszeit <die, -, -en> 계절 (8)

Januar <der, -s, -e> der 1월 (5)

Japan <(das), -s, 항상 단수> 일본 (3)

Japaner <der, -s, -> 일본사람 (3)

Jeans <die, -, -> 진 바지 (7)

jed- 매, 각 (4)

jemand (jd.) <불특정대명사> 누군가; jemandem (jm.) 3격, jemanden (jn.) 4 격

jetzt 지금 (6)

jobben 아르바이트하다 (9)

Joghurt <der/das, -(s), -s> 요구르트 (6)

Jubiläum <das, -s, Jubiläen> ··· 주년 기념 (8)

Juli <der, -(s), -s, 보통 단수> 7월 (5)

jung 어린, 젊은 (6)

Junge <der, -n, -n> 소년 (1)

Juni <der, -(s), -s, 보통 단수> 6월 (5)

Kaffee <der, -s, -s, 보통 단수> 커피 (4)

Käfig <der, -(e)s, -e> 우리 (10)

Kakao <der, -s, -s> 코코아 (1)

Kalender <der, -s, -> 달력 (8)

kalt 찬, 추운 (9)

Kamera <die, -, -s> 사진기 (7)

Karfreitag <der, -(e)s, -e> 성(聖) 금요일 (8)

Karte <die, -, -n> 카드 (9)

Kartoffel <die, -, -n> 감자 (6)

Kartoffelchips <die, -, -> 감자 칩 (6)

Kartoffelsalat <der, -(e)s, -e> 감자 샐러드(6)

Karwoche <die, -, -n> 부활절 직전의 한 주, 성(聖) 주간 (8)

Käse <der, -, -> 치즈 (6)

Katze <die, -, -n> 고양이 (3)

kaufen 사다 (6)

Kaufhaus <das, -(e)s, -häuser> 백화점 (8)

kein- <부정관사> (3)

kennen 알다 (3)

kennenlernen 알게 되다 (12)

Kerze <die, -, -n> 초 (8)

Kilogramm <das, -s, -e> 킬로그램 (6)

Kind <das, -(e)s, -er> 어린이, 아이 (3)

Kinderbett <das, -(e)s, -en> 어린이 침대 (10)

Kinderpark <der, -(e)s, -s> 어린이 공원 (5)

Kindertag <der, -(e)s, -e> 어린이날 (5)

Kindheit <die, -, -en> 유년시절 (8)

Kino <das, -s, -s> 영화관 (5)

Kirche <die, -, -n> 교회, 성당 (3)

Kissen <das, -s, -> 베개 (10)

Klasse <die, -, -n> 반, 학년 (6), der Klassenkamerad 반 친구, der Klassenlehrer 담임 선생님

klassisch 고전의 (7)

Klausur <die, -, -en> (대학에서의) 시험 (4)

Kleeblatt <das, -(e)s, -blätter> 클로버 (잎) (5)

Kleid <das, -(e)s, -er> 원피스 (7), die Kleider 옷

Kleiderschrank <der, -(e)s, -schränke> 옷장 (10)

Kleidung <die, -, 항상 단수> 의복 (8)

Kleidungsstück <das, -(e)s, -e> 옷가지 (8)

klein 소문자로 (1), 작은 (2)

Kleinbuchstabe <der, -ns, -n> 소문자 (1)

Klimaanlage <die, -, -n> 에어컨 (12)

klingeln 벨이 울리다 (4)

klug 영리한 (6)

Knie <das, -s, -> 무릎 (11)

Kochbuch <das, -(e)s, -bücher> 요리책 (7)

kochen 요리하다 (7)

komisch 이상한 (3)

kommen 오다 (1)

Kommilitone <der, -n, -n> 대학의 동료 (4)

Kommode <die, -, -n> (낮은) 서랍장 (10)

Konferenz <die, -, -n> 학회, 컨퍼런스 (12)

König <der, -(e)s, -e> 왕, Königin <die, -, -nen> 여왕 (11)

können <능력, 가능> …할 수 있다, …해도 되다 (5)

konservativ 보수적인 (3)

Konto <das, -s, -s/Konten> 계좌 (12)

Konversation <die, -, -en> 회화 (4)

Konzert <das, -(e)s, -e> 연주회 (11)

Kopf <der, -(e)s, Köpfe> 머리 (11)

Kopfschmerz <der, -es, -en 보통 복수> 두통 (11)

Korea <(das), -s, 항상 단수> 대한민국 (1)

Koreanisch <(das)> 한국어 (8)

koreanisch 한국의 (7)

Koreanistik <die, -, 항상 단수> 한국학 (3)

Koreakrieg <der, -(e)s, -e> 한국전쟁 (11)

korrigieren 수정하다 (2)

kosten 값이 …이다 (6)

Kostüm <das, -(e)s, -e> 투피스 (7)

krach <의성어: 물건이 부서지거나 깨질 때 나는 소리> 쾅 (11)

krank 병든 (11)

Krawatte <die, -, -n> 넥타이 (7)

Kuchen <der, -s, -> 케이크 (6)

Küchentisch <der, -(e)s, -e> 부엌 테이블 (10)

kühl 차가운 (9)

Kultur <die, -, -en> 문화 (4)

Kunst <die, -, Künste> 미술 (3), 예술

Künstler <der, -s, -> 예술가 (3)

kurz 짧은 (2)

Kuss <der, -es, Küsse> 키스 (11)

lachen (소리 내어) 웃다 (8)

lächeln 미소 짓다 (11)

Laden <der, -s, Läden> 가게 (9)

Lamm <das, -(e)s, Lämmer> 어린 양 (8)

Lampe <die, -, -n> 스탠드 (10), 램프

Land <das, -(e)s, Länder> 국가 (3), 지방, 시골 (9)

lang 긴 (2)

lange 오랫동안 (8)

langsam 천천히 (9)

langweilig 지루한 (4)

lassen ...하게 하다 (8)

laufen 뛰다, 걷다 (11)

Laune <die, -, -n> 기분 (5)

laut (소리가) 큰 (5)

leben 살다 (1)

Leben <das, -s, -> 삶, 생활 (9), 인생 (11)

lecker 맛있는 (6)

leer 빈 (11)

legen 두다, 놓다 (10)

Lehramt <das, -(e)s, 보통 단수> 교직(과정) (3)

Lehrer <der, -s, -> 교사 (1)

leicht 가벼운 (9), 쉬운

leider 유감스럽게도 (5)

Lektion <die, -, -en> 과 (1)

Lektüre <die, -, -n, 보통 단수> 강독 (4)

lernen 배우다 (4)

lesen 읽다 (3)

letzt- 마지막의, 지난 (9)

Leute <die, -, 복수 명사> 사람들 (3)
Licht <das, -(e)s, -er> 불빛, 전등 (8)
Lichtlein <das, -s, -> 작은 불빛, 촛불 (8)
lieb 사랑스러운, 친애하는 (3)
Liebe <die, -, 항상 단수> 사랑 (7)
lieben 사랑하다 (7)
lieber <gern의 비교급> 오히려 (6)
Lieblings- 가장 좋아하는 (3)
Lieblingsessen <das, -s, -> 가장 좋아하는 음식 (3)
Lieblingsfach <das, -(e)s, Fächer> 가장 좋아하는 과목 (3),
Lieblingsgruppe <die, -, -n> 가장 좋아하는 그룹 (4)
Lieblingslehrer <der, -s, -> 가장 좋아하는 교사 (3)
Lieblingsmusik <die, -, 항상 단수> 가장 좋아하는 음악 (3)
Lieblingssänger <der, -s, -> 가장 좋아하는 가수 (3)
Lieblingstag <der, -(e)s, -e> 가장 좋아하는 날/요일 (4)
Lieblingsstar <der, -s, -s> 가장 좋아하는 스타 (10)
Lieblingstier <das, -(e)s, -e> 가장 좋아하는 동물 (3)
liebst- <gern의 최상급> 가장 좋아하는 (6)
Lied <das, -(e)s, -er> 노래 (8)
liegen 놓여 있다 (8), (위치해) 있다 (9)
Limonade (Limo) <die, -, -n> 레모네이드 (6)
Linguistik <die, -, 항상 단수> 언어학 (11)

link- 왼쪽의 (11)
links 왼쪽에 (2)
Lippe <die, -, -n> 입술 (11)
Liter <der/das, -s, -> 리터 (6)
Luft <die, -, Lüfte> 공기 (9)
Lust <die, -, 항상 단수 > (…하고 싶은) 생각, 의욕 (12)
lustig 재미있는, 우스운 (7)
machen 하다 (2)
Mädchen <das, -s, -> 소녀 (1)
Mädchenname <der, -ns, -n> 여성의 결혼 전 성 (1)
Mai <der, -s, -e, 보통 단수> 5월 (5)
Mail <die, -, -s> 메일 (2), die E-Mail 이메일
Mailfreund <der, -(e)s, -e> 메일 친구 (2)
Mal 번 (9)
mal <명령형 ... mal> 좀 ... 해 봐 (3), <schon mal> ...한 적 (9)
Malblock <der, -(e)s, -blöcke> 스케치북 (10)
malen (그림을) 그리다 (3)
Maler <der, -s, -> 화가 (3)
man <부정대명사> 사람들 (1)
manch- 일부의 (8)
manchmal 이따금씩 (4)
Mandarinenbaum <der, -(e)s, -bäume> 귤나무 (9)
Mann <der, -(e)s, Männer> (성인) 남자 (1)
Mantel <der, -s, Mäntel> 코트 (7)
Marmelade <die, -, -n> 잼 (6)
März <der, -(es), -e, 보통 단수> 3월 (5)
Maschine <die, -, -n> 비행기 (12), 기계

Mathematik <die, -, 항상 단수> 수학 (3),
Mathematiker <der, -s, -> 수학자 (3),
Mathematiklehrer <der, -s, -> 수학교사 (3)
Matratze <die, -, -n> 매트리스 (10)
Medikament <das, -(e)s, -e> 약, 약품 (11)
Medium <das, -s, Medien> 매체, <복수> 미디어 (4)
Meer <das, -(e)s, -e> 바다 (9)
mehr (6) → viel의 비교급
mehrmals 여러 번
mein- <1인칭 단수 소유대명사> 나의 (1)
meist- 대부분의 (6)
meistens 대개 (4)
Mensch <der, -en, -en> 인간, 사람 (8)
Meter <der, -s, -> 미터 (1)
mich <인칭대명사> ich의 3·4격 (2)
Miete <die, -, -n> 임대료 (12)
Mietpreis <der, -es, -e> 임대료 (12)
Milch <die, -, 항상 단수> 우유 (1)
Mineralwasser <das, -s, -> 광천수, 생수 (6)
Minirock <der, -(e)s, -röcke>der 미니스커트 (7)
Minute <die, -, -n> (시간의 단위) 분 (11)
miserabel 비참한 (11)
mit <3격 요구 전치사> (4)
mitbringen 가져오다 (5)
Mittag <der, -(e)s, -e> 정오, 낮, 점심 (4)
mittags 낮에, 점심에 (4)
Mitte <die, -, -n> 가운데, (월, 주 따위의) 중간 (8)
Mitternacht <die, -, -nächte> 자정 (8)
Mittwoch <der, -(e)s, -e> 수요일 (3)
mittwochs 수요일에, 수요일마다 (4)
Möbel <das, -, -, 보통 복수> 가구 (10)
möchten <화법조동사 mögen의 접속법 2식> …하고 싶다 (3)
modisch 유행에 맞는/어울리는 (7)
mögen 좋아하다 (3)
möglich 가능한 (9)
möglichst 최대한 (12)
Monat <der, -(e)s, -e> 월, 달, 월 (8)
Mondjahr <das, -(e)s, -e> 음력의 한해 (8)
Mondkalender <der, -s, -> 음력 (8)
Montag <der, -(e)s, -e> 월요일 (3)
montags 월요일에, 월요일마다 (4)
Morgen <der, -s, -> 아침 (4)
morgen 내일 (5)
morgens 아침에, 아침마다 (1)
müde 피곤한 (4)
Mund <der, -(e)s, Münder/Münde> 입 (2)
Museum <das, -s, Museen> 박물관 (9)
Musik <die, -, -en, 보통 단수> 음악 (3)
musikalisch 음악에 소질이 있는 (7)
müssen <화법조동사: 의무> ...해야 한다 (5)
Mutter <die, -, Mütter> 어머니 (1)
mütterlicherseits 어머니 쪽으로, 외가 쪽으로 (2)
na (gut) 그래 (11)
nach <3격 요구 전치사> (4)
Nachbar <der, -n/-s, -n> 이웃 (10)
Nachhilfeunterricht <der, -(e)s, 보통 단수> 과외 (4)

Nachmittag <der, -(e)s, -e> 오후 (4)

nachmittags 오후에, 오후마다 (4)

Nachname <der, -ns, -n> 성 (1)

nächst- 다음의 (4)

Nacht <die, -, Nächte> 밤 (4)

Nachtclub <der, -s, -s> 나이트클럽 (9)

Nachtisch <der, -(e)s, -e> 후식 (10)

nachts 밤에 (4)

Nachttisch <der, -(e)s, -e> 나이트 테이블 (10)

nah 가까이 (7)

Nähe <die, -, 항상 단수> 근처 (12)

näher 더 자세히 (12)

naja (약간 체념하는 어투로) 그래 (6)

Name <der, -ns, -n> 이름 (1)

nämlich 왜냐하면 ...이니까 (10)

Nase <die, -, -n> die 코 (2)

nass 젖은 (11)

natürlich 당연히 (5)

Nebel <der, -s, -> 안개 (9)

neben <3격 요구 전치사> 옆에 (10), <4격 요구 전치사> 옆으로 (10)

Nebenkosten <die, -, 복수 명사> 부대비용 (12)

neblig/nebelig 안개가 낀 (9)

nehmen 타다 (den Bus/ein Taxi...) nehmen (4), 취하다, 먹다 (einen Salat/das Steak...) nehmen

nein 아니, 아니다 (3)

nennen 부르다 (3), jn. irgendwie nennen 누구를 …라고 부르다

nett 성품이 좋은 (2)

neu 새로운 (6)

Neujahr <das, -(e)s, 항상 단수> 설날 (8)

Neujahrsessen <das, -s, -> 설날 음식 (8)

nicht 아니, 안 (1)

nichts 아무 것도 아닌 것 (6)

nie 결코/전혀/절대로 ... 안 (4)

niemand 아무도 안 (8)

noch 아직 (2)

normalerweise 보통 (4)

Note <die, -, -n> 성적 (12)

Notebook <das, -s, -s> 노트북 (7)

November <der, -s, -, 보통 단수> 11월 (5)

Nudel <die, -, -n> 국수 (가락) (6)

Nudelsalat <der, -(e)s, -e> 국수 샐러드 (6)

Null <die, -, -n> 영 (9)

nur 겨우, 단지 (2)

ob <종속접속사> …일까, …인지 아닌지(일지 아닐지) (7)

oben 위 (10)

Obst <das, -(e)s, 항상 단수> 과일 (6)

Obstsalat <der, -(e)s, -e>der 과일 샐러드 (6)

oder 또는 (4)

öffnen 열다 (8)

oft 종종 (4)

Ohr <das, -(e)s, -en> 귀 (2)

Ohrenschmerz <der, -es, -en, 보통 복수> 귀의 통증 (11)

okay 오케이 (3)

Oktober <der, -s -, 보통 단수> 10월 (4)

Oktoberfest <das, -(e)s, 항상 단수> 옥토버페스트 (8)

Oma <die, -, -s> 할머니 (5)

Onkel <der, -s, -> 삼촌, 큰/작은아버지, 고모부, 이모부 (2)

Opa <der, -s, -s> 할아버지 (5)

Orangensaft <der, -(e)s, -säfte> 오렌지주스 (6)

ordentlich 정리정돈을 잘하는 (7)

Ort <der, -(e)s, -e> 곳, 장소 (3)

Osten <der, -s, 항상 단수> 동쪽 (9)

Ostern <(das), -, -> 부활절 (8),

Osterei <das, -(e)s, -er> 부활절 달걀 (8)

Osterfeiertag <der, -(e)s, -e> 부활절 축제일 (8)

Osterfest <das, -(e)s, -e> 부활절 축제 (8)

Ostergruß <der, -es, -grüße> 부활절 인사 (8)

Osterhase <der, -n, -n> 부활절 토끼 (8)

Osterkarte <die, -, -n> 부활절 카드 (8)

Osterkuchen <der, -s, -> 부활절 케이크 (8)

Ostermontag <der, -(e)s, -e> 부활절 월요일 (8)

Ostermorgen <der, -s, -> 부활절 아침 (8)

Österreich <das, -s, 항상 단수> 오스트리아 (3)

Ostersonntag <der, -s, -e> 부활절 일요일 (8),

Osterspaziergang <der, -(e)s, -gänge> 부활절 산책 (8)

östlich 동쪽의 (9)

Packung <die, -, -en> 곽 (6), 봉지

Papierkorb <der, -(e)s, -körbe> 휴지통 (10)

Park <der, -(e)s, -s> 공원 (9)

Party <die, -, -s> 파티 (5)

passen 맞다 (7)

Pause <die, -, -n> 쉬는 시간, 휴식 (11)

Pech <das,-(e)s, -e> 재수 없는 일 (9)

Perfekt <das, -s, -e> 현재완료 (11)

Person <die, -, -en> 사람 (2)

persönlich 친밀한, 개인적인 (7)

Pfund <das, -(e)s, -e> 500그램 (6)

Philosoph <der, -en, -en> 철학자 (11)

Philosophie <die, -, -n> 철학 (4)

Phonetik <die, -, 항상 단수> 음성학 (4)

Physik <die, -, 항상 단수> 물리 (3)

Physiker <der, -s, -> 물리학자 (3)

Piste <die, -, -n> 스키 활주로, 슬로프 (11)

Pizza <die, -, Pizzas/Pizzen> 피자 (6)

planen 계획하다 (12)

Platz <der, -(e)s, Plätze> 자리, 공간 (11)

Plätzchen <das, -s, -> 쿠키 (8)

plötzlich 갑자기 (11)

Politik <die, -, -en> 정치 (3)

Polizist <der, -en, -en> 경찰관 (6) (3)

Popmusik <die, -, -> 팝음악 (3)

Portion <die, -, -en> 분량 (6)

Poster <das, -s, -> 포스터 (10)

Postkarte <die, -, -n> 우편엽서 (10)

Praktikant <der, -en, -en> 실습생 (12)

praktisch 실용적인 (10)

Präteritum <das, -s, Präterita> 과거 (9)

Prinz <der, -en, -en> 왕자 (11)

Prinzessin <die, -, -nen> 공주 (11)

privat 사적인 (1)

Privatzimmer <das, -s, -> 민간주택의 방 (12)

Problem <das, -s, -e> 문제 (9)

Professor <der, -s, -en> 교수 (1)

prost! 건배! (8), Prost Neujahr! 새해를 위해 건배!

Prüfung <die, -, -en> 시험 (5)

PS <das Postskript의 약자> 추신 (3)

Pullover <der, -s, -> 스웨터 (7)

Punkt <der, -(e)s, -e> 점수 (11), 점

pünktlich 시간에 맞게, 시간을 잘 지키는 (5)

putzen 닦다 (4)

raten 알아맞히다 (5), 조언하다 (12)

rauchen 담배를 피우다 (6)

Raum <der, -(e)s, Räume> 방, 공간 (12)

recht- 오른쪽의 (11)

rechts 오른쪽에 (10)

rechtzeitig 제때에, 시간에 맞게 (5)

Rechtsanwalt <der, -(e)s, -anwälte> 변호사 (1)

reden 이야기하다 (8)

regelmäßig 규칙적인, 규칙적으로 (12)

Regen <der, -s, -, 보통 단수> 비 (9)

Regenzeit <die, -, -en> 장마철 (12)

regnen 비가 내리다 (9)

regnerisch 비가 오는 (9)

reich 부자인 (11)

Reis <der, -es, 항상 단수> 밥, 쌀 (6)

Reise <die, -, -n> 여행 (9)

reisen 여행하다 (3)

Reiseziel <das, -(e)s, -e> 여행목적지 (9)

Reiskuchen <der, -s, -> 떡 (8)

Religion <die, -, -en> 종교 (3)

Restaurant <das, -s, -s> 식당 (7)

richtig 제대로 (5), 정말로 (9), 옳은

Rock <der, -(e)s, Röcke> 치마 (7)

Rock <der, -(s), 항상 단수> 록 음악 (7)

rosa 분홍색의 (7)

Rose <die, -, -n> 장미 (7)

rot 빨간 (2)

Rotwein <der, -(e)s, -e> 레드 와인 (6)

Rücken <der, -s, -> 등 (11)

Rückenschmerz <der, -es, -en, 보통 복수> 등의 통증, 요통 (11)

rufen 소리치다 (8), 부르다 (11)

ruhig 마음 놓고, 안심하고 (7)

rund 둥근 (2)

Russland <(das), -s, 항상 단수> 러시아 (3)

Russe <der, -n, -n> 러시아 사람 (3)

Rutsch <der, -(e)s, -e> 미끄러짐 (8), Guten Rutsch ins neue Jahr! 새해 복 많이 받으세요!

Sache <die, -, -n> 것 (7)

Saft <der, -(e)s, Säfte> 주스 (6)

sagen 말하다 (5)

Salat <der, -(e)s, -e> 샐러드 (6)

sammeln 모으다 (7)

Samstag <der, -(e)s, -e> 토요일 (3)

Samstagabend <der, -s, -e> 토요일 저녁 (4)

samstags 토요일에, 토요일마다 (4)

schade 유감스러운 (5)

schaukeln 그네를 타다 (8)

Scheibe <die, -, -n> 얇게 썬 조각 (6)

scheinen 비치다 (9)

schenken 선물하다 (7)

schick 멋진 (7)

schicken 보내다 (5)

schief 비슷하게 기울어진, -> schief gehen (일이) 잘못되다 (6)

schlafen 자다 (6)

Schlagzeug <das, -(e)s, -e> 타악기 (4)

schlecht 나쁜 (9)

schlimm 나쁜 심한 (11)

Schloss <das, -es, Schlösser> 성(城) (9)

Schluss <der, -es, Schlüsse> 끝맺음 (3)

Schlüsselanhänger <der, -s, -> 열쇠고리 (5)

Schulabschluss <der, -es, -schlüsse> (초·중등 학교) 졸업 (7)

schmal 좁은 (2)

schmecken (6)

schmücken 장식하다 (8)

Schnaps <der, Schnapses, die Schnäpse> (알코올 도수가 높은) 소주

Schnee <der, -s, 항상 단수> 눈 (8)

Schneeflocke <die, -, -n> 눈송이 (8)

Schneeglöckchen <das, -s, -> (식물) 갈란투스 (8)

Schneewittchen <(das)> 백설 공주 (8)

schneien 눈이 내리다 (9)

schnell 빠른 (70)

Schokolade <die, -, -n> 초콜릿 (3)

Schokoladenei <das, -s, -er> 초콜릿으로 만든 달걀 (8)

Schokoladeneis <das, -es, 항상 단수> 초콜릿 아이스크림 (6)

Schokoladenkuchen <der, -s, -> 초콜릿 케이크 (5)

schon 벌써, 이미 (2)

schön 아름다운 (2) 멋진 (6) 좋은 (9)

Schranktür <die, -, -en> 장롱의 문 (10)

schrecklich 끔찍한 (4)

schreiben 쓰다 (1)

Schreibschrift <die, -, -en> 필기체 (1)

Schreibtisch <der, -(e)s, -e> 책상 (10)

schüchtern 수줍어하는 (7)

Schuh <des, -(e)s, -e> 신(발) (7)

Schule <die, -, -n> 학교 (1)

Schulband <die, -, -s> 학교 음악대 (4)

Schulkind <das, -(e)s, -kinder> 학교에 다니는 어린 아이 (8)

Schüler <der, -s, -> 학생 (1)

Schultag <der, -(e)s, -e> 학교에는 가는 날 (8)

Schultasche <die, -, -n> 책가방 (7)

Schultüte <die, -, -n> 초등학교 어린이가 입학식 날 받는 원뿔형 선물 통 (8)

schwarz 검은 (2)

Schwein <das, -(e)s, -e> 돼지 (11)

Schweiz <die, -, 항상 단수> 스위스 (3)

Schweizer <der, -s, -> 스위스 사람 (3)

schwer 어려운 (11), 무거운

Schwester <die, -, -n> 여자 형제 (1)

schwierig 어려운 (6)

Schwimmbad <das, -(e)s, -bäder> 수영장 (9)

schwimmen 수영하다 (3)

sehen 보다 (8)

sehr 매우 (2)

sein 이다 (1)

sein- <3인칭 단수 소유대명사> 그의 (1)
Seite <die, -, -n> 쪽 (3)
selbst 직접 (9)
selten 드물게 (4)
Semester <das, -s, -> 학기 (4)
Semesterferien <die, -, -> 학기말 방학 (8)
Semesterplan <der, -(e)s, -pläne> 학기 계획 (4)
Seminar <das, -s, -e> 세미나 (4)
September <der, -s, -> 9월 (5)
sehr 매우 (12)
Sessel <der, -s, -> 안락의자 (10)
setzen (무엇을 ...의 형태로) 맞히다, 만들다 (12)
Shopping <das, -s, 항상 단수> 쇼핑 (3)
sicher 확실한 (4),분명히 (7)
Sie <2인칭 단·복수 격식칭> (2)
sie <3인칭 여성 단수 인칭대명사> (1)
sie <3인칭 복수 인칭대명사> (2)
Silvester <der/das,-s, -> 12월 31일 (5)
Silvesterparty <die, -, -s> 12월 31일 송년파티 (5)
singen 노래를 부르다 (3)
sitzen 앉아있다 (8)
Snowboard <das, -s, -s> 스노보드 (11)
snowboarden 스노보드를 타다 (11)
Snowboardkurs <der, -(e)s, -e> 스노보드 강좌 (9)
so 그렇게 (4)
Sofa <das, -s, -s> 소파 (10)
sofort 즉시 (11)
Softwareprogrammierer <der, -s, -> 소프트웨어 프로그래머 (3)
Sohn <der, -(e)s, Söhne> 아들 (8)
sollen <화법조동사> ...해야 한다 (7)
Sommer <der, -s, -> 여름 (8)
Sommerferien <die, -, 복수 명사> 여름방학 (9)
sondern -> nicht mehr ..., sondern ... 더는 ...이 아니고, ...이다 (1)
Sonne <die, -, -n> 해, 태양 (9)
Sonnenkalender <der, -s, -> 양력 (8)
sonnig 해가 비치는 (9)
Sonntag <der, -(e)s, -e> 일요일 (4)
sonntags 일요일에, 일요일마다 (4)
sorgen (für) 마련하다 (6)
spannend 긴장시키는 (7)
Spaß <der, -(e)s, Späße> 재미 (4), 농담
spät 늦은 (6)
spätabends 늦은 밤에, 밤늦게 (10)
Speise <die, -, -n> 음식 (8)
Spiel <das, -(e)s, -e> 놀이, 게임 (9)
spielen (놀이·운동 따위를) 하다 (3)
Spielzeug <das, -(e)s, 보통 단수> 장난감 (6)
spitze 아주 좋은 (9)
Sport <der, -(e)s, 항상 단수> 운동, 스포츠 (3)
Sportclub <der, -s, -s> 스포츠클럽 (11)
Sportlehrer <der, -s, -> 체육교사 (3)
Sportler <der, -s, -> 스포츠맨 (3)
sportlich 운동을 잘하는, 스포티한 (7)
Sportplatz <der, -(e)s, -plätze> 운동장 (9)

Sportzentrum <das, -s, -zentren> 스포츠센터 (4)

Sprache <die, -, -n> 언어 (1)

Sprachkurs <der, -(e)s, -e> 어학강좌 (9)

sprechen 말하다 (1)

Sprudel <der, -s, -> 탄산수 (6)

Stadt <die, -, Städte> 도시 (2)

stark 강한 (5), 센 (9)

stehen (et. steht jm.) 어울리다 (7), stehen 서 있다 (10)

steigen 오르다 (8)

stellen (물건을 ...에) 두다 (10), einen Antrag stellen 신청하다 (12)

Stereoanlage <die, -, -n> 스테레오 음향기기 (10)

Stern <der, (e)s, -e> 별 (8)

Stift <der, -(e)s, -e> 필기구 (10)

Stimmung <die, -, -en> 분위기 (11)

Stipendium <das, -s, -ien> 장학금 (5)

Stofftier <das, -(e)s, -e> 천으로 만든 동물 인형 (10)

Strand <der, -(e)s, Strände> 해변 (9)

Straße <die, -, -n> 길 (1)

streng 엄격한 (2)

Stress <der, -es, 항상 단수> 스트레스 (4)

Strom <der, -(e)s, 항상 단수> 전기 (12)

Stück <das, -(e)s, -e; 수량 단위> 조각 (6)

Student <der, -en, -en> 대학생 (2)

Studentenleben <das, -s, -> 대학생의 삶 (4)

Studentenwerk <das, -(e)s, -e> 학생지원처 (12),

Studentenwohnheim <das, -(e)s, -e> 학생기숙사 (12),

Studentenwohnung <die, -, -en> 학생이 사는 집 (12)

Studienabschluss <der, -es, -abschlüssse> 대학 졸업 (5)

Studienkollege <der, -n, -n> 대학 동료

studieren 대학에서 공부하다 (3)

Studium <das, -s, -dien> 대학에서의 학업 (5)

Stuhl <der, -(e)s, Stühle> 의자 (10)

Stunde <die, -, -n> 시간 (4)

Stundenplan <der, -(e)s, -pläne> 시간표 (4)

suchen 찾(으려고 노력하)다 (8)

Süden <der, -, 항상 단수>der 남쪽 (9)

super 아주 좋은 (6)

Supermarkt <der, -(e)s, -märkte> 슈퍼마켓 (9)

Suppe <die, -, -n> 수프, 국 (8)

surfen (인터넷의 여러 사이트를) 열어보다, 인터넷여행을 하다 (4)

süß 귀여운, 달콤한 (6)

sympathisch 호감이 가는 (7)

T-Shirt <das, -s, -s> 티셔츠 (6)

Tafel <die, -, -n> (수량단위: 초콜릿의) ... 판 (6)

Tag <der, -(e)s, -e> 일, 날, 하루, 낮 (1)

Tagebuch <das, -(e)s, -bücher> 일기, 일기장 (6)

Tagesablauf <der, -(e)s, -läufe> 하루 일과 (4)

Tannenbaum <der, -(e)s, -bäume> 전나무, 크리스마스 트리 (8)

Tannenzweig <der, -(e)s, -e> 전나무 가지 (8)

Tante <die, -, -n> 고모, 이모, 큰/작은어머니, 외숙모 (2)

tanzen 춤추다 (3)

Tapete <die, -, -n> 벽지 (10)

Tasse <die, -, -n> 잔 (1)

Taxi <das, -s, -s/Taxen> 택시 (4)

Tee <der, -s, -s> 차 (4)

teilnehmen 참여하다 (11)

Teilnehmer <der, -s, -> 참가자 (5)

telefonieren (...와) 통화하다, 전화하다 (11)

Telefonnummer <die, -, -n> 전화번호 (1)

Tempel <der, -s, -> 절 (7)

Temperatur <die, -, -en> 온도 (9)

Tennis <das, -, 항상 단수> 테니스 (1)

Tennisplatz <der, -(e)s, -plätze> 테니스장 (9)

Teppich <der, -(e)s, -e> 양탄자, 카펫 (10)

Termin <der, -(e)s, -e> 약속 (4)

Test <der, -(e)s, -s/e> 테스트, 간단한 시험 (4)

Text <der, -(e)s, -e> 텍스트 (1)

teuer 비싼 (6)

Theateraufführung <die, -, -en> 연극공연 (9)

Thema <das, -s, Themen> 주제 (9)

Tier <das, -(e)s, -e> 동물 (3)

Tierarzt <der, -(e)s, -ärzte> 수의사 (3)

Tiger <der, -s, -> 호랑이 (5)

Tipp <der, -s, -s> 힌트 (3) 정보 (12)

Tisch <der, -(e)s, -e> 테이블, 상 (8)

Tochter <die, -, Töchter> 딸 (8)

toll 아주 좋은, 끝내주는 (6)

traditionell 전통적인 (8)

tragen ···을 입고 있다 (7)

Trainer <der, -s, -> 트레이너 (11)

Traube <die, -, -n> 포도 (6)

treiben 하다 (3), Sport treiben 운동을 하다

treffen 만나다 (4)

treu 충실한 (7)

trinken 마시다 (1)

tun 하다 (6)

Tür <die, -, -en> 문 (8)

Türchen <das, -s, -> 작은 문 (8)

U-Bahn <die, -, -en> 지하철 (4)

U-Bahnstation <die, -, -en> 지하철역 (4)

üben 연습하다 (11)

über <3·4격 요구 전치사> (2)

überhaupt <überhaupt nicht> 전혀 ... 아닌(7)

überall 도처에 (8)

überlegen (···에 관하여) 생각하다 (12)

übernachten 묵다 (5), 숙박하다 (9)

Überraschung <die, -, -en> 놀라움, 놀라운 일 (5)

umschauen (sich) (···을 알아내기 위해서) 둘러보다 (12)

übersetzen 번역하다 (1)

Übung <die, -, -en> 연습 (11)

Uhr <die, -, -en> (수량단위: 시간) ... 시, 시계 (4)

um <4격 요구 전치사> (4), um ... zu ... ···하기 위해서

umräumen 공간배치를 바꾸다 (10)

und <접속사> 그리고 (1)

Unfall <der, -(e)s, -fälle> 사고 (11)

unfreundlich 불친절한 (6)
ungefähr 대략 (9)
unhöflich 불손한 (7)
Uninähe <die, -, 항상 단수> 대학 근처 (12)
uninteressant 재미없는 (7)
Universität <die, -, -en> 대학 (4)
Universitätsverwaltung <die, -, -en> 대학 행정부 (12)
unmusikalisch 음악에 소질이 없는 (7)
unordentlich 정리를 잘 하지 않는 (7), 어질러진
unpünktlich 시간을 잘 지키지 않는 (7)
unser- <1인칭 복수 소유대명사> 우리의 (3)
unsportlich 운동을 잘 하지 못하는 (7)
unsympathisch 호감이 가지 않는 (7)
unten 아래에 (10)
unter <3·4격 요구 전치사> (8)
Unterricht <der, -s, 항상 단수> 수업 (4)
Unterschrift <die, -, -en> 서명 (3)
untersuchen 진찰하다 (11)
Urlaub <der, -(e)s, -e> 휴가 (5)
Valentinstag <der, -(e)s, -e> 밸런타인데이 (8)
Vater <der, -s, Väter> 아버지 (1)
väterlicherseits 아버지쪽으로, 친가쪽으로 (2)
Vegetarier <der, -s, -> 채식주의자 (11)
Verabredung <die, -, -en> 약속 (9)
Veranstaltung <die, -, -en> 강좌, 행사 (4)
Verb <das, -s, -en> 동사 (5)
verbessern 개선하다 (9)
verbeugen (sich) 허리 굽혀 인사하다 (8)
verbinden 연결하다 (6)
verbringen 보내다 (9)
verdienen 벌다 (11)
vergehen 지나가다 (8)
vergessen 잊다 (6)
vergleichen 비교하다 (6)
Vergnügungspark <der, -(e)s, -s> 놀이공원 (11)
verheiratet 결혼한 (8)
Verkehr <der, -s, 항상 단수> 교통 (6)
Verkehrsmittel <das, -s, -> 교통수단 (6)
verlassen 떠나다 (4)
verliebt 사랑에 빠진 (6)
Verneinung <die, -, -en> 부정 (4)
verrückt 엉뚱한, 미친 (2)
verstecken 숨기다 (8)
verstehen 이해하다 (5)
versuchen 시도하다 (12)
Verwandte <der/die, -n, -n> 친척 (8)
viel 많은 (2)
vielleicht 아마도 (7)
Vier (eine Vier) (성적) 양 (11)
Viertel <das, -s, -> 15분, 1/4 (4)
Visitenkarte <die, -, -n> 명함 (1)
Visum <das, -s, Visa/Visen> 비자 (12)
Vokabel <die, -, -n> 어휘 (11)
voll 가득 찬 (12)
Vollmond <der, -(e)s, -e> 보름달 (8)
von <3격 요구 전치사> (4)
vor <3·4격 요구 전치사> (4)
vorbereiten 준비하다 (6)
voreinander 서로에게 (8)

Vorhang <der, -(e)s, -hänge> 커튼 (10)
vorhin 조금 전, 방금 (9)
vorlesen (소리 내어) 읽다 (5)
Vorlesung <die, -, -en> 강의 (4)
Vormittag <der, -(e)s, -e> 오전 (4)
vormittags 오전에 (4)
Vorname <der, -ns, -n> 이름 (1)
Vorsicht <die, -, 항상 단수> 조심, 주의 (11)
vorsichtig 조심스러운 (9)
vorstellen (sich et.) 상상하다 (7)
wahr 실제의 (11), 진짜의, 참된, 진정한
Wand <die, -, Wände> 벽 (10)
wandern 도보여행을 하다 (9)
Wanderung <die, -, -en> 도보여행 (9)
wann 언제 (4)
warm 따뜻한 (9)
warten 기다리다 (7)
warum 왜 (4)
was 무엇 (1)
waschen 씻다 (4)
waschen (sich) 세수하다 (4)
Wasser <das, -s, -> 물 (1)
wecken 깨우다 (10)
Wecker <der, -s, -> 자명종 (4)
weg 떨어져있는 <,>떠나간 (5)
wegen <2격 요구 전치사> (7)
wehen (바람이) 불다
wehtun 아프다 (11)
weich 부드러운 (6)
Weihnachten <(das), -, -, 보통 단수> 크리스마스 (7)
Weihnachtsbaum <der, -(e)s, -> 크리스마스 트리 (8)
Weihnachtsessen <das, -s, -> 크리스마스 음식 (8)
Weihnachtsfeiertag <der, -(e)s, -e> 크리스마스 축제일 (8)
Weihnachtsfest <das, -(e)s, e> 크리스마스 축제 (8)
Weihnachtsgans <die, -, -gänse> 크리스마스 거위 (8)
Weihnachtsgeschenk <das, -(e)s, -e> 크리스마스 선물 (8)
Weihnachtskarte <die, -, -n> 크리스마스 카드 (8)
Weihnachtslied <das, -(e)s, -er> 크리스마스 노래 (8)
Weihnachtsmann <der, -(e)s, -männer> 산타클로스 (8),
Weihnachtsmesse <die, -, -n> 성탄절 미사 (8)
Weihnachtsplätzchen <das, -s, -> 크리스마스 쿠기 (8)
Weihnachtszeit <die, -, 항상 단수> 크리스마스 시기 (8)
weil <종속접속사> 왜냐면 ··· 때문에 (10)
Wein <der, -(e)s, -e> 와인 (6)
weit <공간> 먼 (5), 허리통이 큰 (7), <시간> 먼 (8); So weit für heute! 오늘을 여기까지! (12)
weiß 하얀 (2)
Weißwein <der, -(e)s, -e> 화이트 와인 (6)
Welt <die, -, -en> 세계 (9)

wenig/wenig- 적은 (9)
wenn <종속접속사> …면 (9)
wer 누가 (1)
werden 되다 (3)
Wetter <das, -s, 항상 단수> 날씨 (9)
WG <die Wohngemeinschaft의 약자> 주거 공동체 (12)
wichtig 중요한 (2)
wie 어떻게 (1)
wieder 다시 (4)
wiedersehen 다시 보다/만나다 (12)
wie viel 몇 (4), 얼마나 많은
wievielt- 몇 번째 (5) der Wievielte 며칠
windig 바람이 부는 (9)
Winter <der, -s, -> 겨울 (8)
Wippe <die, -, -n> 널 (8), 시소
wir <1인칭 복수 인칭대명사> 우리 (2)
wirklich 정말로 (6)
wissen 알다 (1)
wo 어디 (4)
Woche <die, -, -n> 주 (8)
Wochenende <das, -s, -n> 주말 (9)
Wochentag <der, -(e)s, -e> 요일 (12)
woher 어디에서 (1)
wohin 어디로 (4)
wohl 좋은 (11)
wohnen 살다 (1)
Wohngemeinschaft <die, -, -en> 주거 공동체 (12)
Wohnheim <das, -(e)s, -e> 기숙사 (12)
Wohnort <der, -(e)s, -e> 주거지 (2)
Wohnung <die, -, -en> 아파트 (5), 집, 주거
Wohnzimmer <das, -s, -> 거실 (10)
Wohnzimmertisch <der, -(e)s, -e> 거실 테이블 (10)
wolkig 구름이 낀, (날씨가) 흐린 (9)
wollen <화법조동사: 의지> ...하려고 하다 (6)
Wort <das, -(e)s, Wörter/Worte> 낱말 (11)
Wortbildung <die, -, -en> 조어 (3)
Wörterbuch <das, -(e)s, -bücher> 사전 (3)
Wurst <die, -, Würste> 소시지 (6)
wünschen 기원하다 (5)
wünschen (sich et.) 자신에게 무엇을 희망하다 (7)
zählen 세다 (6)
Zahn <der, -(e)s, Zähne> 치아 (4)
zeichnen 그리다 (10)
Zeit <die, -, -en> 시간 (3), 시대, 시절
Zeitschrift <die, -, -en> 잡지 (10)
zelten 텐트를 치다 (9)
zentral 중심의 (12)
ziemlich 꽤 (3)
Zigarette <die, -, -n> 담배 (6)
Zimmer <das, -s, -> 방 (9)
Zitrone <die, -, -n> 레몬 (11)
zu <3격 요구 전치사> (4); <접속사> zu + 부정사 (12); <부사> 너무, 지나치게
zuerst 맨 먼저 (4)
Zug <der, -(e)s, Züge> 기차 (12)
Zukunft <die, -, 항상 단수> 미래 (5)
Zulassung <die, -, -en> (입학) 허가 (12)
zum Beispiel (z.B.) 예를 들면 (8)

zurückfahren (차를 타고) 돌아가다 (11)

zurückmüssen 돌아가야 하다 (9)

Zusage <die, -, -n> 승낙 (12)

zusammen 함께 (8)

zuverlässig 믿을 수 있는 (7)

zwar <und zwar 형식으로> 구체적으로 말하면 (1)

zwar ..., aber... ···이기는 하지만, ···인 (3)

zwischen <3격 요구 전치사> ... 사이에 (10), <4격 요구 전치사> ... 사이로

Wie schreibt man auf Deutsch?

독일어 작문 연습 I

초판 인쇄　2020년 2월 10일
초판 발행　2020년 2월 17일

지은이　신형욱, Anneliese Stern-Ko
발행인　김인철
총괄 · 기획　윤성우 Director, University Knowledge Press
편집장　신선호 Executive Knowledge Contents Creator
기획 · 물류　이현진 Planning Expert
사전 · 도서편집　정준희 Contents Creator
전자책 · 도서편집　장혜린 Contents Creator
도서편집　이병철 Contents Creator
　이근영 Contents Creator
재무관리　하누리 Managing Creator
발행처　한국외국어대학교 지식출판콘텐츠원
02450 서울특별시 동대문구 이문로 107
전화 02)2173-2493~7
팩스 02)2173-3363
홈페이지 http:/ / press.hufs.ac.kr
전자우편 press@hufs.ac.kr
출판등록 제6-6호(1969. 4. 30)
디자인 · 편집　(주)이환디앤비 02)2254-4301
인쇄 · 제본　네오프린텍 02)718-3111

ISBN 979-11-5901-721-6　13750　정가 21,000원

*잘못된 책은 교환하여 드립니다.

HUiNE은 한국외국어대학교 지식출판콘텐츠원의 어학도서, 사회과학도서, 지역학 도서 Sub Brand이다. 한국외대의 영문명인 HUFS, 현명한 국제전문가 양성(International +Intelligent)의 의미를 담고 있으며, 휴인(携引)의 뜻인 '이끌다, 끌고 나가다'라는 의미처럼 출판계를 이끄는 리더로서, 혁신의 이미지를 담고 있다.